Harlan Coben

Ontwricht

BOEKERIJ

Eerste druk september 2011
Tweede druk oktober 2011

ISBN 978-90-225-5724-2
NUR 330

Oorspronkelijke titel: *Back Spin* (Dell, Random House)
Vertaling: Iris Bol
Omslagontwerp: Wil Immink Design
Omslagbeeld: Fotolia (schooltas), Hollandse Hoogte (landschap/bank)
Zetwerk: Mat-Zet bv, Soest

© 1997 by Harlan Coben
© 2011 voor de Nederlandse taal: De Boekerij bv, Amsterdam

Published by arrangement with Lennart Sane Agency AB

Voor de Armstrongs,
de beste schoonfamilie ter wereld,
Jack en Nancy,
Molly, Jane, Eliza, Sara, John en Kate;
allemaal bedankt voor Anne

I

Myron Bolitar keek met een kartonnen verrekijker over de verstikkende drommen bespottelijk geklede toeschouwers. Hij probeerde zich te herinneren wanneer hij voor het laatst een speelgoedverrekijker had gebruikt, en het beeld van het insturen van streepjescodes van Cap'n Crunch-cornflakes flikkerde voor zijn ogen als hoofdpijnopwekkende zonnevlekken.

Door de gespiegelde reflectie bekeek Myron een man in een knickerbocker – een knickerbocker, nota bene – die over een wit bolletje gebogen stond. De bespottelijk geklede toeschouwers begonnen opgewonden te mompelen. Myron onderdrukte een gaap. De man in knickerbocker hurkte. De belachelijk geklede toeschouwers duwden tegen elkaar aan en vervielen vervolgens in een enge stilte. Pure onbeweeglijkheid volgde, alsof zelfs de bomen, struiken en keurig gecoiffeerde grassprieten gezamenlijk hun adem inhielden.

Toen mepte de man in de knickerbocker met een stok tegen het witte rondje.

De menigte begon te mompelen in de niet te onderscheiden lettergrepen van achtergrondgeroezemoes. De bal ging omlaag, net als het volume van het gemompel. Er konden woorden worden herkend. Toen zinsneden. 'Mooie golfslag.' 'Super golfslag.' 'Prachtige golfslag.' 'Bijzonder indrukwekkende golfslag.' Ze zeiden altijd gólfslag, alsof iemand het zou verwarren met zwémslag. Zwemmen, dat zou Myron op dat moment veel liever doen.

'Meneer Bolitar?'

Myron haalde de verrekijker van zijn oog. Hij kwam in de verleiding om 'verrekijker omlaag' te roepen, maar vreesde dat sommige mensen van de statige, verwaande Merion Golf Club dat kinderachtig zouden vinden. Vooral tijdens de U.S. Open. Hij keek omlaag en zag een man van rond de zeventig met een blozend gezicht.

'Uw broek,' zei Myron.

'Pardon?'

'U bent zeker bang dat u wordt aangereden door een golfkarretje?'

Er was oranje en geel in tinten die helderder waren dan een uitbarstende supernova. Al moest hij toegeven dat de kleren van de man nauwelijks opvielen. De meesten in het publiek leken zich bij het wakker worden de vraag te hebben gesteld of ze kleding hadden die vloekte met, laten we zeggen, de vrije wereld. Velen droegen tinten oranje en groen die verder uitsluitend werden aangetroffen in de meest smakeloze neonreclames. Geel en vreemde kleuren paars waren ook populair – meestal in combinatie met elkaar – als een kleurenschema dat was afgewezen door een cheerleaderteam van een middelbare school in het middenwesten. Het leek alsof de mensen te midden van deze door God gegeven natuurlijke schoonheid er alles voor over hadden om die teniet te doen. Of misschien was er iets anders aan de hand. Misschien hadden de lelijke kleren een functionelere oorsprong. In vroegere tijden, toen de wilde dieren vrij rondzwierven, kleedden golfers zich misschien zo om gevaarlijke fauna af te schrikken.

Goeie theorie.

'Ik moet u spreken,' fluisterde de oude man. 'Het is dringend.'

Zijn ronde, joviale wangen logenstraften zijn smekende blik. Opeens greep hij Myrons onderarm vast. 'Alstublieft,' voegde hij eraan toe.

'Waar gaat het over?' vroeg Myron.

De man maakte een beweging met zijn hals, alsof zijn kraag te strak zat. 'U bent toch een sportagent?'

'Ja.'

'En u bent hier toch om nieuwe cliënten te vinden?'

Myron kneep zijn ogen tot spleetjes. 'Hoe weet u dat ik hier niet ben voor het boeiende schouwspel van volwassen mannen die een wandelingetje maken?'

De oude man glimlachte niet, maar golfers stonden dan ook niet bekend om hun gevoel voor humor. Hij rekte zijn hals nog een keer uit en ging dichter bij Myron staan. Zijn gefluister klonk schor. 'Zegt de naam Jack Coldren u iets?' vroeg hij.

'Tuurlijk,' zei Myron.

Als de oude man die vraag gisteren had gesteld, zou hij geen flauw benul hebben gehad. Hij volgde het golf niet zo goed (of eigenlijk helemaal niet), en Jack Coldren was de afgelopen twintig jaar weinig meer geweest dan een gemiddelde speler. Maar na de eerste dag van de U.S. Open had Coldren tot ieders verbazing de leiding genomen en nu, met nog slechts een paar holes in de tweede ronde te gaan, ging Coldren aan kop met een indrukwekkende voorsprong van acht slagen. 'Wat is er met hem?'

'En Linda Coldren?' vroeg de man. 'Weet u wie dat is?'

Die vraag was gemakkelijker. Linda Coldren was Jacks vrouw en verreweg de beste vrouwelijke golfspeler van de afgelopen tien jaar. 'Ja, ik weet wie dat is,' zei Myron.

De man boog zich dichter naar hem toe en bewoog zijn hals weer. Dat was ongelooflijk irritant en bovendien werkte het aanstekelijk. Myron merkte dat hij de aandrang moest bedwingen om de beweging na te doen. 'Ze zitten diep in de problemen,' fluisterde de oude man. 'Als je ze helpt, heb je er twee nieuwe cliënten bij.'

'Wat voor problemen?'

De oude man keek om zich heen. 'Alstublieft,' zei hij. 'Hier is het veel te druk. Kom mee.'

Myron haalde zijn schouders op. Hij had geen reden om niet mee te gaan. De oude man was de enige aanwijzing die hij boven tafel had weten te krijgen sinds zijn vriend en zakencompagnon Windsor Horne Lockwood III – kortweg Win – hem tegen zijn zin hier mee naartoe had gesleept. Aangezien de U.S. Open op Merion werd gehouden – de baan die sinds de afgelopen miljard jaar, of iets in die geest, al de thuisbaan van de familie Lockwood was – meende Win dat het een gunstige gelegenheid voor Myron zou zijn om een paar

9

interessante cliënten aan de haak te slaan. Myron was daar minder van overtuigd. Voor zover hij kon zien was het belangrijkste onderscheid tussen hem en de horden andere, op sprinkhanen gelijkende agenten die uitzwermden over de groene weiden van de Merion Golf Club zijn overduidelijke aversie tegen golf. Ongetwijfeld geen aanbeveling voor de echte liefhebbers.

Myron Bolitar leidde MB SportsRep, een bedrijf dat sporters vertegenwoordigde en dat gevestigd was op Park Avenue in New York City. Hij huurde de ruimte van zijn voormalige kamergenoot op de universiteit, Win, een elitaire investeringsbankier uit een geslacht met oud geld. Diens familie bezat Locke-Horne Securities dat aan hetzelfde Park Avenue in New York was gevestigd. Myron deed de onderhandelingen terwijl Win, een van de meest gerespecteerde effectenmakelaars van het land voor de investeringen en financiën zorgde. Het andere lid van het MB-team, Esperanza Diaz, regelde alle overige zaken. Drie afdelingen met een ingebouwd machtsevenwicht. Net als de Amerikaanse overheid. Heel patriottisch.

Slogan: MB SportsRep, alle anderen zijn communistische mietjes.

Terwijl de oude man Myron meevoerde door de menigte, werd hij door een aantal andere mannen in groene blazers – ook iets wat je voornamelijk op golfbanen zag, wellicht om niet op te vallen tegen het gras – begroet met een gefluisterd: 'Hoe gaat-ie, Bucky?' of 'Je ziet er goed uit, Buckster,' of 'Mooie dag om te golfen, Buckeroo.' Ze hadden allemaal het accent van kakkerige rijkelui, de soort tongval waarbij 'mommy' werd uitgesproken als 'mummy' en waar zomer en winter werkwoorden zijn. Myron wilde net iets zeggen over een volwassen vent die Bucky werd genoemd, maar als je zelf Myron heet, nou ja… Glazen huizen en stenen en dat soort zaken.

Zoals bij alle sportevenementen in de vrije wereld leek het echte wedstrijdgebied meer op een gigantisch reclamebord dan op een sportveld. Het scorebord werd gesponsord door IBM. Canon deelde de periscopen uit. Bij de eetkraampjes stonden werknemers van American Airlines (een luchtvaartmaatschappij die de catering verzorgde, welke denktank had dat verzonnen?). De zakelijke tribune stond propvol bedrijven die elk meer dan een ton hadden neergeteld om een paar dagen een tent te mogen opzetten, voornamelijk om hun managers een excuus te geven om erheen te gaan. Travelers Group, Mass Mutual, Aetna (kennelijk hielden golfers van verzekeringen), Canon, Heublein. Heublein? Wat was een Heublein in godsnaam? Het zag eruit als een leuk bedrijf. Als Myron wist wat het was, had hij vast een Heublein gekocht.

Het grappige was dat de U.S. Open in feite minder commercieel was dan de meeste andere toernooien. In elk geval hadden ze hun naam nog niet verkocht. Andere toernooien werden naar de sponsors genoemd en die namen waren nogal dom geworden. Wie vond het leuk om de JC Penney Open te winnen of de Michelob Open of zelfs de Wendy's Three-Tour Challenge?

De oude man nam hem mee naar een eersteklas parkeerplaats. Mercedessen, Cadillacs, limo's. Myron zag Wins Jaguar staan. De USGA had onlangs een bordje neergezet waar PARKEREN UITSLUITEND VOOR LEDEN op stond.

Myron zei: 'U bent lid van Merion.' Dokter Deductie.

De oude man verdraaide zijn hals tot iets wat op een knik leek. 'Mijn familie gaat terug tot Merions oprichting,' zei hij, en zijn snobistische accent werd duidelijker. 'Net als die van je vriend Win.'

Myron bleef staan en keek de man aan. 'Kent u Win?'

De oude man liet een soort glimlach zien en haalde zijn schouders op. Hij deed geen echte uitspraak.

'U hebt me uw naam nog niet verteld,' zei Myron.

'Stone Buckwell,' zei hij, en hij stak zijn hand uit. 'Iedereen noemt me Bucky.'

Myron gaf hem een hand.

'En ik ben ook de vader van Linda Coldren,' voegde hij eraan toe.

Bucky maakte een hemelsblauwe Cadillac open en ze gingen erin zitten. Op de radio klonk muzak, nog erger, de muzakversie van 'Raindrops Keep Falling on My Head'. Myron deed snel het raampje open voor frisse lucht, maar ook tegen het lawaai.

Alleen leden mochten parkeren op het terrein van Merion dus het was niet moeilijk om weg te komen. Aan het einde van de oprijlaan gingen ze naar rechts en daarna nog een keer naar rechts. Godzijdank deed Bucky de radio uit. Myron trok zijn hoofd weer naar binnen.

'Wat weet je over mijn dochter en haar man?' vroeg Bucky.

'Niet veel.'

'Je bent geen golffan, of wel?'

'Nee, niet echt.'

'Golf is werkelijk een fenomenale sport,' zei hij. Daar voegde hij aan toe: 'Al doet het woord "sport" het eigenlijk geen recht.'

'Hmm,' zei Myron.

'Het is het spel van prinsen.' Buckwells rozige gezicht begon te gloeien, en zijn ogen waren groot en er lag dezelfde vervoering in die je bij de strenggelovigen zag. Zijn stem was zacht en vol ontzag. 'Je kunt het nergens mee vergelijken. Je neemt het in je eentje op tegen de baan. Geen smoesjes. Geen teammaat. Geen dubieuze beslissingen van de scheidsrechter. Een puurdere activiteit bestaat niet.'

'Hmm,' zei Myron opnieuw. 'Hoort u eens, meneer Buckwell, ik wil niet onbeleefd zijn, maar waar gaat dit allemaal over?'

'Noem me toch Bucky.'

'Goed. Bucky.'

Hij knikte goedkeurend. 'Ik heb begrepen dat Windsor Lockwood en jij meer dan zakenpartners zijn,' zei hij.

'En wat wil je daarmee zeggen?'

'Ik heb begrepen dat jullie elkaar al heel lang kennen. Jullie waren toch kamergenoten op de universiteit, is het niet?'

'Waarom blijf je doorvragen over Win?'

'Eigenlijk ben ik naar de club gekomen om hem te spreken,' zei Bucky. 'Maar het lijkt me beter om het op deze manier te doen.'

'Op welke manier?'

'Door eerst met jou te praten. Misschien kunnen we daarna… Nou ja, we zien wel. Niet te veel verwachten.'

Myron knikte. 'Ik heb geen idee waar je het over hebt.'

Bucky reed een weg op die naast het golfterrein lag en die Golf House Road heette. Wat waren golfers toch creatief.

Aan hun rechterkant lag de golfbaan en aan de linkerkant lagen indrukwekkende villa's. Een minuutje later reed Bucky een ronde oprit op. Het huis was redelijk groot en gebouwd met iets wat 'rivier-steen' heette. Riviersteen zag je veel in deze streek, al noemde Win het altijd 'Mainline steen'. Er was een wit hek en er stonden veel tul-pen en twee esdoorns, eentje aan elke kant van de oprit. Aan de rech-terkant van het huis was een grote, afgesloten veranda. De auto kwam tot stilstand en even bewogen ze geen van beiden.

'Waar gaat dit allemaal om?'

'We zitten met een probleem,' zei hij.

'Wat voor probleem?'

'Dat laat ik mijn dochter liever aan je uitleggen.' Hij griste het sleuteltje uit het contact en pakte het portier beet.

'Waarom ben je naar mij gekomen?'

'Er is ons verteld dat jij misschien kunt helpen.'

'Wie heeft dat gezegd?'

Buckwell liet zijn hals heftiger bewegen. Zijn hoofd zag eruit alsof het was bevestigd met een losse kogelmof. Toen hij hem eindelijk weer onder controle had, slaagde hij erin Myron recht in de ogen te kijken.

'Wins moeder,' zei hij.

Myron verstijfde. Zijn hart leek omlaag te vallen in een donkere schacht. Hij opende zijn mond, sloot hem weer en wachtte. Buckwell stapte uit de auto en liep naar de deur. Tien seconden later volgde Myron hem.

'Win zal niet helpen,' zei Myron.

Buckwell knikte. 'Daarom ben ik eerst naar jou gegaan.'

Ze liepen over een stenen pad naar een deur die op een kiertje stond. Buckwell duwde hem open. 'Linda?'

Linda Coldren stond voor een televisie in de hobbykamer. Haar witte korte broek en mouwloze gele blouse onthulden de soepele, gespierde ledematen van een sporter. Ze was lang en had kort pittig zwart haar. Haar bruine kleurtje accentueerde de gladde, lange spie-ren. Te oordelen naar de lijntjes om haar ogen en mond was ze achter in de dertig, en hij begreep direct waarom ze zo'n commerciële lieve-ling was. De vrouw straalde een felle grootsheid uit, een schoonheid die voortkwam uit een gevoel van kracht in plaats van fragiliteit.

Ze volgde het toernooi op televisie. Boven op het toestel stonden ingelijste familiefoto's. In een hoek vormden grote, dik beklede banken een V. Voor een golfer was de kamer smaakvol ingericht. Geen groen tapijt dat op kunstgras lijkt. Niet van die golfkunst die, esthetisch gezien, een paar klassen lager was dan, laten we zeggen, schilderijen van honden die poker speelden. Geen petje met een tee en een bal op de klep die aan een elandkop hing.

Opeens draaide Linda Coldren haar hoofd in hun richting en ze wierp een blik langs Myron, waarna ze haar vader aankeek. 'Ik dacht dat je Jack zou gaan halen,' snauwde ze.

'Hij is nog niet klaar met zijn ronde.'

Ze wees naar de televisie. 'Hij is nu op achttien. Je zou toch op hem wachten?'

'In plaats daarvan heb ik meneer Bolitar gehaald.'

'Wie?'

Myron deed een stap naar voren en glimlachte. 'Ik ben Myron Bolitar.'

Linda Coldren wierp hem een korte blik toe en keek vervolgens weer naar haar vader. 'Wie is hij in godsnaam?'

'Hij is de man over wie Cissy me heeft verteld,' zei Buckwell.

'Wie is Cissy?' vroeg Myron.

'Wins moeder.'

'O,' zei Myron. 'Juist.'

Linda Coldren zei: 'Ik wil hem hier niet hebben. Stuur hem weg.'

'Luister naar me, Linda. We hebben hulp nodig.'

'Niet van hem.'

'Win en hij hebben ervaring met dit soort dingen.'

'Win,' zei ze langzaam, 'is psychotisch.'

'Ah,' zei Myron. 'Je kent hem blijkbaar goed?'

Eindelijk richtte Linda Coldren haar aandacht op Myron. Haar ogen, die diep en bruin waren, ontmoetten de zijne. 'Ik heb Win niet meer gesproken sinds hij acht was,' zei ze. 'Maar je hoeft niet in een kuil met vlammen te stappen om te weten dat het heet is.'

Myron knikte. 'Mooie vergelijking.'

Ze schudde haar hoofd en keek weer naar haar vader. 'Ik heb toch

al gezegd: geen politie. We doen wat ze zeggen.'
'Maar hij is niet van de politie,' zei haar vader.
'En jij hoort het tegen niemand te zeggen.'
'Ik heb het alleen aan mijn zus verteld,' wierp Bucky tegen. 'Die zal het nooit verder vertellen.'
Myron voelde zijn lichaam opnieuw verstijven. 'Wacht eens even,' zei hij tegen Bucky. 'Is Wins moeder jouw zus?'
'Ja.'
'Jij bent Wins oom.' Hij keek naar Linda Coldren. 'En jij bent zijn nicht.'
Linda Coldren keek hem aan alsof hij net op het tapijt had gepist.
'Met zo veel intelligentie ben ik blij dat je aan onze kant staat,' zei ze.
Bijdehante opmerkingen maken kan iedereen.
'Als het u nog niet helemaal duidelijk is, kan ik wel een flip-over pakken en een stamboom voor u tekenen, meneer Bolitar.'
'Kunt u dan veel mooie kleurtjes gebruiken?' vroeg Myron. 'Daar ben ik gek op.'
Ze trok een gezicht en wendde zich van hem af. Op de televisie maakte Jack Coldren zich klaar om een putt van drie meter zestig te maken. Linda keek zwijgend toe. Hij tikte tegen de bal en die rolde in één keer de hole in. De toeschouwers applaudisseerden matig enthousiast. Jack pakte het balletje met twee vingers en tikte tegen zijn pet. Op de tv flitste het IBM-scorebord op. Jack Coldren ging aan kop met een enorme voorsprong van negen slagen.
Linda Coldren schudde haar hoofd. 'Arme vent.'
Myron zei niks. Bucky evenmin.
'Hij heeft drieëntwintig jaar gewacht op dit moment,' ging ze verder. 'En dan kiest hij uitgerekend nu.'
Myron wierp een blik op Bucky. Bucky wierp een blik terug en schudde zijn hoofd.
Linda Coldren staarde naar de televisie tot haar echtgenoot naar het clubhuis liep. Daarna haalde ze diep adem en keek ze Myron aan. 'Kijk, meneer Bolitar, Jack heeft nog nooit een proftoernooi gewonnen. In zijn eerste jaar is hij het dichtst bij een overwinning gekomen. Dat was drieëntwintig jaar geleden, toen hij pas negentien was.

Dat was de laatste keer dat de U.S. Open op Merion werd gehouden. Misschien kunt u zich de krantenkoppen nog herinneren?'

Die waren niet geheel onbekend. De kranten van vanochtend hadden het dunnetjes overgedaan. 'Hij heeft toen toch een voorsprong uit handen gegeven?'

Linda Coldren maakte een minachtend geluid. 'Nogal een understatement, maar inderdaad. Sindsdien is zijn loopbaan niet erg opzienbarend geweest. Er zijn jaren geweest dat hij het profcircuit niet eens heeft gehaald.'

'Hij heeft een mooi moment uitgekozen om zijn reeks nederlagen te doorbreken,' zei Myron. 'De U.S. Open.'

Ze wierp hem een vreemde blik toe en sloeg haar armen onder haar borsten over elkaar. 'Uw naam komt me bekend voor,' zei ze. 'U hebt toch gebasketbald?'

'Ja.'

'In de ACC. Voor North Carolina?'

'Duke,' verbeterde hij haar.

'O ja, Duke. Nu weet ik het weer. Na de selectie van de nieuwe spelers hebt u uw knie geblesseerd.'

Myron knikte langzaam.

'Dat betekende toch het einde van uw carrière?'

Myron knikte weer.

'Dat moet naar zijn geweest,' zei ze.

Myron zei niks.

Ze maakte een wuivend gebaar met haar hand. 'Wat er met u is gebeurd, stelt niets voor in vergelijking met wat Jack is overkomen.'

'Waarom zegt u dat?'

'U had een blessure. Dat was vast moeilijk, maar in elk geval was het niet uw eigen schuld. Op die U.S. Open had Jack een voorsprong van zes slagen met nog maar acht holes te gaan. Weet u wat dat is? Dat is hetzelfde als een voorsprong van tien punten met nog maar een minuut te spelen in de zevende wedstrijd van de NBA-finale. Het is hetzelfde als het missen van een vrije slam dunk in de laatste seconden waardoor je de titel verliest. Jack is nooit meer de oude geworden. Hij is er nooit overheen gekomen. Hij heeft zijn hele leven erna alleen maar gewacht op een kans om het goed te maken.' Ze draaide zich weer om naar de tv. Daar was nog altijd het scorebord te zien en Jack Coldren ging nog altijd aan de leiding met negen slagen.

'Als hij weer verliest...'

Ze nam niet de moeite om die gedachte af te maken. Ze stonden alle drie zwijgend bij elkaar. Linda staarde naar de televisie. Bucky strekte zijn hals uit, zijn ogen vochtig en zijn gezicht trillend alsof hij bijna in tranen was.

'Nou, wat is er aan de hand, Linda?' vroeg Myron.

'Onze zoon,' zei ze. 'Iemand heeft onze zoon ontvoerd.'

2

'Eigenlijk moet ik je dit niet vertellen,' zei Linda Coldren. 'Hij zei dat hij hem dan zou vermoorden.'
'Wie zei dat?'
Linda Coldren haalde een paar keer diep adem, als een kind op de hoge duikplank. Myron wachtte. Het duurde een poosje, maar eindelijk waagde ze de sprong.
'Ik werd vanochtend gebeld,' zei ze. Haar grote indigoblauwe ogen waren rond en schoten alle kanten op. Ze bleven nergens langer dan een seconde op rusten. 'Een man vertelde dat hij mijn zoon had. Hij zei dat hij hem zou vermoorden als ik de politie belde.'
'Heeft hij verder nog iets gezegd?'
'Alleen dat hij zou terugbellen met instructies.'
'Was dat alles?'
Ze knikte.
'Hoe laat was dat?' vroeg Myron.
'Ergens tussen negen en half tien.'
Myron liep naar de televisie en pakte een van de ingelijste foto's. 'Is dit een recente foto van je zoon?'
'Ja.'
'Hoe oud is hij?'
'Zestien. Hij heet Chad.'
Myron bekeek de foto. De glimlachende puber had de vlezige trekken van zijn vader. Hij droeg een honkbalpet met de rand gekruld zoals kinderen van tegenwoordig deden. Trots liet hij een golfclub tegen zijn schouder rusten, als een revolutionair met een bajonet. Zijn ogen waren samengeknepen alsof hij tegen de zon in keek.

Myron bekeek Chads gezicht alsof dat hem een aanwijzing of een bijzonder inzicht kon verschaffen. Dat was niet het geval.

'Wanneer merkte je dat je zoon werd vermist?'

Linda Coldren wierp een snelle blik op haar vader en rechtte toen haar rug. Ze hief haar hoofd alsof ze zich voorbereidde op een klap. Haar woorden kwamen langzaam. 'Chad was twee dagen weg.'

'Weg?' Myron Bolitar, grootinquisiteur.

'Ja.'

'Als je "weg" zegt...'

'Is dat precies wat ik bedoel,' viel ze hem in de rede. 'Ik heb hem woensdag voor het laatst gezien.'

'Maar de ontvoerder heeft vandaag pas gebeld?'

'Ja.'

Myron wilde iets zeggen, maar bedacht zich en liet zijn stem zachter klinken. Rustig aan, beste Myron. Dan breekt het lijntje niet. 'Heb je enig idee waar hij was?'

'Ik nam aan dat hij bij zijn vriend Matthew logeerde,' antwoordde Linda Coldren.

Myron knikte alsof die opmerking van een briljant inzicht getuigde. Toen knikte hij nog een keer. 'Had Chad dat tegen je gezegd?'

'Nee.'

'Dus de afgelopen twee dagen,' zei hij zo achteloos mogelijk, 'wist je eigenlijk helemaal niet waar je zoon was?'

'Ik zei toch net dat ik dacht dat hij bij Matthew was?'

'Maar je hebt de politie niet gebeld?'

'Nee, natuurlijk niet.'

Myron wilde haar eerst nog een vervolgvraag stellen, maar haar lichaamshouding overtuigde hem ervan dat hij die achterwege moest laten. Linda maakte gebruik van zijn besluiteloosheid en liep met een kaarsrechte, soepele gratie naar de keuken. Myron volgde haar. Bucky leek abrupt uit een trance te komen en sjokte erachteraan.

'Even kijken of ik je goed begrijp.' Myron wilde de zaak vanuit een ander perspectief bekijken. 'Chad is nog voor het toernooi verdwenen?'

'Dat klopt,' zei ze. 'De Open begon donderdag.' Linda Coldren trok aan de handel van de koelkast. De deur ging open met een zuigend plopgeluid. 'Hoezo? Doet dat ertoe?'

'Dat elimineert een motief,' zei Myron.

'Welk motief?'

'Knoeien met het toernooi,' zei Myron. 'Als Chad vandaag was verdwenen, nu je man zo'n grote voorsprong heeft, dan zou ik denken dat iemand zijn kans om de Open te winnen wil saboteren. Maar twee dagen terug, nog voor het toernooi van start was gegaan...'

'Zou niemand hebben geloofd dat Jack een kans maakte,' maakte ze zijn zin af. 'Gokkers zouden hem een op vijfduizend hebben gegeven. Op zijn hoogst.' Ze knikte, omdat ze de logica inzag. 'Wil je limonade?' vroeg ze.

'Nee, dank je.'

'Pa?'

Bucky schudde zijn hoofd en Linda Coldren boog zich voorover om in de koelkast te kijken.

'Goed.' Myron klapte in zijn handen en probeerde terloops te klinken. 'We hebben een mogelijkheid uitgesloten. Laten we er nog een proberen.'

Linda Coldren hield op met wat ze deed en keek hem aan. Ze hield een glazen drie-literkan in haar hand en de spieren in haar onderarm spanden zich soepeltjes onder het gewicht. Myron overwoog hoe hij dit moest aanpakken. Er was geen gemakkelijke manier.

'Kan je zoon hierachter zitten?' vroeg hij.

'Wat?'

'Het is een voor de hand liggende vraag in deze omstandigheden,' zei Myron.

Ze zette de kan op een houten werkbank. 'Wat maak je me nou, verdomme? Denk je dat Chad net doet alsof hij is ontvoerd?'

'Dat heb ik niet gezegd. Ik zei dat ik de mogelijkheid wilde nagaan.'

'Donder op.'

'Hij was twee dagen weg en je hebt de politie niet gebeld,' zei Myron. 'Een mogelijke conclusie is dat hier een bepaalde spanning heerste. Dat Chad al eerder was weggelopen.'

'Of,' gaf Linda Coldren terug, terwijl ze haar handen tot vuisten balde, 'je kunt de conclusie trekken dat we onze zoon vertrouwden. Dat we hem de vrijheid gaven die overeenkwam met hoe volwassen en verantwoordelijk hij was.'

Myron wierp een blik op Bucky. Bucky hield zijn hoofd gebogen.

'Als de zaken er zo voorstaan...'

'Dat doen ze inderdaad.'

'Maar zeggen jongeren met verantwoordelijkheidsgevoel niet tegen hun ouders waar ze heen gaan? Ik bedoel... Alleen al om te voorkomen dat ze zich ongerust maken.'

Linda Coldren pakte overdreven voorzichtig een glas. Ze zette het op het aanrecht en schonk heel langzaam wat limonade in voor zichzelf. 'Chad heeft geleerd om heel onafhankelijk te zijn,' zei ze terwijl ze het glas vol liet lopen. 'Zijn vader en ik zijn allebei profgolfers. Dat betekent nou eenmaal dat we allebei niet vaak thuis zijn.'

'Heeft het feit dat jullie zo vaak weg zijn tot spanningen geleid?' vroeg Myron.

Linda Coldren schudde haar hoofd. 'Dit heeft totaal geen zin.'

'Ik probeer alleen...'

'Hoor eens, Chad doet niet alsof. Ja, hij is een puber. Nee, hij is niet volmaakt, evenmin als zijn ouders. Maar hij heeft zijn ontvoering niet in scène gezet. Maar zelfs als hij dat wel heeft gedaan, ik weet dat het niet zo is, maar stel dat, dan is hij veilig en hebben we jou niet nodig. Als dit een of ander wreed grapje is, zullen we daar snel genoeg achter komen. Maar als mijn zoon wel in gevaar verkeert, is deze gedachtegang een verspilling van tijd die ik me niet kan permitteren.'

Myron knikte. Daar had ze gelijk in. 'Ik begrijp het,' zei hij.

'Mooi zo.'

'Heb je zijn vriend nog gebeld nadat je van de ontvoerder had gehoord? Die jongen bij wie je dacht dat hij logeerde?'

'Matthew Squires, ja.'

'Had Matthew enig idee waar hij was?'

'Nee.'

'Ze zijn toch goede vrienden?'

'Ja.'

'Heel goede vrienden?'

Ze fronste. 'Ja, heel goed.'

'Belt Matthew vaak hier heen?'

'Ja. Of ze hebben contact via e-mail.'

'Ik heb Matthews telefoonnummer nodig,' zei Myron.

'Maar ik heb je net verteld dat ik hem al gesproken heb.'

'Doe me die lol,' zei Myron. 'Goed. Even een stapje terug. Wanneer heb je Chad voor het laatst gezien?'

'De dag waarop hij is verdwenen.'

'Wat is er toen gebeurd?'

Ze fronste weer. 'Hoe bedoel je, wat is er gebeurd? Hij ging de deur uit voor een zomercursus op school. Daarna heb ik hem niet meer gezien.'

Myron bekeek haar aandachtig. Ze bleef staan en keek hem ietsje te kalm aan. Er klopte iets niet. 'Heb je de school gebeld?' vroeg hij.

'Om te vragen of hij er die dag is geweest?'

'Daar heb ik niet aan gedacht.'

Myron keek op zijn horloge. Vrijdag. Vijf uur 's middags. 'Ik denk niet dat er nog iemand is, maar probeer het toch maar. Heb je meerdere telefoonlijnen?'

'Ja.'

'Bel dan niet met de lijn waarop de ontvoerder heeft gebeld. Ik wil niet dat die bezet is voor het geval hij terugbelt.'

Ze knikte. 'Goed.'

'Heeft je zoon creditcards of een pinpas of iets dergelijks?'

'Ja.'

'Daar heb ik een lijst van nodig. Met de nummers, als je ze hebt.'

Ze knikte opnieuw.

Myron zei: 'Ik ga een vriend bellen om te vragen of ik nummerweergave op deze lijn kan krijgen. Voor het geval hij terugbelt. Ik neem aan dat Chad een computer heeft?'

'Ja,' zei ze.

'Waar staat die?'

'Boven in zijn kamer.'

'Ik ga alles wat erop staat via deze modem downloaden naar mijn kantoor. Mijn assistente heet Esperanza en zij zal alles doornemen en kijken of ze iets kan vinden.'

'Zoals?'

'Ik zou het je eerlijk gezegd niet kunnen zeggen. E-mails. Correspondentie. Bulletinboards waar hij aan deelneemt. Alles wat ons een aanwijzing kan opleveren. Het is een proces dat niet erg wetenschappelijk is. Als je maar voldoende dingen naloopt, is er misschien iets wat een lichtje doet branden.'

Daar dacht Linda even over na. 'Goed,' zei ze.

'En hoe zit het met jou? Heb jij vijanden?'

Ze liet iets zien wat op een glimlach leek. 'Ik ben de beste vrouwelijke golfer ter wereld,' zei ze. 'Dat levert me heel wat vijanden op.'

'Is er ook iemand die je tot zoiets in staat acht?'

'Nee,' zei ze. 'Helemaal niemand.'

'En je man? Is er iemand die je man genoeg haat om zoiets te doen?'

'Jack?' Ze dwong zich te grinniken. 'Jack is alom geliefd.'

'Wat bedoel je daarmee?'

Ze schudde haar hoofd en wuifde hem weg.

Myron stelde nog een paar vragen, maar er was weinig meer wat hij boven tafel kon halen. Hij vroeg of hij Chads kamer mocht zien, en ze ging hem voor naar boven.

Het eerste wat Myron zag toen hij Chads deur opende waren de trofeeën. Een enorme hoeveelheid. Allemaal golftrofeeën. Het bronzen figuurtje bovenop was altijd een mannetje dat in de post-swing-positie gebogen stond, de golfclub over zijn schouder en zijn hoofd hoog opgeheven. Soms droeg het mannetje een golfpet. Andere keren had hij kort, golvend haar, zoals Paul Hornung in oude footballfilmpjes. In de rechterhoek stonden twee leren golftassen die allebei propvol zaten met clubs. De muren hingen vol met foto's van Jack Nicklaus, Arnold Palmer, Sam Snead en Tom Watson. De vloer lag bezaaid met nummers van *Golf Digest*.

'Golft Chad?' vroeg Myron.

Linda Coldren keek hem alleen maar aan. Myron ontmoette haar blik en knikte wijs.

'Mijn vermogen om conclusies te trekken is heel scherp,' zei hij.

'Sommige mensen raken erdoor geïntimideerd.'

Ze glimlachte bijna. Myron de Geruststeller, de meester in het brengen van ontspanning. 'Ik zal mijn best doen om je op dezelfde manier te blijven behandelen,' zei ze.

Myron liep naar de trofeeën toe. 'Is hij goed?'

'Heel goed.' Opeens draaide ze zich om en ging met haar rug naar de kamer staan. 'Heb je verder nog iets nodig?'

'Op dit moment niet.'

'Dan ga ik weer naar beneden.'

Ze wachtte niet op zijn instemming.

Myron liep verder de kamer in. Hij controleerde het antwoordapparaat bij Chads telefoon. Drie berichten. Twee van een meisje dat Becky heette. Zo te horen was ze een goede vriendin. Ze belde gewoon even om gedag te zeggen en te vragen of hij dit weekend iets leuks wilde gaan doen, weet je wel? Millie, Suze en zij gingen, je weet wel, naar de Heritage om te hangen, oké? En als hij zin had om te komen, nou goed, je ziet maar. Myron glimlachte. De tijden mochten dan veranderen, maar haar woorden hadden net zo goed gesproken kunnen zijn door een meisje met wie Myron op de middelbare school had gezeten, of zijn vader of zijn vaders vader. Generaties gaan in cirkels. De muziek, de films, de taal en de mode mochten dan veranderen, maar dat waren alleen de uiterlijke prikkels. Onder de wijde broeken of het ultrakorte haar, bleven puberangsten, puberbehoeftes en gevoelens van ontoereikendheid angstaanjagend gelijk.

Het laatste bericht was van een jongen die Glen heette. Hij wilde weten of Chad dit weekend wilde golfen op 'de Pine', aangezien ze niet naar Merion konden vanwege de Open. 'Pa,' zo verzekerde Glen Chad met zijn bekakte stem, 'kan een teetijd voor ons regelen, *no problemo.*'

Geen berichten van Chads goede vriend Matthew Squires.

Hij zette de computer aan. Windows 95. Mooi zo. Dat gebruikte Myron zelf ook. Myron zag direct dat Chad Coldren voor zijn e-mail

America Online gebruikte. Perfect. Myron drukte op FLASHSESSION. De modem schakelde in en piepte en zoemde een paar seconden. Een stem zei: 'Welkom. U hebt mail.' Tientallen berichten werden automatisch gedownload. Dezelfde stem zei: 'Tot ziens.' Myron bekeek Chads e-mailadresboek en vond het e-mailadres van Matthew Squires. Hij liet zijn blik over de gedownloade berichten gaan. Er was er niet een van Matthew bij.

Interessant.

Het was natuurlijk heel goed mogelijk dat Matthew en Chad niet zo goed bevriend waren als Linda Coldren dacht. En het was ook heel goed mogelijk dat, zelfs als ze dat wel waren, Matthew sinds woensdag geen contact meer met zijn vriend had opgenomen, zelfs al was die vriend zogenaamd verdwenen zonder een spoor achter te laten. Zulke dingen gebeurden.

Maar het bleef interessant.

Myron pakte Chads telefoon en drukte op de herhalingstoets. De telefoon ging vier keer over en toen hoorde hij een opgenomen stem. 'Met Matthew. Spreek een bericht in of doe het niet. Moet je zelf weten.'

Myron hing op zonder een bericht in te spreken (dat moest hij tenslotte 'zelf weten'). Hmm. Chads laatste telefoontje was naar Matthew geweest. Dat kon belangrijk zijn. Of het had nergens mee te maken. Hoe dan ook, Myron leek in rap tempo op een dood spoor te belanden.

Weer pakte hij de hoorn van Chads telefoon en belde zijn kantoor. Esperanza nam op toen de telefoon twee keer was overgegaan.

'Met MB SportsReps.'

'Met mij.' Hij bracht haar op de hoogte en zij luisterde zonder hem in de rede te vallen.

Esperanza Diaz werkte al tien jaar voor MB SportsReps, sinds het bedrijf was opgericht. Toentertijd was Esperanza pas achttien en was ze de koningin van de zondagochtend kabel-tv. Nee, ze was niet te zien geweest in infomercials, al werd haar programma vaak gelijktijdig met infomercials uitgezonden, vooral met die van het apparaat om je buikspieren te trainen dat eruitzag als een middeleeuws martelwerktuig. Esperanza was een professioneel worstelaarster geweest onder de naam Little Pocahontas, de sensuele indiaanse prinses. Met haar kleine, lenige figuurtje, gekleed in niet meer dan een suède bikini, was Esperanza drie jaar achtereen uitgeroepen tot FLOWS (*Fabulous Ladies Of Wrestling*) populairste worstelaarster. Officieel had de trofee 'Het stuk dat je het liefst in de dubbele nelson wil nemen' geheten. Desondanks was Esperanza bescheiden gebleven.

Toen hij haar het hele verhaal over de ontvoering had verteld, waren Esperanza's eerste woorden een ongelovig: 'Heeft Win een móéder?'

'Ja.'

Stilte. 'Nou, dan kan mijn uit-een-duivels-ei-gekropen-theorie de prullenbak in.'

'Ha-ha.'

'Of mijn ontstaan-uit-een-bijzonder-mislukt-experiment-theorie.'

'Aan zulke hulp heb ik niks.'

'Waar moet ik dan mee helpen?' reageerde Esperanza. 'Je weet dat ik Win graag mag. Maar de knul is... Wat is de officiële term ook alweer? Knetter.'

'Meneer Knetter heeft anders wel een keer je leven gered,' zei Myron.

'Ja, maar vraag me niet hoe,' wierp ze tegen.

Dat deed Myron dan ook niet. Een donkere steeg. Wins geprepareerde kogels. Hersenweefsel dat als confetti in het rond vloog. Typisch Win. Effectief, maar overdreven. Alsof je een insect vermorzelde met een sloopkogel.

Esperanza verbrak de lange stilte. 'Zoals ik al zei,' begon ze zacht. 'Knetter.'

Myron wilde een ander onderwerp aansnijden. 'Zijn er nog boodschappen voor me?'

'Zo ongeveer een miljoen. Maar niks wat niet kan wachten.' Toen vroeg ze: 'Heb je haar ooit ontmoet?'

'Wie?'

'Madonna,' snauwde ze. 'Wie denk je? Wins moeder, natuurlijk.'

'Een keer,' zei Myron, eraan terugdenkend. Meer dan tien jaar geleden. Sterker nog, Win en hij hadden gedineerd op Merion. Bij die gelegenheid had Win niet met haar gesproken. De herinnering deed Myron opnieuw ineenkrimpen.

'Heb je dit al aan Win verteld?' vroeg ze.

'Nee. Heb je nog goede raad voor me?'

Esperanza dacht even na. 'Doe het telefonisch,' zei ze. 'Van grote, veilige afstand.'

3

Ze hadden al snel een meevaller.

Myron zat nog met Linda in de hobbykamer van de Coldrens toen Esperanza terugbelde. Bucky was teruggegaan naar Merion om Jack op te halen.

'De pinpas van de jongen is gisteren gebruikt om 18.18 uur,' zei Esperanza. 'Hij heeft honderdtachtig dollar opgenomen bij een filiaal van First Philadelphia in Porter Street in Zuid Philly.'

'Dank je.'

Dat soort informatie is eenvoudig te achterhalen. Iedereen met een rekeningnummer kon het doen met een telefoon, door net te doen alsof hij of zij de rekeninghouder was. Zelfs als je het rekeningnummer niet had, had iedereen die ooit bij een opsporingsdienst had gewerkt met een beetje hersens de contacten of op zijn minst de middelen om de juiste persoon te betalen. Er was niet veel voor nodig, vooral niet met de huidige overvloed aan gebruiksvriendelijke technologie. Technologie deed meer dan depersonaliseren; het spleet je leven, holde je uit en scheurde elke schijn van privacy weg.

Een paar toetsaanslagen onthulden alles.

'Wat is er?' vroeg Linda Coldren.

Hij vertelde het haar.

'Dat betekent niet per se wat jij denkt,' zei ze. 'De ontvoerder kan de pincode van Chad hebben gekregen.'

'Dat kan,' zei Myron.

'Maar jij gelooft dat niet?'

Hij haalde zijn schouders op. 'Laten we het erop houden dat ik meer dan gerede twijfel heb.'

'Waarom?'

'Nou, bijvoorbeeld vanwege het bedrag. Hoeveel mocht Chad maximaal opnemen?'

'Vijfhonderd dollar per dag.'

'Waarom neemt de ontvoerder dan maar honderdtachtig op?'

Linda Coldren dacht even na. 'Als hij te veel opneemt, krijgt er misschien iemand argwaan.'

Myron fronste. 'Maar als de ontvoerder zo voorzichtig is,' begon hij, 'waarom neemt hij dan zo'n groot risico voor honderdtachtig dollar? Iedereen weet dat geldautomaten zijn uitgerust met beveiligingscamera's. Net zoals iedereen weet dat zelfs de meest eenvoudige computercontrole een locatie kan opleveren.'

Met een effen blik keek ze hem aan. 'Jij denkt niet dat mijn zoon in gevaar is?'

'Dat heb ik niet gezegd. Dit hele gedoe kan op het ene lijken, maar toch iets anders zijn. Je had gelijk met wat je net zei. We kunnen er het beste van uitgaan dat de ontvoering echt is.'

'Wat is je volgende stap?'

'Ik weet het niet precies. De geldautomaat was in Porter Street in Zuid-Philadelphia. Is dat een plek waar Chad graag komt?'

'Nee,' zei Linda Coldren langzaam. 'Sterker nog, ik kan me niet voorstellen dat hij daar iets te zoeken heeft.'

'Waarom zeg je dat?'

'Het is een achterbuurt. Een van de goorste wijken van de stad.'

Myron stond op. 'Heb je een stratengids?'

'In mijn dashboardkastje.'

'Mooi. Ik moet je auto een poosje lenen.'

'Waar ga je heen?'

'Ik ga in de buurt van die geldautomaat rondrijden.'

Ze fronste. 'Waarom?'

'Dat weet ik niet,' bekende Myron. 'Zoals ik al eerder zei, is onderzoek doen niet erg wetenschappelijk. Je verricht wat loopwerk en je wendt hier en daar je invloed aan en dan hoop je dat er iets gebeurt.'

Linda Coldren stak haar hand in haar zak voor haar sleutels. 'Misschien hebben de ontvoerders hem daar gegrepen,' zei ze. 'Misschien zie je zijn auto wel ergens staan.'

Myron kon zich wel voor zijn kop slaan. Een auto. Dat hij zoiets essentieels was vergeten. Voor hem riep een jongen die verdween op weg naar of van school beelden op van gele bussen of iemand die kwiek met een boekentas liep. Hoe kon hij zoiets voor de hand liggends als een opsporing voor een auto hebben gemist? Hij vroeg haar het merk en model. Een grijze Honda Accord. Niet een auto die erg opvalt. Een nummerbord uit Pennsylvania met het kenteken 567-AHJ. Hij belde Esperanza en gaf het door. Daarna gaf hij Linda Coldren het nummer van zijn mobiele telefoon.

'Bel me als er iets gebeurt.'

'Goed.'

'Ik kom snel terug,' zei hij.

De rit duurde niet lang. Hij leek in een keer van een groene pracht naar betonnen rotzooi te gaan, net als in *Star Trek*, als ze door zo'n tijdsportaal gaan.

De geldautomaat was een drive-through die was gesitueerd in wat hij grootmoedig een zakenwijk noemde. Tientallen camera's. Geen menselijke kassiers. Zou een ontvoerder echt dit risico nemen? Zeer twijfelachtig. Myron vroeg zich af hoe hij een kopie van de videoband van de bank kon bemachtigen zonder de politie te alarmeren. Wellicht kende Win iemand. Financiële instellingen waren de familie Lockwood meestal graag van dienst. De vraag was of Win hem van dienst wilde zijn.

Langs de weg stonden verlaten pakhuizen. Althans, ze zagen er verlaten uit. Enorme vrachtwagens raceten langs als iets uit een oude film over vrachtwagenkonvooien. Ze deden Myron denken aan de 27MC-rage uit zijn jeugd. Net zoals iedereen destijds had zijn vader er een gekocht, een man die was geboren in het Flatbush-deel van Brooklyn en als volwassene een ondergoedfabriek had in Newark, had 'Breaker één negen' geblaft met een accent dat hij had afgekeken van de film *Deliverance*. Dan had zijn vader door Hobart Gap Road gereden van hun huis naar het winkelcentrum Livingston – op zijn hoogst een afstand van anderhalve kilometer – en gevraagd of zijn 'goede vrienden' ook 'juten' hadden gezien. Myron glimlachte bij de herinnering. Ah, bakkies. Hij wist zeker dat zijn vader het zijne nog ergens had. Waarschijnlijk stond het naast de achtsporenrecorder.

Aan de ene kant van de geldautomaat was een benzinepomp die zo doorsnee was dat men niet eens de moeite had genomen een naam te bedenken. Op afbrokkelende B-2-blokken stonden roestige auto's. Aan de andere kant stond een onguur, anoniem motel dat de Court Manor Inn heette en dat zijn klanten begroette met groene letters waarop te lezen stond: $19,99 PER UUR.

Reistip 83 van Myron Bolitar: het is vermoedelijk geen luxe vijf-sterrenhotel als ze groot adverteren met een uurprijs.

Onder de prijs, in smallere zwarte letters, stond op het bord: SPIE-GELPLAFONDS EN THEMAKAMERS IETS DUURDER. Themakamers. Myron wilde het niet weten. En de onderste regel, weer in grote, groene letters: VRAAG NAAR ONZE VASTE KLANTENCLUB. Jezus nog aan toe.

Myron vroeg zich af of het de moeite zou lonen, en hij dacht: waarom ook niet? Waarschijnlijk liep het op niets uit, maar als Chad zich ergens verscholen hield, of zelfs als hij ontvoerd was, dan was een anoniem motel een even goede plek om te verdwijnen als waar dan ook.

Hij parkeerde op de parkeerplaats. De Court Manor was een schoolvoorbeeld van een gribus. Het had twee verdiepingen en de buitentrappen en aaneengesloten balkons waren van rottend hout. De cementen muren hadden dat onaffe, draaierige oppervlak waar je je hand aan kon openhalen als je ertegen leunde. Op de grond lagen stukjes beton op de grond. Een Pepsi-automaat waarvan de stekker er niet in zat bewaakte de deur als een Queen's guard. Myron liep er-langs en ging naar binnen.

Binnen verwachtte hij een standaard anonieme motellobby aan te treffen, oftewel: een ongeschoren neanderthaler in een mouwloos, te kort hemd die op een tandenstoker kauwde terwijl hij achter ko-gelvrij glas zat en een biertje opboerde. Of iets in die trant. Maar dat was niet het geval. De Court Manor Inn had een hoge, houten balie waar een bronzen bordje op stond met PORTIER erop. Myron deed zijn best om niet te gniffelen. Achter de balie stond een gesoigneerde man van achter in de twintig met een babyface en een kaarsrechte rug. Hij droeg een geperst overhemd met een gesteven kraag en in zijn donkere das zat een volmaakte Windsor-knoop. Hij glimlachte naar Myron.

'Goedemiddag, meneer!' riep hij uit. Hij klonk net als een invaller voor John Tesh in *Entertainment Weekly* en zo zag hij er ook uit. 'Welkom in de Court Manor Inn!'

'Ja,' zei Myron. 'Dag.'

'Kan ik u vandaag ergens mee helpen, meneer?'

'Ik hoop het.'

'Fantastisch. Ik heet Stuart Lipwitz. Ik ben de nieuwe manager van de Court Manor Inn.' Verwachtingsvol keek hij Myron aan.

Myron zei: 'Gefeliciteerd.'

'Dank u, meneer, dat is heel vriendelijk van u. Als er problemen zijn, als iets in de Court Manor Inn niet aan uw verwachtingen voldoet, laat het me dan alstublieft onmiddellijk weten. Ik zal het persoonlijk oplossen.' Brede glimlach, opgezette borstkas. 'Hier in de Court Manor Inn garanderen we uw tevredenheid.'

Myron keek hem een minuutje aan, wachtend tot de stralende glimlach een beetje zou verflauwen. Dat gebeurde niet. Myron pakte de foto van Chad Coldren.

'Hebt u deze jongeman gezien?'

Stuart Lipwitz keek niet eens omlaag. Nog altijd glimlachend zei hij: 'Het spijt me, meneer. Bent u van de politie?'

'Nee.'

'Dan ben ik bang dat ik u niet kan helpen. Het spijt me heel erg.'

'Pardon?'

'Meneer, het spijt me, maar hier in de Court Manor Inn hebben we discretie hoog in het vaandel staan.'

'Hij zit niet in de problemen,' zei Myron. 'Ik ben geen privédetective die een overspelige echtgenoot probeert te betrappen of zo.'

De glimlach verflauwde of verdween niet. 'Het spijt me, meneer. Dit is de Court Manor Inn. Onze klanten gebruiken onze service voor een keur aan activiteiten en ze hunkeren vaak naar anonimiteit. Wij van de Court Manor Inn hebben dat te respecteren.'

Myron bestuurde het gezicht van de man, op zoek naar een teken dat hij een geintje maakte. Niks. Zijn hele gezicht gloeide alsof hij een artiest was in het pauzeprogramma van *Up with People*. Myron boog zich over de balie en bekeek de schoenen. Gepoetst als twee spiegels. Het haar was met gel achterovergekamd. De fonkeling in de ogen leek echt.

Het duurde even, maar toen begreep Myron wat de bedoeling was. Hij pakte zijn portefeuille en haalde er een briefje van twintig uit. Dat duwde hij over de balie heen. Stuart Lipwitz keek ernaar, maar bewoog zich verder niet.

'Waar is dat voor, meneer?'

'Het is een cadeautje,' zei Myron.

Stuart Lipwitz raakte het niet aan.

'Het is voor een brokje informatie,' ging Myron door. Hij pakte nog een briefje en hield het omhoog. 'Ik heb er nog een, als je wilt.'

'Meneer, hier bij de Court Manor Inn hebben we een spreuk: de klant komt op de eerste plaats.'

'Is dat niet de spreuk van een prostituee?'

'Pardon?'

'Laat maar zitten,' zei Myron.

'Ik ben de nieuwe manager van de Court Manor Inn, meneer.'

'Dat heb ik begrepen.'

'Ik ben ook voor tien procent eigenaar.'

'De hele mahjong-club zal wel jaloers zijn op je moeder.'

De glimlach bleef. 'Met andere woorden, ik ben hier voor langere tijd, meneer. Zo beschouw ik deze zaak. Voor de lange termijn. Niet alleen voor vandaag of morgen. Maar ook voor in de toekomst. Voor de lange termijn. Begrijpt u?'

'O,' zei Myron kortaf. 'Bedoel je de lange termijn?'

Stuart Lipwitz knipte met zijn vingers. 'Precies. En ons motto is het volgende: er zijn veel plaatsen waar u uw geld kunt uitgeven aan overspel. Wij willen dat u dat hier doet.'

Myron zweeg even. Toen zei hij: 'Heel nobel.'

'Wij van Court Manor Inn doen ons best om uw vertrouwen te winnen, en vertrouwen is onbetaalbaar. Als ik 's morgens wakker word, moet ik mezelf wel kunnen aankijken in de spiegel.'

'Hangt die spiegel aan het plafond?'

De glimlach bleef. 'Laat ik het op een andere manier uitleggen,' zei hij. 'Als de klant weet dat de Court Manor Inn een plek is waar veilig een misstap kan worden begaan, is de kans groter dat hij of zij hier terugkomt.' Hij boog zich voorover, zijn ogen vochtig van opwinding. 'Snapt u?'

Myron knikte. 'Terugkerende klanten.'

'Precies.'

'En mensen die je zaak kennen van horen zeggen,' voegde Myron eraan toe. 'Zo van: "Hé, Bob, ik ken een geweldige tent om stiekem met iemand te neuken."'

Er werd een knikje toegevoegd aan de glimlach. 'U snapt het.'

'Dat is allemaal leuk en aardig, Stuart, maar deze knul is pas vijftien.' In feite was Chad zestien, maar wat maakte het uit? 'Dat is tegen de wet.'

De glimlach bleef, maar leek nu teleurstelling met de favoriete leerling uit te drukken. 'Ik vind het vervelend om u tegen te moeten spreken, maar de leeftijdsgrens voor verkrachting van minderjarigen in deze staat is veertien. En bovendien is er geen wet die een vijftienjarige verbiedt om een kamer te huren.'

De man danste te veel, dacht Myron. Er was geen enkele reden voor deze hele poppenkast als de jongen hier nooit was geweest. Maar hij moest de feiten onder ogen zien. Stuart Lipwitz vond dit waarschijnlijk leuk. De man spoorde duidelijk niet helemaal. Hoe dan ook, tijd om een beetje aan de boom te schudden, dacht Myron.

'Wel als hij in jouw motel is aangevallen,' zei Myron. 'Wel als hij beweert dat iemand een reservesleutel van de balie heeft gekregen en daarmee zijn kamer is binnengedrongen.' Meneer Bluf gaat naar Philadelphia.

'We hebben geen reservesleutels,' zei Lipwitz.

'Nou, hij is er toch in geslaagd om binnen te komen.'

De glimlach was er nog altijd. Net als de beleefde toon. 'Als dat zo was, zou de politie hier zijn, meneer.'

'Daar ga ik zo heen,' zei Myron. 'Als je niet meewerkt.'

'En u wilt weten of deze jongeman,' Lipwitz gebaarde naar de foto van Chad, 'hier heeft gelogeerd?'

'Ja.'

De glimlach werd zowaar nog iets stralender. Myron deed bijna zijn hand voor zijn ogen. 'Maar meneer, als u de waarheid heeft verteld, kan deze jongeman toch zeker zelf vertellen of hij hier is geweest. Daar hebt u mij toch niet voor nodig?'

Myrons gezicht bleef onaangedaan. Meneer Bluf was net afgetroefd door de nieuwe manager van de Court Manor Inn. 'Dat klopt,' zei hij, abrupt van tactiek veranderend. 'Ik weet al dat hij hier is geweest. Het was maar een openingsvraag. Zoals wanneer de politie naar je naam vraagt terwijl ze die al kent. Gewoon om de bal aan het rollen te krijgen.' Meneer Improvisatie neemt het over van meneer Bluf.

Stuart Lipwitz pakte een stukje papier en krabbelde er iets op. 'Dit is de naam en het telefoonnummer van de advocaat van de Court Manor Inn. Hij kan u helpen met alle problemen die u hebt.'

'Maar hoe zit het dan met alles zelf afhandelen? Het garanderen van mijn tevredenheid?'

'Meneer.' Hij boog zich voorover en zorgde ervoor dat hij het oogcontact niet verbrak. Er was geen spoor van ongeduld te bespeuren in zijn stem of op zijn gezicht. 'Mag ik eerlijk zijn?'

'Doe je best.'

'Ik geloof geen woord van uw verhaal.'

'Bedankt voor je eerlijkheid,' zei Myron.

'Nee, u bedankt, meneer. En komt u vooral nog een keer terug.'

'Dat is ook een credo van een prostituee.'

'Pardon?'

'Nee, niks,' zei Myron. 'Mag ik ook eerlijk zijn?'

'Ja.'

'De kans bestaat dat ik je heel hard in je gezicht stomp als je me niet vertelt of je deze knul hebt gezien.' Meneer Improvisatie verliest zijn zelfbeheersing.

De deur ging met een klap open. Een innig verstrengeld stelletje strompelde naar binnen. De vrouw wreef openlijk over het kruis van de man. 'We moeten nu meteen een kamer hebben,' zei de man.

Myron wendde zich tot hen en zei: 'Hebt u uw vaste klantenkaart bij de hand?'

'Wat?'

De glimlach van Stuart Lipwitz was er nog altijd. 'Tot ziens, meneer. Nog een prettige dag.' Vervolgens vernieuwde hij de glimlach en liep naar het kronkelende stelletje. 'Welkom in de Court Manor Inn. Ik ben Stuart Lipwitz. Ik ben de nieuwe manager.'

Myron liep naar zijn auto. Op de parkeerplaats haalde hij diep adem en keek achterom. Het hele bezoek had een onwezenlijk gevoel, zoals zo'n beschrijving van een ontvoering door buitenaardse wezens maar dan zonder rectaal onderzoek. Hij stapte in de auto en belde Wins mobiele telefoon. Hij wilde alleen een boodschap inspreken, maar tot Myrons verbazing nam Win op.

'Goed articuleren,' zei hij grappig.

Myron was even van zijn stuk gebracht. 'Met mij,' zei hij.

Stilte. Win haatte voor de hand liggende opmerkingen. 'Met mij' getuigde in het beste geval van dubieuze grammatica en was bovendien totaal overbodig. Als Win de stem herkende, zou hij weten wie het was. En als dat niet het geval was, zou 'met mij' horen hem echt niet helpen.

'Ik dacht dat je de telefoon niet opnam op de golfbaan,' zei Myron.

'Ik ben net op weg naar huis om me te verkleden,' zei Win. 'Daarna ga ik dineren op Merion.' Mainliners aten nooit, ze dineerden altijd. 'Heb je zin om mee te gaan?'

'Klinkt goed,' zei Myron.

'Wacht even.'

'Wat is er?'

'Draag je gepaste kleding?'

'Het vloekt niet bij elkaar,' zei Myron. 'Mag ik dan naar binnen?'

'Nou zeg, die was heel grappig, Myron. Die moet ik opschrijven. Zodra ik ophou met lachen zal ik een pen pakken. Maar ik ben zo vol vrolijkheid dat ik misschien mijn Jaguar wel tegen een telefoonpaal rij. Jammer, maar dan sterf ik in elk geval met vreugde in mijn hart.'

Win.

'We hebben een zaak,' zei Myron.

Stilte. Win maakte dit zo gemakkelijk.

'Ik zal je er tijdens het eten over vertellen.'

'Ik zal proberen mijn toenemende opwinding en verwachting tot die tijd te blussen met een glas cognac,' zei Win.

Klik. Die Win was me er een.

Myron had nog geen anderhalve kilometer gereden toen zijn mobiele telefoon ging. Myron nam op.

Het was Bucky. 'De ontvoerder heeft weer gebeld.'

4

'Wat heeft hij gezegd?' vroeg Myron.
'Ze willen geld zien,' zei Bucky.
'Hoeveel?'
'Dat weet ik niet.'
Myron was in de war. 'Hoe bedoel je, dat weet je niet? Hebben ze dat niet gezegd?'
'Ik geloof het niet,' zei de oude man.
Op de achtergrond klonken geluiden. 'Waar ben je?' vroeg Myron.
'Op Merion. Hoor eens, Jack nam het telefoontje aan. Hij is nog in shock.'
'Jack nam de telefoon op?'
'Ja.'
Dubbel in de war. 'Heeft de ontvoerder Jack op Merion gebeld?'
'Ja. Toe, Myron, kun je hierheen komen? Dan is het wat makkelijker om alles uit te leggen.'
'Ik kom eraan.'
Hij reed van het verloederde motel naar een snelweg en toen het groen in. Veel groen. De buitenwijken van Philadelphia bestonden uit weelderige gazons, hoge struiken en lommerrijke bomen. Het was verbazingwekkend hoe dicht die – althans, in geografisch opzicht – bij de slechtere wijken van Philly waren. Net als in de meeste steden was er een grote scheiding in Philadelphia. Myron herinnerde zich dat Win en hij een paar jaar geleden naar Veterans Stadium waren gereden voor een wedstrijd van de Eagles. Daarbij waren ze door een Italiaanse straat, een Poolse straat en een Afrikaans Ameri-

kaanse straat gekomen. Het leek net alsof een sterk, onzichtbaar krachtveld – weer zoals in *Star Trek* – elke etnische groep had geïsoleerd. De stad van broederliefde kon bijna klein Joegoslavië worden genoemd. Myron reed Ardmore Avenue in. Merion lag ongeveer anderhalve kilometer verderop. Zijn gedachten gingen weer naar Win. Hoe zou zijn oude vriend reageren op de moederlijke band met deze zaak, vroeg hij zich af.

Waarschijnlijk niet erg goed.

In alle jaren dat ze bevriend waren, had Myron Win slechts een keer zijn moeder horen noemen.

Dat was tijdens hun derde jaar op Duke geweest. Ze waren kamergenoten geweest die net terugkwamen van een wild corpsfeest waar het bier rijkelijk had gevloeid. Je kon Myron bepaald geen geharde drinker noemen. Twee drankjes en hij probeerde te tongen met een broodrooster. Daar gaf hij zijn afkomst de schuld van; zijn mensen hadden nooit goed tegen sterkedrank gekund.

Win daarentegen leek te zijn groot gebracht met schnaps. Van drank leek hij nooit veel hinder te ondervinden. Maar op dit specifieke feest liet de met ethanol aangelengde punch zelfs hem een beetje zwalken. Het kostte Win drie pogingen om hun kamer op de campus open te maken.

Myron liet zich snel op zijn bed vallen. Het plafond draaide tegen de klok in met een snelheid die op een ware doodsverachting wees. Hij sloot zijn ogen. Zijn handen grepen het bed en hij klemde zich er doodsbang aan vast. Alle kleur was uit zijn gezicht verdwenen. De misselijkheid drukte pijnlijk op zijn maag. Myron vroeg zich af wanneer hij zou overgeven en bad dat het snel zou zijn.

Ach ja, de glamour van het studentenzuipen.

Een poosje zei geen van beiden iets. Myron vroeg zich af of Win in slaap was gevallen. Of misschien was Win weg. Verdwenen in de nacht. Misschien had hij zich niet stevig genoeg vastgehouden aan zijn tollende bed en had de middelpuntvliedende kracht hem uit het raam geworpen, zo het grote onbekende in.

Toen sneed Wins stem door de duisternis. 'Kijk hier eens naar.'

Er werd een hand uitgestoken die iets op Myrons borstkas liet vallen. Myron nam het risico om het bed met een hand los te laten. Dat ging goed. Hij graaide naar wat het ook maar was, vond het en hief het op zodat hij het kon bekijken. Een straatlantaarn buiten – universiteitscampussen zijn even fel verlicht als kerstbomen – gaf voldoende licht om een foto te kunnen herkennen. De kleur was korrelig en vervaagd, maar desondanks kon Myron een zo te zien dure auto onderscheiden.

'Is dat een Rolls Royce?' vroeg Myron. Hij wist niks van auto's.

'Een Bentley S 3 Continental Flying Spur,' verbeterde Win hem. 'Uit '62. Een klassieker.'

'Is hij van jou?'

'Ja.'

Het bed tolde in stilte.

'Hoe ben je eraan gekomen?' vroeg Myron.

'Een man die mijn moeder neukte heeft hem aan mij gegeven.'

Einde. Daarna had Win er het zwijgen toe gedaan. De muur die hij had opgetrokken was niet alleen ondoordringbaar, maar zelfs onbenaderbaar, vol landmijnen en een slotgracht en heel veel schrikdraad dat onder hoogspanning stond. Tijdens de daaropvolgende vijftien jaar noemde Win zijn moeder nooit meer. Niet toen er elk semester pakjes naar hun studentenkamer werden gestuurd. Niet toen de pakjes op Wins verjaardag naar hun kantoor kwamen. Zelfs niet toen ze haar tien jaar geleden in levenden lijve hadden gezien.

Op het eenvoudige houten bord stond simpelweg MERION GOLFCLUB. Verder niks. Niet: ALLEEN VOOR LEDEN. Niet: KLEURLINGEN NAAR DE DIENSTINGANG. Dat was niet nodig. Dat sprak vanzelf.

Het laatste U.S. Open trio was een poosje terug geëindigd en het publiek was bijna volledig verdwenen. Merion kon slechts zeventienduizend toeschouwers aan voor een toernooi – minder dan de helft van de capaciteit van de meeste banen – maar parkeren bleef een crime. De meeste toeschouwers moesten bij het nabijgelegen Haverford College parkeren. Shuttlebussen reden af en aan.

Bij de oprijlaan gebaarde een bewaker dat hij moest stoppen.

'Ik ben hier voor een ontmoeting met Windsor Lockwood,' zei Myron.

Die naam werd direct herkend en er werd gebaard dat hij mocht doorrijden.

Nog voor hij de auto in de parkeerstand had gezet rende Bucky al op hem af. Het ronde gezicht leek nu vleziger, alsof zijn wangen vol nat zand zaten.

'Waar is Jack?' vroeg Myron.

'Op de westelijke baan.'

'De wat?'

'Merion heeft twee banen,' legde de oudere man uit, en hij rekte zijn hals weer uit. 'De oostelijke, de beroemdere van de twee, en de westelijke. Tijdens de Open wordt de westelijke gebruikt als oefenbaan.'

'En daar is je schoonzoon?'

'Ja.'

'Hij oefent zijn lange slag?'

'Ja, natuurlijk.' Verbaasd keek Bucky hem aan. 'Dat moet na iedere ronde. Dat weet iedere profgolfer. Jij hebt gebasketbald. Oefende jij je worp soms niet na een wedstrijd?'

'Nee.'

'Nou, zoals ik al eerder tegen je zei: golf is heel bijzonder. Spelers moeten direct na een ronde hun spel evalueren. Zelfs als ze goed hebben gespeeld. Dan richten ze zich op hun goede slagen en proberen ze uit te vogelen wat er mis ging bij de slechte. Ze nemen de dag nog eens door.'

'Aha,' zei Myron. 'Nou, vertel eens over het telefoontje van de ontvoerders.'

'Ik zal je naar Jack brengen,' zei hij. 'Deze kant op.'

Ze staken de fairway van de achttiende hole over en liepen naar de zestiende. Het rook naar pas gemaaid gras en pollen. Aan de oostkust was het een groots jaar geweest voor pollen, alle allergologen in de buurt waren bijna in vervoering geraakt van gretige verrukking.

Bucky schudde zijn hoofd. 'Moet je deze roughs toch zien,' zei hij. 'Onmogelijk.'

Hij wees op het lange gras. Myron had geen flauw idee waar hij het over had, dus knikte hij en liep door.

'Die verrekte USGA wil deze baan om de golfers op hun knieën te krijgen,' tierde Bucky verder. 'Daarom laten ze de rough heel lang worden. Het lijkt goddomme wel alsof je in een rijstveld speelt. En dan maaien ze de greens zo kort dat de golfers net zo goed kunnen putten op een ijshockeypiste.'

Myron bleef zwijgen. De twee mannen liepen door.

'Dit is een van de beroemde steengroeve holes,' zei Bucky, die wat was gekalmeerd.

'Hmm.' De man kletste maar wat. Dat doen mensen als ze zenuwachtig zijn.

'Toen de mensen die de baan aanlegden bij zestien, zeventien en achttien waren,' Bucky klonk net als een gids in de Sixtijnse Kapel, 'kwamen ze bij een steengroeve. In plaats van het bijltje er ter plekke bij neer te gooien, ploeterden ze verder en namen ze de groeve op in de hole.'

'Goh,' zei Myron zacht. 'Wat waren ze in die tijd toch dapper.'

Sommigen kletsen maar wat als ze zenuwachtig zijn. Anderen worden sarcastisch.

Ze kwamen bij de tee en sloegen rechts af zodat ze over Golf House Road liepen. Hoewel de laatste groep al ruim een uur klaar was, waren er nog minstens twaalf golfers die ballen sloegen. De oefenbaan. Ja, daar waren profgolfers die een balletje sloegen – en oefenden met een grote variëteit aan golfclubs met houten koppen, met ijzeren koppen en met grote clubs, nee, raketkoppen die ze Bertha, Cathy of soortgelijke namen gaven – maar dat was slechts één klein gedeelte van wat er gebeurde. De meeste profs die het circuit afliepen, gebruikten de oefenbaan om strategieën uit te werken met hun caddie, apparatuur uit te proberen met hun sponsors, te netwerken, bij te praten met andere golfers, een sigaretje te roken (verrassend veel professionele sporters zijn kettingrokers) en zelfs om met hun agent te praten.

In golfkringen werd de oefenbaan 'het kantoor' genoemd.

Myron herkende Greg Norman en Nick Faldo. Ook zag hij Tad

Crispin, de nieuwe jongen, de meest recente nieuwe Jack Nicklaus, kortom: de gedroomde cliënt. De jongen van drieëntwintig, knap, rustig en verloofd met een even knappe vrouw die er tevreden mee was voor hem klaar te staan. Bovendien had hij nog geen agent. Myron deed zijn best om niet te kwijlen. Hé, niets menselijks was hem vreemd. Tenslotte was hij sportagent. Niet zo kritisch, alsjeblieft.

'Waar is Jack?' vroeg Myron.

'Deze kant op,' zei Bucky. 'Hij wilde in zijn eentje slaan.'

'Hoe heeft de kidnapper hem bereikt?'

'Hij belde de receptie van Merion en zei dat het een noodgeval was.'

'En dat werkte?'

'Ja,' zei Bucky langzaam. 'Om precies te zijn was het Chad aan de telefoon. Hij stelde zich voor als Jacks zoon.'

Vreemd. 'Hoe laat werd er gebeld?'

'Misschien tien minuten voor ik jou belde.' Bucky bleef staan en gebaarde met zijn kin. 'Daar.'

Jack Coldren was een tikje mollig en zacht rond zijn middel, maar zijn onderarmen leken op die van Popeye. Zijn vrij lange haar werd weggeblazen door de wind en lieten kale plekken zien die eerder die dag beter bedekt waren geweest. Hij gaf de bal een dreun met een houten club en een ongebruikelijke woede. Sommige mensen zouden dit ontzettend vreemd vinden. Je hebt net ontdekt dat je zoon wordt vermist en dan ga je tegen golfballen slaan. Maar Myron begreep het. Ballen slaan was hetzelfde als troost zoeken in eten. Hoe gestrester Myron zich voelde, hoe groter zijn verlangen werd om naar zijn oprit te gaan om een basketbal door het netje te gooien. We hebben allemaal wel iets. Sommige mensen drinken. Sommigen gebruiken drugs. Sommigen houden ervan om lange autoritten te maken of een computerspelletje te spelen. Als Win zich wilde ontspannen, bekeek hij vaak videobanden van zijn eigen seksuele prestaties. Maar dat was Win.

'Wie is dat bij hem?' vroeg Myron.

'Diane Hoffman,' zei Bucky. 'Jacks caddie.'

Myron wist dat vrouwelijke caddies niet ongewoon waren bij de mannelijke golfers. Sommige spelers huurden hun eigen vrouw zelfs in. Dat bespaarde geld. 'Is zij op de hoogte?'

'Ja. Diane was bij hem toen hij werd gebeld. Ze hebben een vrij hechte band.'

'Heb je het al aan Linda verteld?'

Bucky knikte. 'Ik heb haar direct gebeld. Zou je jezelf aan hen willen voorstellen? Ik wil graag terug naar het huis om te kijken hoe het met Linda gaat.'

'Geen probleem.'

'Hoe kan ik je bereiken als er iets gebeurt?'

'Bel me op mijn mobiele telefoon.'

Bucky snakte bijna naar adem. 'Mobiele telefoons zijn niet toegestaan op Merion.' Alsof het een pauselijk gebod was.

'Ik waag het erop,' zei Myron. 'Bel maar gewoon.'

Myron liep naar hen toe. Diane Hoffman stond met haar voeten een schouderbreedte van elkaar en haar armen over elkaar geslagen. Haar ogen waren op Coldrens *backswing* gericht. Een sigaret hing bijna verticaal tussen haar lippen. Ze keurde Myron geen blik waardig. Jack Coldren kromde zijn lichaam en haalde uit als een veer die losschoot. De bal schoot over de heuvels in de verte.

Jack Coldren draaide zich om, keek naar Myron en glimlachte strak. 'Jij bent Myron Bolitar, toch?'

'Dat klopt.'

Hij gaf Myron een hand. Diane Hoffman bleef elke beweging van haar speler bestuderen en ze fronste alsof ze een fout in zijn handschudtechniek had gezien. 'Fijn dat je ons wilt helpen,' zei hij.

Nu ze elkaar aankeken, en zich op nog geen halve meter afstand van elkaar bevonden, zag Myron de ontreddering op het gezicht van de man. De uitbundige gloed die te zien was geweest nadat hij de putt op de achttiende hole had gemaakt was gedoofd door iets wat fletser en doffer was. In zijn ogen lag de verbaasde, niet-begrijpende blik van een man die net een stomp in zijn maag had gehad.

'Je hebt onlangs geprobeerd een comeback te maken,' zei Jack. 'Met New Jersey.'

Myron knikte.

'Ik zag het op het nieuws. Heel dapper, na al die jaren.'

Hij probeerde tijd te rekken. Wist niet precies hoe hij moest beginnen. Myron besloot hem te hulp te schieten. 'Vertel eens over het telefoontje.'

Jack Coldren liet zijn blik over het uitgestrekte groen gaan. 'Weet je zeker dat het veilig is?' vroeg hij. 'De man aan de lijn zei: geen politie. Ik moest me normaal gedragen.'

'Ik ben een agent die op zoek is naar nieuwe cliënten,' zei Myron. 'Normaler dan een gesprek met mij bestaat niet.'

Daar dacht Coldren even over na en toen knikte hij. Hij had Diane Hoffman nog altijd niet voorgesteld. Dat leek Hoffman niet erg te vinden. Haar ogen bleven samengeknepen en achterdochtig, haar gezicht was verweerd en mager. De sigaretkegel was onderhand ongelooflijk lang en leek de zwaartekracht te trotseren. Ze droeg een pet en zo'n caddievest dat op het reflectorhesje van een hardloper leek.

'De president van de club kwam naar me toe en fluisterde dat er een dringend telefoontje was van mijn zoon. Dus ik ben het clubhuis in gegaan en heb de telefoon gepakt.'

Opeens deed hij er het zwijgen toe en knipperde een paar keer. Zijn ademhaling ging zwaarder. Hij droeg een geel golfshirt met een v-hals dat iets te krap zat. Elke keer dat hij inademde, zag je zijn lichaam uitzetten tegen de stof. Myron wachtte.

'Het was Chad,' snauwde hij eindelijk. 'Hij kon alleen "pap" zeggen, waarna iemand de telefoon van hem afpakte. Toen kwam er een man met een diepe stem aan de lijn.'

'Hoe diep?'

'Sorry?'

'Hoe diep was die stem?'

'Heel erg.'

'Klonk hij ook vreemd? Een beetje robotachtig?'

'Nu je het zegt, ja. Inderdaad.'

Elektronische vervorming, vermoedde Myron. Met zo'n apparaatje kon Barry White als een meisje van vier klinken. Of andersom. Het was niet moeilijk om eraan te komen. Zelfs Radio Shack verkocht ze tegenwoordig. De ontvoerder, of de ontvoerders, kon van elk geslacht zijn. Linda en Jack Coldrens beschrijving van een 'mannenstem' had niks te betekenen. 'Wat zei hij?'

'Dat hij mijn zoon had. Hij zei dat Chad zou boeten als ik de politie of een soortgelijke instantie zou bellen. Hij zei dat iemand me voortdurend in de gaten zou houden.' Jack Coldren benadrukte dat punt door nogmaals om zich heen te kijken. Er was niemand te zien die zich verdacht gedroeg, al zwaaide Greg Norman naar hem en stak hij glimlachend zijn duim op. Hallo, makker.

'En verder?' vroeg Myron.

'Hij zei dat hij geld wilde,' zei Coldren.

'Hoeveel?'

'Hij zei alleen heel veel. Hij wist nog niet precies hoeveel, maar ik moest zorgen dat ik het bij de hand had. Hij zei dat hij terug zou bellen.'

Myron trok een gezicht. 'Maar hij zei niet hoeveel?'

'Nee. Alleen dat het veel zou zijn.'

'En dat je het in huis moest halen?'

'Precies.'

Dat sloeg nergens op. Een ontvoerder die niet precies wist hoeveel losgeld hij moest vragen? 'Mag ik recht voor zijn raap zijn, Jack?'

Coldren ging iets rechter staan en stopte zijn shirt in zijn broek. Hij was wat sommigen jongensachtig en ontwapenend knap zouden noemen. Zijn gezicht was groot en ongevaarlijk met donzige, plooibare gelaatstrekken. 'Voor mij hoef je niks te verfraaien,' zei hij. 'Ik wil de waarheid horen.'

'Kan dit nep zijn?'

Jack wierp een snelle blik op Diane Hoffman. Zij bewoog iets. Het had een knikje kunnen zijn. Hij keek weer naar Myron. 'Hoe bedoel je dat?'

'Kan Chad hierachter zitten?'

De langere haren kwamen in een ander briesje terecht en vielen in zijn ogen. Met zijn vingers streek hij ze weg. Er verscheen iets op zijn gezicht. Een peinzende blik, wellicht? In tegenstelling tot Linda Coldren schoot hij niet direct in de verdediging door die suggestie.

Hij overwoog de mogelijkheid of misschien klampte hij zich alleen vast aan een optie die inhield dat zijn zoon geen gevaar liep.

'Er waren twee verschillende stemmen,' zei Coldren. 'Aan de telefoon.'

'Het kan een stemvervormer zijn.' Myron legde uit wat dat was. Meer gepeins. Coldren trok rimpels in zijn voorhoofd. 'Ik weet het echt niet.'

'Kun je je voorstellen dat Chad zoiets zou doen?'

'Nee,' antwoordde Coldren. 'Maar wie acht zijn kind hier nou wel toe in staat? Ik doe mijn uiterste best om objectief te blijven. Geloof ik dat mijn zoon tot zoiets in staat is? Natuurlijk niet. Maar goed, ik zou niet de eerste ouder zijn die het mis heeft wat zijn kind betreft, nietwaar?'

Daar zat wat in, dacht Myron. 'Is Chad ooit weggelopen?'

'Nee.'

'Zijn er problemen in de familie? Iets waardoor hij zoiets zou willen doen?'

'Je bedoelt zijn eigen ontvoering in scène zetten?'

'Het hoeft niet zo extreem te zijn,' zei Myron. 'Misschien heb jij of heeft je vrouw iets gedaan wat hij niet leuk vond.'

'Nee,' zei hij, en opeens klonk zijn stem afwezig. 'Ik kan me niks bedenken.' Hij keek omhoog. De zon stond laag en scheen niet zo fel meer, maar toch keek hij met enigszins samengeknepen ogen naar Myron op. De zijkant van zijn hand rustte tegen zijn voorhoofd als een oogbeschermende saluut. De houding deed Myron denken aan de foto van Chad die hij in het huis had gezien.

Jack zei: 'Er schiet je iets te binnen, is het niet?'

'Niet echt.'

'Toch wil ik het graag horen,' zei Coldren.

'Hoe graag wil je dit toernooi winnen, Jack?'

Coldren liet een half glimlachje zien. 'Je bent zelf sportman geweest, Myron. Je weet best hoe graag.'

'Ja,' zei Myron. 'Inderdaad.'

'Dus wat wil je daarmee zeggen?'

'Je zoon is ook een sporter. Hij weet het waarschijnlijk ook.'

'Ja,' zei Coldren, en toen: 'Ik wacht nog op de clou.'

'Als iemand jou wil raken,' zei Myron, 'is er toch geen betere manier dan je kansen te verknoeien om de Open te winnen?'

In de ogen van Jack Coldren verscheen weer de blik alsof hij net een stomp in zijn maag had gehad. Hij deed een stap naar achteren.

'Het is maar een theorie,' zei Myron snel. 'Ik zeg niet dat je zoon dat doet...'

'Maar je moet elke mogelijkheid onderzoeken,' maakte Jack Coldren zijn zin af.

'Ja.'

Coldren herstelde zich, maar het kostte wat tijd. 'Zelfs als je gelijk hebt, dan hoeft het Chad niet te zijn. Iemand anders kan dit hebben gedaan om mij te raken.' Weer wierp hij een blik op zijn caddie. Nog altijd naar haar kijkend, zei hij: 'Het zou niet de eerste keer zijn.'

'Wat bedoel je daarmee?'

Jack Coldren gaf niet direct antwoord. Hij wendde zich van hen tweeën af en keek met samengeknepen ogen in de richting waarin hij de ballen had geslagen. Er was niets te zien. Hij stond met zijn rug naar Myron. 'Je weet vast dat ik een hele poos geleden de Open heb verloren.'

'Ja.'

Hij weidde er verder niet over uit.

'Is er toen iets gebeurd?' vroeg Myron.

'Misschien,' zei Jack Coldren traag. 'Ik weet het niet meer. Waar het om gaat is dat iemand anders het misschien op me voorzien heeft. Het hoeft mijn zoon niet te zijn.'

'Misschien,' stemde Myron in. Hij zei niet dat hij die mogelijkheid feitelijk al had uitgesloten omdat Chad was verdwenen voordat Coldren op voorsprong was gekomen. Er was geen enkele reden om daar nu over te beginnen.

Coldren keerde zich weer om naar Myron. 'Bucky zei iets over een geldautomaat,' zei hij.

'De pinpas van je zoon is gisteravond gebruikt. In Porter Street.'

Er gleed iets over zijn gezicht. Niet lang. Hooguit een seconde. Een flits en toen was het weer weg. 'In Porter Street?' herhaalde hij.

'Ja. Bij een filiaal van de First Philadelphia Bank in Porter Street in Zuid-Philadelphia.'

Stilte.

'Ben je bekend in dat deel van de stad?'

'Nee,' zei Coldren. Hij keek naar zijn caddie. Diane Hoffman bleef doodstil staan. Haar armen nog altijd over elkaar geslagen. Haar voeten nog altijd een schouderbreedte uiteen. De askegel was eindelijk weg.

'Weet je het zeker?'

'Natuurlijk weet ik dat zeker.'

'Ik ben er vandaag geweest,' zei Myron.

Zijn gezicht bleef onbewogen. 'Heb je iets ontdekt?'

'Nee.'

Stilte.

Jack Coldren wees achter zich. 'Vind je het erg als ik nog een paar ballen sla terwijl we verder praten?'

'Nee, hoor.'

Hij trok zijn handschoen aan. 'Vind jij dat ik morgen moet spelen?'

'Dat moet je zelf weten,' zei Myron. 'De ontvoerder zei dat je je normaal moet gedragen. Als je niet speelt, zou dat zeker argwaan wekken.'

Coldren boog zich voorover om een bal op de tee te leggen. 'Mag ik je iets vragen, Myron?'

'Tuurlijk.'

'Hoe belangrijk was winnen voor jou toen je basketbal speelde?'

Opmerkelijke vraag. 'Heel erg belangrijk.'

Jack knikte alsof hij niet anders had verwacht. 'Je bent toch een jaar NCAA-kampioen geweest?'

Myron gaf geen antwoord.

Jack Coldren pakte een club en kromde zijn vingers om het handvat. Hij ging naast de bal staan. Weer de soepele krommen-en-laten-vieren-beweging. Myron zag de bal wegzweven. Even zei niemand iets. Ze keken alleen in de verte en zagen de laatste zonnestralen de hemel paars kleuren.

Toen Coldren eindelijk iets zei, klonk zijn stem aangedaan. 'Wil je iets vreselijks horen?'

Myron kwam dichter bij hem staan. Coldrens ogen waren vochtig.

'Ik wil hier nog steeds winnen,' zei Coldren. Hij keek naar Myron. De pijn op zijn gezicht was zo duidelijk dat Myron hem bijna een knuffel gaf. Hij stelde zich voor dat hij het verleden van de man weerspiegeld zag in diens ogen; de jaren vol kwelling, van denken hoe het had kunnen zijn, en als je dan eindelijk de kans had om het goed te maken, werd die je abrupt ontnomen.

'Wat voor man denkt er nou aan winnen op een moment als dit?' wilde Coldren weten.

Myron zei niks. Hij wist het antwoord niet. Of misschien was hij bang dat hij dat wel wist.

5

Het clubhuis van Merion was een verbouwde witte boerderij met zwarte luiken. Het enige beetje kleur kwam van de groene markiezen die voor schaduw zorgden op de beroemde veranda aan de achterkant, en zelfs die leken mat door het omringende groen van de golfbaan. Je verwachtte iets indrukwekkends of intimiderends bij een van de exclusiefste golfclubs in het land, maar de eenvoud leek juist te zeggen: Wij zijn Merion. Meer hebben wij niet nodig.

Myron liep langs de sportwinkel waar golftassen op een metalen rek stonden. Aan zijn rechterkant was de herenkleedkamer. Op een bronzen bordje stond dat Merion was uitgeroepen tot historisch erfgoed. Op een mededelingenbord stonden de leden met hun handicap. Myron liet zijn blik over de namen gaan tot hij bij Win kwam. Zijn handicap was drie. Myron had niet veel verstand van golfen, maar hij wist dat dat behoorlijk goed was.

De veranda buiten had een stenen vloer en er stonden ongeveer vijfentwintig tafels. Het legendarische eetgedeelte keek niet alleen uit over de eerste tee, het leek er recht boven te hangen. Vanaf deze plek keken de leden naar golfers die de bal van de tee sloegen met de ervaren blik van een Romeins senator in het Colosseum. Een dergelijk eeuwenoud toezicht werd machtige zakenmannen en mensen van maatschappelijke betekenis vaak te veel. Zelfs professionals waren er niet immuun voor. De eetgelegenheid op de veranda bleef open tijdens de Open. Jack Nicklaus, Arnold Palmer, Ben Hogan, Bobby Jones en Sam Snead waren allemaal blootgesteld aan de geluiden uit het kleine restaurant, het irritante gerinkel van glas en bestek wat zich bijzonder onwelluidend mengde met de kalme toeschouwers en het gereserveerde gejuich van golfpubliek.

De veranda zat stampvol leden. De meesten waren mannen; ouder, goed doorvoed en met rode gezichten. Ze droegen blauwe of groene blazers met verschillend gestreepte wapens erop. Hun dassen waren opzichtig en meestal eveneens gestreept. Velen droegen een slappe witte of gele hoed. Een slappe hoed! En Win had zich nog wel druk gemaakt om Myrons 'kleding'.

Myron zag Win aan een hoektafel met zes stoelen. Hij zat er in zijn eentje. Zijn gezichtsuitdrukking was zowel ijskoud als sereen, en zijn lichaam was volmaakt ontspannen. Een bergleeuw die geduldig op zijn prooi wacht. Je zou denken dat Win zijn leven lang een voordeel zou hebben van zijn blonde haar en aristocratische, knappe gelaatstrekken. In zeer veel opzichten was dat ook zo; maar in nog meer opzichten kwalificeerden ze hem. Zijn hele voorkomen had een zweem van arrogantie, oud geld en elitarisme. De meeste mensen reageerden daar negatief op. Een specifieke vijandigheid begon te bubbelen en kookte over als mensen naar Win keken. Zo iemand zien stond gelijk aan hem haten. Daar was Win aan gewend. Mensen die hun oordeel puur op uiterlijke kenmerken baseerden deden hem niets. Mensen die hun oordeel puur op uiterlijke kenmerken baseerden werden vaak verrast.

Myron begroette zijn oude vriend en ging zitten.

'Wil je iets drinken?' vroeg Win.

'Graag.'

'Als je een Yoo-Hoo vraagt, schiet ik je in je rechteroog,' zei Win.

'Mijn rechteroog,' herhaalde Myron met een knikje. 'Hoe specifiek.'

Er verscheen een ober die minstens honderd was. Hij droeg een groen jasje en een groene broek. Myron nam aan dat die groen waren zodat zelfs de ingehuurde hulp zou opgaan in het beroemde decor. Dat lukte echter niet. De oude ober leek op de grootvader van de Riddler. 'Henry,' zei Win. 'Voor mij graag een ijsthee.'

Myron kwam in de verleiding om te vragen om een 'Colt 45, zoals Billy Dee', maar besloot het niet te doen. 'Voor mij graag hetzelfde.'

'Uitstekend, meneer Lockwood.'

Henry vertrok. Win keek naar Myron. 'Nou, vertel.'

'Het gaat om een ontvoering,' zei Myron.

Win trok een wenkbrauw op.

'Een zoon van een van de spelers wordt vermist. De ouders hebben twee telefoontjes ontvangen.' Myron vertelde er snel over en Win luisterde zwijgend.

Toen Myron was uitgesproken, zei Win: 'Je hebt iets verzwegen.'

'Wat dan?'

'De naam van de speler.'

Myron hield zijn stem neutraal. 'Jack Coldren.'

Wins gezicht verraadde niets, maar toch voelde Myron een kille windvlaag langs zijn hart blazen.

Win zei: 'En je hebt Linda ontmoet.'

'Ja.'

'En je weet dat ze familie van me is.'

'Ja.'

'Dan moet je weten dat ik niet zal helpen.'

'Nee.'

Win leunde achterover en zette zijn vingers tegen elkaar. 'Dan weet je dat nu.'

'Een jongen kan echt in gevaar verkeren,' zei Myron. 'We moeten helpen.'

'Nee,' zei Win. 'Ik niet.'

'Wil je dat ik de zaak laat schieten?'

'Wat jij doet, moet je zelf weten,' zei Win.

'Wil je dat ik de zaak laat schieten?' vroeg Myron nog een keer.

De ijsthee werd gebracht. Win nam een voorzichtige slok. Hij wendde zijn blik af en tikte met zijn wijsvinger tegen zijn kin. Dat was zijn teken om een einde te maken aan het onderwerp. Myron wist dat hij beter niet kon aandringen.

'Zeg, voor wie zijn die andere stoelen?' vroeg Myron.

'Ik probeer een grote ader bloot te leggen.'

'Een nieuwe cliënt?'

'Voor mij, bijna zeker. Voor jou, een kleine kans.'

'Wie?'

'Tad Crispin.'

Myrons kin zakte. 'Gaan we eten met Tad Crispin?'

'Plus onze oude vriend Norman Zuckerman en diens nieuwste behoorlijk aantrekkelijke ingénue.'

Norm Zuckerman was de eigenaar van Zoom, een van de grootste gymschoen- en sportbenodigdhedenbedrijven van het land. Hij was ook een van Wins lievelingsmensen. 'Hoe heb je Crispin weten te benaderen? Ik heb gehoord dat hij zijn eigen agent is?'

'Dat is hij ook, maar daarom wil hij nog wel een financieel adviseur,' zei Win. Al was Win nog maar halverwege de dertig, toch was hij al een soort Wall Street-legende. Het was heel verstandig om een beroep te doen op Win. 'In feite is Crispin een bijzonder intelligente jongeman,' ging hij door. 'Maar helaas beschouwt hij alle agenten als dieven. Volgens hem hebben ze de moraal van een prostituee die in de politiek zit.'

'Heeft hij dat gezegd? Een prostituee die in de politiek zit?'

'Nee, die heb ik zelf bedacht.' Win glimlachte. 'Best goed, nietwaar?'

Myron knikte. 'Niet waar.'

'Maar goed, de mensen van Zoom lopen als schoothondjes achter hem aan. Ze gaan een compleet nieuwe lijn van herenclubs en -kleding op de markt brengen via de persoon van meneer Crispin.'

Tad Crispin stond op de tweede plaats, op flinke afstand van Jack Coldren. Myron vroeg zich af hoe gelukkig Zoom was met het vooruitzicht dat Coldren hen het gras voor de voeten zou wegmaaien. Niet zo erg, nam hij aan.

'Wat vind jij van Jack Coldrens mooie eerste plaats?' vroeg Myron. 'Ben je verbaasd?'

Win haalde zijn schouders op. 'Winnen is altijd belangrijk geweest voor Jack.'

'Ken je hem al lang?'

Een nietszeggende blik. 'Ja.'

'Kende je hem al toen hij hier als groentje verloor?'

'Ja.'

Myron rekende terug. Toen had Win nog op de basisschool gezeten. 'Jack Coldren zinspeelde erop dat hij vermoedt dat iemand toen heeft geprobeerd zijn kansen te saboteren.'

Win maakte een geluid. 'Geklets.'

'Geklets?'

'Weet je nog wat er toen is gebeurd?'

'Nee.'

'Coldren beweert dat zijn caddie hem op de zestiende de verkeerde club gaf,' zei Win. 'Hij vroeg om een zes iron en zijn caddie zou hem een acht hebben gegeven. Zijn slag was te kort. Specifieker gezegd: de bal kwam in een van de steengroeve bunkers. Van die fout heeft hij zich niet meer hersteld.'

'Heeft de caddie de vergissing toegegeven?'

'Voor zover ik weet heeft hij er nooit iets over gezegd.'

'Wat heeft Jack gedaan?'

'Hem ontslagen.'

Over dat nieuwtje dacht Myron even na. 'Waar is die caddie tegenwoordig?'

'Ik zou het echt niet weten,' zei Win. 'Hij was toen al niet jong meer, en het is ruim twintig jaar geleden.'

'Weet je nog hoe hij heette?'

'Nee. En dit gesprek is officieel afgelopen.'

Voor Myron kon vragen waarom, werden er twee handen voor zijn ogen geslagen. 'Wie ben ik?' klonk een bekende, zangerige stem. 'Ik zal je een paar aanwijzingen geven: ik ben slim, knap en vreselijk getalenteerd.'

'Jeetje,' zei Myron. 'Vóór die aanwijzing zou ik hebben gedacht dat je Norm Zuckerman was.'

'En na de aanwijzing?'

Myron haalde zijn schouders op. 'Als je er "aanbeden door vrouwen van alle leeftijden" aan toevoegt, zou ik denken dat het over mij ging.'

Norman Zuckerman lachte hartelijk. Hij boog zich voorover en drukte een luide klapzoen op Myrons wang. 'Hoe gaat het met je, mesjoggene?'

'Prima, Norm. En met jou?'

'Ik ben *cooler* dan Superfly in een nieuwe Coupe de Ville.'

Zuckerman begroette Win met een luid hallo en een warme handdruk. Mensen die zaten te dineren keken afkeurend toe. Van die afkeurende blikken ging Norman Zuckerman niet zachter praten. Myron mocht de man graag. Natuurlijk was een groot deel komedie, maar het was wel eerlijke komedie. Norms animo voor alles om hem heen werkte aanstekelijk. Hij was pure energie, het soort man waardoor je jezelf eens goed onder de loep nam en het gevoel kreeg dat je een tikje tekortschoot.

Norm trok een jonge vrouw naar voren die achter hem had gestaan. 'Ik wil jullie graag voorstellen aan Esme Fong,' zei hij. 'Ze is een van mijn marketing vie-pie's. Ze heeft de leiding over de nieuwe golflijn. Briljant. De vrouw is absoluut briljant.'

De aantrekkelijke ingénue. Begin tot midden twintig, schatte Myron. Esme Fong was Aziatisch, met misschien een vleugje Kaukasisch bloed. Ze was klein en had amandelvormige ogen. Haar haar was lang en zijdeachtig, een zwarte waaier met een aardachtige kastanjebruine gloed. Ze droeg een beige zakenpakje en witte kousen. Esme knikte hen gedag en kwam wat dichterbij staan. Ze had het serieuze gezicht van een aantrekkelijke jonge vrouw die bang was dat ze niet serieus genomen zou worden omdat ze een aantrekkelijke jonge vrouw was.

Ze stak haar hand uit. 'Aangenaam kennis te maken, meneer Bolitar,' zei ze kordaat. 'Meneer Lockwood.'

'Heeft ze geen stevige handdruk?' vroeg Zuckerman. Vervolgens vroeg hij aan haar: 'Waarom al dat ge-meneer? Dit zijn Myron en Win. Ze zijn haast familie, allemachtig nog aan toe. Goed, Win is een beetje te goj om in mijn familie te passen. Ik bedoel, zijn voorouders zijn hier met de Mayflower naartoe gekomen terwijl bijna mijn hele familie in een vrachtschip is gevlucht voor een tsaristische pogrom. Maar toch zijn we familie, is het niet, Win?'

'Reken maar,' zei Win.

'Ga toch zitten, Esme. Ik word zenuwachtig van al je ernst. Probeer eens te glimlachen.' Zuckerman deed het voor en wees op zijn tanden. Vervolgens wendde hij zich tot Myron en spreidde zijn handen uit. 'De waarheid, Myron. Hoe zie ik eruit?'

Norman was in de zestig. Zijn gebruikelijke opzichtige kleren, die precies bij zijn persoonlijkheid pasten, vielen nauwelijks uit de toon bij wat Myron die dag had gezien. Zijn huid was donker en ruw; zijn ogen lagen te midden van zwarte kringen en zijn gelaatstrekken staken uit op een klassiek semitische manier. Zijn baard en zijn haar waren te lang en enigszins onverzorgd.

'Je lijkt net Jerry Rubin bij de rechtszaak van de Chicago Seven,' zei Myron.

'Dat is precies mijn bedoeling,' zei Norm. 'De retro-look. Hip. Vol zelfverzekerdheid. Dat is tegenwoordig in.'

'Niet echt hoe Tad Crispin eruitziet,' zei Myron.

'Ik heb het over de echte wereld, niet over golf. Golfers hebben geen verstand van hip of pit. Chassidische joden staan nog meer open voor veranderingen dan golfers. Snap je? Ik zal je een voorbeeld geven: Dennis Rodman is geen golfer. Weet je wat golfers willen? Hetzelfde als wat ze sinds het begin van sportmarketing hebben gewild: Arnold Palmer. Dat willen ze. Ze willen Palmer, daarna Nicklaus en daarna Watson. Altijd hetzelfde ouwe jongens krentenbrood.' Met zijn duim wees hij naar Esme Fong. 'Esme is degene die Crispin heeft laten tekenen. Hij is haar jongen.'

Myron keek naar haar. 'Dat is een grote prestatie,' zei hij.

'Dank je,' zei ze.

'We zullen nog wel zien hoe groot die prestatie is,' zei Zuckerman. 'Zoom gaat zich helemaal op golf storten. Echt op een enorme manier. Groots. Geweldig.'

'Gigantisch,' zei Myron.

'Reusachtig,' voegde Win eraan toe.

'Kolossaal.'

'Onvoorstelbaar.'

'Immens.'

Win glimlachte. 'Brobdignagiaans,' zei hij.

'Ooo,' zei Myron. 'Dat is een goede.'

Zuckerman schudde zijn hoofd. 'Jullie zijn nog grappiger dan de

Three Stooges zonder Curly. Maar goed, het is een ongelooflijke reclamecampagne. Ik heb Esme de leiding gegeven. Een mannen- en een vrouwenlijn. We hebben niet alleen Crispin, maar Esme heeft ook de nummer één van het vrouwengolf gestrikt.'

'Linda Coldren?' vroeg Myron.

'Zo!' Norm klapte een keer in zijn handen. 'De Hebreeuwse basketballer heeft verstand van golf! Zeg Myron, wat is Bolitar nou voor naam voor iemand van de stam?'

'Dat is een lang verhaal,' zei Myron.

'Goed, ik wilde het toch niet echt weten. Ik vroeg het alleen uit beleefdheid. Waar was ik?' Zuckerman sloeg zijn ene been over het andere en keek met een glimlach om zich heen. Een man met een rood aangelopen gezicht aan een naburig tafeltje keek hem kwaad aan. 'O, hallo,' zei Norm, en hij zwaaide even. 'Je ziet er goed uit.'

De man maakte een snuivend geluid en wendde zijn blik af.

Norm haalde zijn schouders op. 'Je zou bijna denken dat hij nog nooit een jood heeft gezien.'

'Waarschijnlijk heeft hij dat ook niet,' zei Win.

Norm keek weer naar de man met het rode gezicht. 'Kijk,' zei hij, wijzend op zijn hoofd. 'Geen hoorns.'

Zelfs Win moest glimlachen.

Zuckerman richtte zijn aandacht weer op Myron. 'Nou, vertel eens, probeer jij Crispin als cliënt te krijgen?'

'Ik heb hem nog niet eens ontmoet,' zei Myron.

Zogenaamd verbaasd legde Zuckerman zijn hand op zijn borst. 'Nou, Myron, dan is het een eng toeval dat wij op het punt staan om de maaltijd met hem te gebruiken. Hoe groot is die kans nou? Wacht even.' Norm zweeg en deed zijn hand achter zijn oor. 'Ik geloof dat ik de muziek van de *Twilight Zone* hoor.'

'Ha, ha,' zei Myron.

'O, doe normaal, Myron. Ik plaag je maar. Ontspan je een beetje. Maar mag ik even eerlijk tegen je zijn? Ik geloof niet dat Crispin jou nodig heeft. Dat bedoel ik niet persoonlijk, maar de knul heeft de overeenkomst met mij zelf getekend. Zonder agent. Zonder advocaat. Hij heeft alles zelf afgehandeld.'

'En hij is bestolen,' voegde Win eraan toe.

Zuckerman legde een hand op zijn hart. 'Je doet me pijn, Win.'

'Crispin heeft me de cijfers verteld,' zei Win. 'Myron zou een veel betere overeenkomst voor hem hebben geregeld.'

'Met alle respect voor je eeuwenoude aristocratische inteelt, maar je weet niet waar je het over hebt. Dat jong heeft alleen een beetje geld in de la achtergelaten voor mij. Is het tegenwoordig soms verboden om winst te maken? Myron is een haai. Hij scheurt mijn kleren van me af terwijl we een gesprek voeren. Tegen de tijd dat hij mijn kantoor verlaat, heb ik zelfs geen ondergoed meer. Ik heb geen meubels meer. Ik heb zelfs geen kantoor meer. Ik begin met een prachtig kantoor en dan komt Myron en eindig ik naakt in een of andere gaarkeuken.'

Myron keek naar Win. 'Ontroerend.'

'Ik heb vreselijk met hem te doen,' zei Win.

Myron richtte zijn aandacht op Esme Fong. 'Ben je tevreden over Crispins spel?'

'Ja, natuurlijk,' zei ze snel. 'Dit is zijn eerste grote toernooi en hij staat op de tweede plaats.'

Norm Zuckerman legde een hand op haar arm. 'Bewaar het mooie verhaaltje maar voor die sukkels van de pers. Deze mannen zijn familie.'

Esme Fong verschoof wat op haar stoel. Ze schraapte haar keel. 'Een paar weken geleden heeft Linda Coldren de U.S. Open gewonnen,' zei ze. 'We hebben dubbele televisie- en radiospotjes en krantenadvertenties. Ze zullen overal samen te zien zijn. Het is een nieuwe lijn, volledig onbekend voor golfliefhebbers. Het zou natuurlijk nuttig zijn als we Zooms nieuwe lijn konden introduceren met twee U.S. Open-winnaars.'

Norm wees nog een keer met zijn duim. 'Is ze niet fantastisch? "Nuttig." Mooi woord. Lekker vaag. Hoor eens, Myron. Jij leest het sportkatern toch?'

'Zeker.'

'Hoeveel artikelen over Crispin heb je gezien voor het toernooi begon?'

'Veel.'

'En hoeveel aandacht heeft hij in de afgelopen twee dagen gekregen?'

'Niet veel.'

'Zeg maar helemaal geen. De mensen hebben het alleen over Jack Coldren. Over twee dagen zal die arme kerel of een wonder van Messiaanse omvang zijn of de beklagenswaardigste verliezer aller tijden. Denk er maar eens over na. Het hele leven van een man, zowel zijn verleden en zijn toekomst, zullen worden gedefinieerd aan de hand van een aantal slagen met een golfclub. Als je er goed over nadenkt slaat het nergens op. En weet je wat het ergste is?'

Myron schudde zijn hoofd.

'Ik hoop vurig dat hij het verpest! Ik voel me een echte klootzak, maar het is de waarheid. Als mijn sporter zijn achterstand goedmaakt en wint, moet je eens zien wat Esme daarmee doet. Een veteraan die bezwijkt onder de druk van het briljante spel van nieuwkomer Tad Crispin. De nieuweling trekt zich niks aan van de druk, alsof hij de stalen zenuwen van Palmer én Nicklaus heeft. Weet je wat dat zou betekenen voor de introductie van de nieuwe lijn?' Zuckerman keek naar Win en wees met zijn vinger. 'Jezus, zag ik er maar uit zoals jij. Kijk nou toch naar hem. Hij is zo mooi.'

Ondanks zichzelf begon Win te lachen. Een paar mannen met rode gezichten keken op en staarden hem aan. Norm zwaaide vriendelijk naar ze. 'Als ik hier nog een keer kom, doe ik een keppeltje op,' zei Norm tegen Win.

Win begon harder te lachen. Myron probeerde zich te herinneren wanneer hij zijn vriend zo openlijk had zien lachen. Dat was een hele poos geleden. Dat effect had Norm nou eenmaal op mensen.

Esme Fong wierp een blik op haar horloge en stond op. 'Ik ben alleen even gekomen om gedag te zeggen,' zei ze. 'Ik moet echt weg.'

De drie mannen stonden op. Norm zoende haar wang. 'Pas goed op jezelf, oké? Tot morgenochtend.'

'Ja, Norm.' Ze wierp Myron en Win een bedeesde glimlach toe, vergezeld van een verlegen knikje. 'Het was me aangenaam. Myron, Win.'

Ze vertrok en de mannen gingen weer zitten.

Win zette zijn vingers tegen elkaar. 'Hoe oud is ze?' vroeg hij.

'Vijfentwintig. Lid van Phi Beta Kappa van Yale.'

'Indrukwekkend.'

'Zet het maar gauw uit je hoofd, Win,' zei Norm.

Win schudde zijn hoofd. Hij zou het niet doen. Zakelijk gezien verkeerde ze in dezelfde wereld als hij. Dat maakt het moeilijker om de banden te verbreken. Als het op vrouwen aankwam, hield Win van een snelle en onvoorwaardelijke breuk.

'Ik heb haar gestolen van die klootzakken bij Nike,' zei Norm. 'Ze was iets hoogs bij hun basketbalafdeling. Begrijp me niet verkeerd. Ze verdiende kapitalen, maar ze is wijzer geworden. Zoals ik tegen haar zei: "Er is meer in het leven dan geld alleen." Ja, toch?'

Myron weerstond de aandrang om zijn ogen ten hemel te slaan.

'Maar goed, ze werkt keihard. Ze is altijd alles aan het controleren en nog eens aan het controleren. Sterker nog, ze gaat nu naar Linda Coldren. Ze hebben een of ander theepartijtje op de late avond of iets anders meidenachtigs.'

Myron en Win keken elkaar even aan. 'Gaat ze nu naar het huis van Linda Coldren?'

'Ja, hoezo?'

'Wanneer heeft ze haar gebeld?'

'Hoe bedoel je?'

'Stond die afspraak al lang?'

'Zeg, zie ik er soms uit als een receptioniste?'

'Laat maar zitten.'

'Ik ben het al vergeten.'

'Excuseer me even,' zei Myron. 'Vinden jullie het erg als ik even iemand ga bellen?'

'Ik ben je moeder niet.' Zuckerman zwaaide hem weg. 'Ga je gang.'

Myron overwoog even om zijn mobiele telefoon te gebruiken, maar hij besloot om de Merion-goden niet kwaad te maken. In de herenkleedkamer vond hij een openbare telefoon en hij belde naar de Coldrens. Hij gebruikte Chads lijn en Linda Coldren nam op.

'Hallo?'

'Ik bel even om poolshoogte te nemen,' zei Myron. 'Is er nog iets gebeurd?'

'Nee,' zei Linda.

'Weet je dat Esme Fong naar jou onderweg is?'

'Ik wilde de afspraak niet afzeggen,' legde Linda Coldren uit. 'Ik wilde niets doen dat de aandacht zou trekken.'

'Dus je redt het wel?'

'Ja,' zei ze.

Myron zag Tad Crispin langslopen in de richting van Wins tafel. 'Heb je de school nog te pakken gekregen?'

'Nee, er was niemand,' zei ze. 'Dus wat doen we nu?'

'Ik weet het niet,' zei Myron. 'Ik heb de nummerherkenning blokkering op je telefoon laten opheffen. Als hij weer belt, moeten we zijn nummer kunnen achterhalen.'

'En verder?'

'Ik ga proberen om met Matthew Squires te praten. Kijken wat hij me kan vertellen.'

'Ik heb al met Matthew gepraat,' zei Linda ongeduldig. 'Hij weet niks. Wat nog meer?'

'Ik kan de politie inschakelen. Discreet. Er is verder niet veel wat ik in mijn eentje kan doen.'

'Nee,' zei ze resoluut. 'Geen politie. Dat willen Jack en ik allebei per se niet.'

'Ik heb vrienden bij de FBI...'

'Nee.'

Hij dacht aan zijn gesprek met Win. 'Wie was Jacks caddie toen hij verloor op Merion?'

Ze aarzelde even. 'Waarom wil je dat weten?'

'Ik heb begrepen dat Jack zijn caddie de schuld gaf van zijn verlies.'

'Gedeeltelijk wel.'

'En dat hij hem heeft ontslagen.'

'Ja, en?'

'Ik vroeg naar vijanden. Wat vond de caddie van alles wat er is gebeurd?'

'Je hebt het over iets van ruim twintig jaar geleden,' zei Linda Coldren. 'Stel dat hij een diepe haat koesterde jegens Jack, waarom zou hij dan zo lang hebben gewacht?'

'Dit is de eerste keer dat de Open weer op Merion wordt gehouden. Misschien heeft dat een sluimerende woede in hem wakker gemaakt. Ik zou het niet weten. De kans bestaat dat het er niks mee te maken heeft, maar het kan de moeite waard zijn om het na te trekken.'

Hij hoorde gepraat aan de andere kant van de lijn. Jacks stem. Ze vroeg of Myron even wilde wachten.

Een paar tellen later kwam Jack Coldren aan de lijn. Zonder omwegen vroeg hij: 'Denk je dat er een verband is tussen wat mij drieëntwintig jaar geleden is overkomen en Chads verdwijning?'

'Dat weet ik niet,' zei Myron.

Jacks stem klonk dwingend. 'Maar je denkt...'

'Ik weet niet wat ik ervan moet denken,' viel hij hem in de rede. 'Ik probeer het van alle kanten te bekijken.'

Er viel een ijzige stilte. Toen zei Jack Coldren: 'Hij heette Lloyd Rennart.'

'Weet je waar hij woont?'

'Nee. Na de laatste dag van de Open heb ik hem nooit meer gezien.'

'De dag dat je hem hebt ontslagen?'

'Precies.'

'Je bent hem nooit meer tegengekomen? Niet op de club of bij een toernooi of iets dergelijks?'

'Nee,' zei Jack Coldren langzaam. 'Nooit.'

'Waar woonde Rennart toentertijd?'

'In Wayne. Dat is de dichtstbijzijnde stad.'

'Hoe oud zou hij nu zijn?'

'Achtenzestig.' Geen aarzeling.

'Hadden jullie een goede band, voor dit gebeurde?'

Toen Jack Coldren eindelijk wat zei, klonk zijn stem heel zacht. 'Ik dacht van wel,' zei hij. 'Niet op een persoonlijk niveau. We trokken niet met elkaar op. Ik heb zijn familie nooit ontmoet en ik ben nooit bij hem thuis geweest of iets dergelijks. Maar op de golfbaan…' Hij zweeg even. 'Ik dacht dat we een heel goede band hadden.'

Stilte.

'Waarom zou hij het hebben gedaan?' vroeg Myron. 'Waarom zou hij met opzet je kansen om te winnen hebben genekt?'

Myron kon hem horen ademen. Toen hij weer iets zei, klonk zijn stem hees en krassend. 'Ik hoop al drieëntwintig jaar het antwoord op die vraag te vinden.'

6

Myron belde Esperanza om de naam van Lloyd Rennart door te geven. Het zou waarschijnlijk niet erg moeilijk zijn. Ook hierbij zou moderne technologie het eenvoudiger maken. Iedereen met een modem kon het adres www.switchboard.com intypen, een website die praktisch het telefoonboek van het hele land was. Als die site geen resultaat opleverde, waren er nog andere mogelijkheden. Als Lloyd Rennart nog leefde, zou het ongetwijfeld niet veel tijd kosten. Als hij dat niet meer deed, nou, daar waren ook sites voor.

'Heb je het tegen Win gezegd?' vroeg Esperanza.

'Ja.'

'Hoe reageerde hij?'

'Hij wil niet helpen.'

'Niet echt een verrassing,' zei ze.

'Nee,' beaamde hij.

Esperanza zei: 'In je eentje werk je niet zo goed, Myron.'

'Ik red me prima,' zei hij. 'Verheug je je op de uitreiking?'

Esperanza had de afgelopen zes jaar rechten gestudeerd aan de NYU. Maandag was haar buluitreiking.

'Ik denk niet dat ik erheen ga.'

'Waarom niet?'

'Ik hou niet zo van plechtigheden,' zei ze.

Esperanza's moeder, haar enige naaste familielid, was een paar maanden eerder overleden. Myron vermoedde dat haar moeders dood meer te maken had met Esperanza's besluit dan het feit dat ze niet van plechtigheden hield.

'Nou, ik ga wel,' zei Myron. 'Ik ga midden op de eerste rij zitten. Ik wil alles zien.'

Stilte.

Esperanza verbrak hem. 'Moet ik nu mijn tranen wegslikken omdat iemand om me geeft?'

Myron schudde zijn hoofd. 'Vergeet maar dat ik iets heb gezegd.'

'Nee echt, ik wil het goed doen. Moet ik in luid gesnik uitbarsten of alleen wat snuiven? Of nee, nog beter, ik kan een beetje emotioneel worden zoals Michael Landon in *Little House on the Prairie*.'

'Wat ben je toch bijdehand.'

'Alleen als je bevoogdend doet.'

'Ik doe niet bevoogdend, ik geef om je. Leer ermee leven.'

'Het zal wel,' zei ze.

'Zijn er nog berichten voor me?'

'Zowat een miljoen, maar niets wat niet tot maandag kan wachten,' zei ze. 'O, één ding.'

'Wat dan?'

'De trut heeft me uitgenodigd voor de lunch.'

'De trut' was Jessica, Myrons grote liefde. Esperanza mocht haar niet, en dat was nog zacht uitgedrukt. Veel mensen dachten dat het iets met jaloezie te maken had, een soort sluimerende aantrekkingskracht tussen Esperanza en Myron. Maar nee. Zo hield Esperanza van eh... flexibiliteit in haar liefdesleven. Eerst had ze een tijdje iets gehad met een man die Max heette, daarna met een vrouw die Lucy heette en nu had ze een andere vrouw die Hester heette. 'Hoe vaak heb ik nou gevraagd om haar niet zo te noemen?' vroeg Myron.

'Ongeveer een miljoen keer?'

'En ga je?'

'Ik denk het wel,' zei ze. 'Ik bedoel, het is een gratis maaltijd. Zelfs al moet ik ervoor naar haar gezicht kijken.'

Ze hingen op. Myron glimlachte, al was hij een beetje verbaasd. Jessica mocht Esperanza's haat dan niet beantwoorden, een lunchafspraak om hun persoonlijk koude oorlog te ontdooien had Myron niet verwacht. Misschien vond Jess dat het tijd was om haar de hand te reiken nu ze samenwoonden. Ach, wat maakte het ook uit? Myron belde Jessica.

Het antwoordapparaat sloeg aan. Hij hoorde haar stem. Toen het piepje klonk, zei hij: 'Jess? Neem eens op.'

Dat deed ze. 'Jezus, ik wou dat je hier was.' Jessica wist een gesprek altijd op unieke wijze te beginnen.

'O?' In gedachten zag hij haar op de bank liggen, het telefoonsnoer gedraaid tussen haar vingers. 'Waarom dan?'

'Ik wil net een pauze van tien minuten nemen.'

'Tien hele minuten?'

'Ja.'

'Dus je verwacht een uitgebreid voorspel?'

Ze lachte. 'Ben je daar klaar voor, grote knul?'

'Ik ben er helemaal klaar voor als je niet ophoudt erover te praten.'

'Misschien moeten we van onderwerp veranderen,' zei ze.

Een paar maanden eerder was Myron bij Jessica ingetrokken op haar zolderappartement in Soho. Voor de meeste mensen zou dat een enigszins dramatische verandering zijn geweest – een verhuizing van een buitenwijk in New Jersey naar een populair deel van Manhattan, intrekken bij een vrouw van wie je houdt, enzovoort – maar voor Myron stak de verandering de pubertijd naar de kroon. Hij had zijn hele leven bij zijn vader en moeder in de klassieke slaapstad Livingston in New Jersey gewoond. Zijn hele leven. Van zijn nulde tot zijn zesde in de slaapkamer aan de rechterkant van de eerste verdieping. Van zijn zesde tot zijn dertiende in de slaapkamer aan de linkerkant op de eerste verdieping. Van zijn dertiende tot ergens in de dertig in de kelder.

Na zo'n lange tijd lijkt het alsof moeders rokken verstikkend zijn.

'Ik heb gehoord dat je met Esperanza gaat lunchen,' zei hij.

'Ja.'

'Waarom?'

'Zomaar.'

'Zomaar?'

'Ik vind haar cool. Ik heb zin om te lunchen. Doe niet zo nieuwsgierig.'

'Je weet toch dat ze jou haat?'

'Dat kan ik wel aan,' zei Jessica. 'Hoe is het golftoernooi?'

'Heel vreemd,' zei hij.

'Hoezo?'

'Het verhaal is te lang om het je nu te vertellen, snoepie van me. Kan ik je straks bellen?'

'Tuurlijk.' Toen: 'Zei je nou "snoepie van me"?'

Toen ze ophingen, fronste Myron zijn wenkbrauwen. Er was iets mis. Jessica en hij hadden nog nooit zo'n goede band gehad, hun relatie was nooit sterker geweest dan nu. Samenwonen was de juiste beslissing geweest en veel van hun vroegere demonen waren de laatste tijd uitgebannen. Ze waren lief voor elkaar, hielden rekening met elkaars gevoelens en maakten bijna nooit ruzie.

Waarom had Myron dan het idee dat hij aan de rand van een diepe afgrond stond?

Hij schudde het van zich af. Het was niets meer dan het bijproduct van een op hol geslagen fantasie. Dat een schip op een kalme zee voer, wilde niet zeggen dat het niet op een ijsberg zou stuiten, dacht hij.

Wauw, dat was diep.

Tegen de tijd dat hij terug was bij de tafel, nipte Tad Crispin ook van een ijsthee. Win stelde hen aan elkaar voor. Crispin droeg geeltinten, heel veel geeltinten, een beetje als de man met de gele hoed uit de Nieuwsgierige George-boeken. Alles was geel. Zelfs zijn golfschoenen. Myron probeerde geen gezicht te trekken.

Alsof hij zijn gedachten kon lezen, zei Norm Zuckerman: 'Dit is niet onze lijn.'

'Fijn om te horen,' zei Myron.

Tad Crispin stond op. 'Aangenaam kennis te maken, meneer.'

Myron liet een grote, brede glimlach zien. 'Het is een eer je te ontmoeten, Tad.' Zijn stem droop van de oprechtheid, net zoals die van, laten we zeggen, een verkoper uit een keten witgoedwinkels. De twee mannen gaven elkaar een hand. Myron bleef glimlachen. Crispin begon achterdochtig te kijken.

Zuckerman wees met zijn duim op Myron en boog zich naar Win toe. 'Is hij altijd zo gladjes?'

Win knikte. 'Je moet hem eens met de dames zien.'

Iedereen ging weer zitten.

'Ik kan niet lang blijven,' zei Crispin.

'Dat begrijpen we heel goed, Tad,' zei Zuckerman, die weer dat wegwuifgebaar maakte. 'Je bent moe en je moet je concentreren op morgen. Ga maar. Zorg dat je wat slaap krijgt.'

Crispin liet iets zien wat op een glimlach leek en keek naar Win. 'Ik wil dat jij mijn financiën gaat beheren,' zei hij.

'Ik beheer geen financiën,' verbeterde Win hem. 'Ik geef er alleen advies over.'

'Maakt dat dan verschil?'

'Reken maar,' zei Win. 'Jij hebt te allen tijde de controle over je geld. Ik zal aanbevelingen doen. Direct tegen jou. Tegen niemand anders. We zullen ze bespreken. Vervolgens neem jij een besluit. Ik zal niets kopen of ruilen zonder dat jij volledig op de hoogte bent van wat er gebeurt.'

Crispin knikte. 'Dat klinkt goed.'

'Ik dacht wel dat je dat zou vinden,' zei Win. 'Als ik het goed begrijp, ben je van plan jouw geld scherp in het oog te houden?'

'Ja.'

'Heel slim,' zei Win. 'Je hebt natuurlijk gelezen over sportlui die blut zijn als ze stoppen. Die worden bedrogen door gewetenloze managers en zo.'

'Ja.'

'En het zal mijn taak zijn om jou te helpen zo veel mogelijk winst te halen uit je investeringen, nietwaar?'

Crispin boog zich iets voorover. 'Inderdaad.'

'Goed dan. Het zal mijn taak zijn om zo veel mogelijk winst te behalen uit je investeringsmogelijkheden nádat je het geld hebt verdiend. Maar als ik je niet vertel hoe je nog meer kunt verdienen, zou ik jouw belangen niet goed behartigen.'

Crispin kneep zijn ogen tot spleetjes. 'Ik geloof niet dat ik het helemaal kan volgen.'

Zuckerman zei: 'Win.'

Win negeerde hem. 'Als je financiële adviseur, zou ik in mijn plichten tekortschieten als ik niet de volgende aanbeveling zou doen: je hebt een goede agent nodig.'

Crispins blik gleed naar Myron. Myron bleef stil zitten en keek onaangedaan terug. Crispin wendde zich weer tot Win. 'Ik weet dat je samenwerkt met meneer Bolitar,' zei Crispin.

'Ja en nee,' zei Win. 'Als je besluit van zijn diensten gebruik te maken, verdien ik geen cent extra. Alhoewel, dat klopt niet helemaal. Als je voor Myrons diensten kiest, zul jij meer verdienen en daardoor heb ik meer geld van jou om te investeren. Dus op die manier zal ik meer verdienen.'

'Dank je,' zei Crispin. 'Maar ik heb geen belangstelling.'

'Dat moet je zelf weten,' zei Win. 'Maar laat me verder uitleggen wat ik bedoel met ja en nee. Ik ben de manager van een vermogen ter waarde van ongeveer vierhonderd miljoen dollar. Myrons cliënten maken daar nog geen drie procent van uit. Ik ben niet in dienst van MB SportReps. Myron Bolitar is niet in dienst van Lock-Horne Securities. We hebben geen vennootschap. Ik heb niet geïnvesteerd in zijn bedrijf en hij niet in het mijne. Myron heeft nog nooit gekeken of gevraagd naar de financiële situatie van mijn cliënten of daar op enige manier over gesproken. We zijn volledig gescheiden. Behalve wat een ding betreft.'

Alle ogen werden op Win gericht. Myron, die er niet om bekend stond dat hij wist wanneer hij zijn mond moest houden, wist dat nu wel.

'Ik ben de financiële adviseur van al zijn cliënten,' zei Win. 'En weet je waarom?'

Crispin schudde zijn hoofd.

'Omdat Myron daarop staat.'

Crispin keek verward. 'Dat begrijp ik niet. Als hij er niet beter van wordt...'

'Dat heb ik niet gezegd. Hij wordt er flink beter van.'

'Maar je zei toch...'

'Hij is ook sportman geweest. Wist je dat?'

'Daar heb ik wel iets over gehoord.'

'Hij weet hoe het gaat met sportlui. Hoe ze bedrogen worden. Hoe ze hun verdiensten verkwisten en nooit willen geloven dat hun loopbaan in een oogwenk voorbij kan zijn. Daarom staat hij erop, echt, hij staat erop, dat hij hun financiën niet doet. Om die reden heb ik hem cliënten zien afwijzen. Bovendien staat hij erop dat ik dat wel doe. En waarom? Om dezelfde reden als dat jij bij me bent gekomen. Hij weet dat ik de beste ben. Dat klinkt onbescheiden, maar het is wel waar. Bovendien staat Myron erop dat ze me tenminste een keer per kwartaal persoonlijk spreken. Niet alleen per fax, e-mail of brief. Hij wil per se dat ik elk item in hun boekhouding persoonlijk met ze doorneem.'

Win leunde verder achterover en drukte zijn vingers tegen elkaar. Dat deed de man graag. Het zag er ook goed uit bij hem. Daarmee wekte hij de indruk van wijsheid. 'Myron Bolitar is mijn beste vriend. Ik weet dat hij zijn leven voor mij zou geven, en ik zou hetzelfde doen voor hem. Maar als hij ooit het idee zou hebben dat ik iets deed wat niet in het belang van zijn cliënt was, zou hij hun portefeuille direct bij me weghalen.'

Norm zei: 'Prachtige speech, Win. Ik voelde hem precies hier.' Hij wees op zijn maag.

Win wierp hem een blik toe en Norms glimlach verdween.

'Ik heb de overeenkomst met meneer Zuckerman zelf gesloten,' zei Crispin. 'Dat kan ik ook met anderen.'

'Ik zal geen commentaar geven op het contract met Zoom,' zei Win. 'Maar ik kan je één ding vertellen. Je bent een intelligente jongeman. En een intelligente man kent niet alleen zijn sterke punten, maar ook zijn zwakheden. Dat is even belangrijk. Ik weet bijvoorbeeld niet hoe ik moet onderhandelen voor een reclamecontract. Ik ken de beginselen, maar het is niet mijn taak. Als er een leiding in mijn huis knapt, kan ik die niet maken. Jij bent een golfer. Je bent een van de grootste talenten die ik ooit heb gezien. Daar moet je je op concentreren.'

Tad Crispin nam een slok ijsthee. Hij sloeg zijn enkel over zijn knie. Zelfs zijn sokken waren geel. 'Je doet wel erg je best om je vriend aan te prijzen,' zei hij.

'Dat heb je mis,' zei Win. 'Ik zou een moord voor hem plegen, maar financieel ben ik hem niets verschuldigd. Daarentegen ben jij mijn cliënt en heb ik een serieuze financiële verantwoordelijkheid tegenover jou. Waar het op neerkomt, is dat jij me hebt gevraagd om je portefeuille te vergroten. Ik zal je een aantal investeringsmogelijkheden aan de hand doen. Maar dit is de beste aanbeveling die ik kan doen.'

Crispin wendde zich tot Myron. Hij bekeek hem van top tot teen en staarde hem aandachtig aan. Myron begon bijna te balken zodat hij zijn tanden kon bekijken. 'Hij laat je wel heel goed klinken,' zei Crispin tegen Myron.

'Ik ben ook goed,' zei Myron. 'Maar ik wil niet dat hij je de verkeerde indruk geeft. Ik ben minder altruïstisch dan Win het doet voorkomen. Ik sta er niet op dat mijn cliënten hem in dienst nemen omdat ik zo'n toffe kerel ben. Ik weet dat het een enorm pluspunt is als hij mijn cliënten onder zijn hoede neemt. Hij vergroot de waarde van mijn diensten. Hij helpt om mijn cliënten tevreden te houden. Dat is wat ik eraan overhoud. Ja, ik sta erop dat mijn cliënten in grote mate betrokken zijn bij het nemen van financiële beslissingen, maar dat is zowel om hen als mezelf te beschermen.'

'Hoe dat zo?'

'Jij weet kennelijk iets over managers en agenten die stelen van sportmensen.'

'Ja.'

'Weet je waarom dat zo vaak voorkomt?'

Crispin haalde zijn schouders op. 'Hebzucht lijkt me.'

Myron bewoog zijn hoofd in een ja-en-nee-gebaar. 'De grootste boosdoener is onverschilligheid. Sporters die zich er niet echt bij betrokken voelen. Ze worden lui. Ze besluiten dat het gemakkelijker is om hun agent te vertrouwen en dat is slecht. Laat de agent de rekeningen maar betalen, zeggen ze. Laat de agent het geld maar investeren. Dat soort dingen. Maar dat zal nooit gebeuren bij MB Sports-Reps. Niet omdat ik de boel in de gaten hou. Niet omdat Win de boel in de gaten houdt. Maar omdat jij de boel in de gaten houdt.'

'Ik hou de boel nu ook in de gaten,' zei Crispin.

'Ja, je geld wel. Maar ik betwijfel of je de rest ook in de gaten houdt.'

Daar dacht Crispin even over na. 'Ik stel het gesprek op prijs,' zei hij. 'Maar volgens mij kan ik het prima zelf.'

Myron wees op Tad Crispins hoed. 'Hoeveel krijg je daarvoor?' vroeg hij.

'Pardon?'

'Je draagt een hoed waar geen bedrijfslogo op staat,' legde Myron uit. 'Voor een speler van jouw formaat, is dat een verlies van minstens een kwart miljoen dollar.'

Stilte.

'Maar ik ga samenwerken met Zoom,' zei Tad.

'Hebben zij de hoedenrechten van je gekocht?' Hij dacht na. 'Dat geloof ik niet.'

'De voorkant van die hoed is een kwart miljoen waard. Als je wilt, kunnen we ook de zijkanten verkopen. Die leveren minder op. Misschien vierhonderdduizend bij elkaar. Je shirt is weer een ander geval.'

'Zeg, wacht eens eventjes,' viel Zuckerman hem in de rede. 'Hij gaat Zoom-shirts dragen.'

'Best, Norm,' zei Myron. 'Het is hem toegestaan om daar logo's op te hebben. Een op de voorkant en een op elke mouw.'

'Logo's?'

'Wat je maar kunt bedenken. Zeg Coco-Cola. Of IBM. Zelfs Hope Depot.'

'Logo's op mijn shirt?'

'Ja. En wat drink je op de baan?'

'Bedoel je tijdens het spelen?'

'Tuurlijk. Ik kan waarschijnlijk wel een overeenkomst voor je afsluiten met Powerade of een mineraalwatermerk. Wat dacht je van Poland Springs mineraalwater? Dat zou mooi zijn. En je golftas? Je moet ook een overeenkomst zien af te sluiten voor je golftas.'

'Ik begrijp het niet.'

'Je bent een reclamebord, Tad. Je bent op televisie. Heel veel fans zien je. Je hoed, je shirt, je golftas... Dat zijn allemaal plekken om advertenties op te plaatsen.'

Zuckerman zei: 'Zeg, wacht eens eventjes. Hij kan niet zomaar...'

Er klonk een mobiele telefoon, maar die rinkelde niet eens een hele keer. Myrons vinger bereikte de knop en zette hem uit met een snelheid die Wyatt Earp ertoe zou nopen met pensioen te gaan. Snelle reflexen. Af en toe kwamen die heel goed van pas.

Toch had het korte geluid de woede gewekt van clubleden in de buurt. Myron keek om zich heen. Er werd hem een aantal kwade blikken toegeworpen, onder meer door Win.

'Ga snel achter het clubhuis staan,' zei Win bits. 'Zorg dat niemand je ziet.'

Myron salueerde brutaal en haastte zich weg als een man wiens blaas het opeens niet meer houdt. Toen hij op een veilige plek was, op het parkeerterrein, beantwoordde hij het telefoontje.

'Hallo.'

'O, god...' Het was Linda Coldren. Haar toon sneed hem door zijn ziel.

'Wat is er gebeurd?'

'Hij heeft weer gebeld,' zei ze.

'Heb je het op band opgenomen?'

'Ja.'

'Ik kom eraa...'

'Nee!' gilde ze. 'Hij houdt het huis in de gaten.'

'Heb je hem gezien?'

'Nee. Maar... Kom niet hierheen. Alsjeblieft niet.'

'Waar bel je vandaan?'

'Via de faxlijn in de kelder. O god, Myron, je had hem moeten horen.'

'Is het nummer op het display verschenen?'

'Ja.'

'Vertel het me.'

Dat deed ze. Myron haalde een pen uit zijn zak en schreef het nummer op een oud Visa-bonnetje.

'Ben je alleen?'

'Jack is bij me.'

'Verder nog iemand? Waar is Esme Fong?'

'Boven in de woonkamer.'

'Goed,' zei Myron. 'Ik moet het telefoontje horen.'

74

'Momentje. Jack sluit het apparaat net aan. Ik zal je op de luidspreker zetten, zodat je het kunt horen.'

7

De cassetterecorder werd aangezet. Eerst hoorde Myron de telefoon rinkelen. Het geluid klonk verbazingwekkend helder. Toen hoorde hij Jack Coldren: 'Hallo?'

'Wie is die Chinese teef?'

De stem was heel diep, heel dreigend en duidelijk mechanisch veranderd. Man of vrouw, jong of oud, het viel niet te zeggen.

'Ik weet niet wat...'

'Probeer je me soms te verneuken, stomme klootzak? Ik zal je dat rotjoch in kleine stukjes terugsturen.'

Jack Coldren zei: 'Alsjeblieft...'

'Ik had toch gezegd dat je niemand mocht inschakelen?'

'Dat hebben we ook niet gedaan.'

'Nou, wie is die Chinese teef dan die net bij jullie naar binnen ging?'

Stilte.

'Denk je soms dat we gek zijn, Jack?'

'Nee, natuurlijk niet.'

'Wie is het dan, verdomme nog aan toe?'

'Ze heet Esme Fong,' zei Coldren snel. 'Ze werkt voor een kledingbedrijf. Ze is hier alleen om een reclamedeal te regelen met mijn vrouw.'

'Onzin.'

'Het is de waarheid, ik zweer het.'

'Ik weet het niet, Jack...'

'Ik zou echt niet tegen je liegen.'

'Nou, dat zullen we nog wel eens zien, Jack. Dit gaat je geld kosten.'

'Hoe bedoel je?'

'Honderdduizend. Noem het maar een boete.'

'Waarvoor?'

'Dat hoef jij niet te weten. Wil je dat joch levend terug? Dan moet je nu honderdduizend ophoesten. Dat komt boven op...'

'Wacht eens eventjes.' Coldren schraapte zijn keel. Hij probeerde houvast te krijgen, een beetje overwicht.

'Jack?'

'Ja?'

'Als je me nog een keer in de rede valt, klem ik de lul van je zoon in een bankschroef.'

Stilte.

'Zorg dat je dat geld bijeenkrijgt, Jack. Honderdduizend. Ik bel je terug om te zeggen wat je moet doen. Begrijp je me?'

'Ja.'

'Verpest dit niet, Jack. Ik vind het fijn om mensen pijn te doen.'

De korte stilte werd verbroken door een scherpe, plotselinge kreet, een schreeuw die zenuwen deed tintelen en kippenvel veroorzaakte. Myrons hand klemde zich strakker om de telefoon.

De verbinding werd verbroken. De kiestoon klonk. Toen niks meer.

Linda Coldren haalde hem van de luidspreker af. 'Wat moeten we doen?'

'Bel de FBI,' zei Myron.

'Ben je niet goed snik?'

'Dat is volgens mij het verstandigste.'

Jack Coldren zei iets op de achtergrond. Linda kwam weer aan de lijn. 'Geen sprake van. We willen gewoon het losgeld betalen en onze zoon terugkrijgen.'

Myron verbrak de verbinding en belde een ander nummer. Dat van Lisa bij New York Bell. Ze was al een van hun contacten sinds de tijd dat Win en hij nog voor de overheid werkten.

'Een nummermelder liet een nummer zien in Philadelphia,' zei hij. 'Kun jij me daar een adres bij bezorgen?'

'Geen probleem,' zei Lisa.

Hij gaf haar het nummer. Mensen die te veel tv-kijken denken dat dit soort dingen veel tijd kosten. Dat is niet meer zo. Tegenwoordig zijn telefoonnummers razendsnel te achterhalen. Geen 'Hou hem wat langer aan de lijn', of dat soort dingen. Hetzelfde geldt voor het vinden van de locatie van een telefoonnummer. Iedere telefoniste, waar dan ook, kan het nummer in haar computer invoeren of een van die omgekeerde telefoonboeken gebruiken en hup. Eigenlijk heb je zelfs geen telefoniste meer nodig. Computerprogramma's op cd-rom en websites doen hetzelfde.

'Het is een openbare telefoon,' zei ze.

Geen goed nieuws, maar het kwam ook niet onverwacht. 'Weet je ook waar?'

'De Grand Mercado Mall in Bala-Cynwyd.'

'Een overdekt winkelcentrum?'

'Ja.'

'Weet je het zeker?'

'Dat staat hier.'

'Waar in het winkelcentrum?'

'Ik zou het niet weten. Denk je soms dat ze te boek staan als "tussen het warenhuis en de lingeriewinkel"?'

Dit sloeg nergens op. Een winkelcentrum? Had de ontvoerder Chad Coldren daar naarbinnen gesleurd om hem in een telefoon te laten gillen?

'Dank je, Lisa.'

Hij hing op en draaide zich weer om naar de veranda. Win stond recht achter hem met zijn armen over elkaar geslagen. Zoals altijd was zijn lichaam heel ontspannen.

'De ontvoerder heeft gebeld,' zei Myron.

'Ik hoorde het.'

'Ik zou je hulp goed kunnen gebruiken om dit uit te zoeken.'

'Nee,' zei Win.

'Dit gaat niet om je moeder, Win.'

Wins gezichtsuitdrukking veranderde niet, maar er gebeurde wel iets met zijn ogen. 'Pas op,' was het enige wat hij zei.

Myron schudde zijn hoofd. 'Ik moet ervandoor. Excuseer me alsjeblieft bij de anderen.'

'Je bent hier gekomen om cliënten te werven,' zei Win. 'Je hebt eerder beweerd dat je hebt toegezegd om de Coldrens te helpen in de hoop ze hierna te kunnen vertegenwoordigen.'

'Ja, en?'

'En nu sta je op het punt om het nieuwste aanstormende golftalent binnen te halen. De logica gebiedt dat je blijft.'

'Dat kan ik niet.'

Win haalde zijn armen van elkaar en schudde zijn hoofd.

'Wil je een ding voor me doen? Wil je me laten weten of ik mijn tijd verspil of niet?'

Win bleef zwijgen.

'Weet je nog dat ik vertelde dat Chad zijn pinpas had gebruikt?'

'Ja.'

'Zorg dat ik de bewakingsbeelden van die transactie krijg,' zei hij. 'Die kunnen me vertellen of dit hele gedoe niet meer is dan bedrog van Chad.'

Win keerde zich om naar de veranda. 'Ik zie je vanavond wel weer in het huis.'

8

Myron parkeerde bij het winkelcentrum en keek op zijn horloge. Kwart voor acht. Het was een ontzettend lange dag geweest, maar het was nog relatief vroeg. Hij ging naar binnen via een filiaal van Macy's en zag direct zo'n grote, blauwe tafelplattegrond van het winkelcentrum. De openbare telefoons waren gemarkeerd met blauwe stippen. In totaal waren er elf. Twee bij de benedeningang aan de zuidkant. Twee bij de boveningang aan de noordkant. Zeven aan het horecaplein.

Overdekte winkelcentra in Amerika waren plekken waar al de geografische verschillen verdwenen. Tussen glimmende filialen van grote winkelketens en onder overdreven verlichte plafonds leek Kansas op Californië en New Jersey op Nevada. Amerikaanser dan dit bestond niet. De winkels in de centra konden anders zijn, maar het scheelde niet veel. Athlete's Foot of Foot Locker, Rite Aid of cvs, Willimas-Sonoma of Pottery Barn, de Gap of Banana Republic of Old Navy (die toevallig allemaal van dezelfde mensen waren), Waldenbooks of B. Dalton, een aantal anonieme schoenwinkels, een Radio Shack, een Victoria's Secret, een kunstgalerie met Gorman, McKnight en Behrens, een of andere museumwinkel, twee platenzaken – alles verpakt in een soort Orwelliaans, glad chromen, neo-Romaans forum met opzichtige fonteinen, onbemande informatiebalies, namaakvarens en overdreven grote marmeren beelden die normaal gesproken werden aangetroffen in tandartspraktijken.

Voor een winkel die elektronische orgels en piano's verkocht zat een werknemer in een slecht passend marineblauw kostuum met een matrozenpet op. Hij speelde 'Muskrat Love' op een orgel. Myron kwam in de verleiding om te vragen waar Tenille was, maar hij hield zich in. Dat lag te veel voor de hand. Orgelwinkels in overdekte winkelcentra. Wie gaat er nou naar zo'n winkelcentrum om een orgel te kopen? Hij haastte zich langs de Limited of de Unlimited of de Ernstig Gehandicapten of iets dergelijks. Gevolgd door Jeans Plus of Jeans Minus of Alleen Shirts of Alleen Broeken of Tank Top City of zoiets. Alle winkels leken op elkaar. Ze hadden allemaal veel magere, verveelde tieners in dienst die de schappen vulden met het enthousiasme van een eunuch op een orgie.

Er waren heel veel middelbare scholieren te zien – die gewoon wat rondhingen – die er heel eh... gaaf uitzagen. Met het risico als een omgekeerde racist te klinken, vond hij dat alle blanke jongens op elkaar leken. Ruim vallend short. Wit t-shirt. Zwarte, hoge gympen van honderd dollar waarvan de veters niet dichtzaten. Honkbalpet die ver omlaag was getrokken, de klep vervormd tot een behendige ronding die een zomers stekelkapsel aan het oog onttrok. Mager. Slungelig. Lange ledematen. Zo bleek als een portret van Goya, zelfs in de zomer. Slechte lichaamshouding. Ogen die een ander nooit recht aankeken. Ongemakkelijke ogen. Enigszins bange ogen.

Hij liep langs een kapsalon die Snip Away heette, wat meer als een vasectomiekliniek klonk dan als een schoonheidssalon. De kapsters bij Snip Away waren ofwel tot inkeer gekomen winkelcentrummeisjes of jongens die Mario heetten en wiens vader Sal heette. Voor een raam zaten twee klanten; de ene kreeg een permanentje terwijl bij de ander het haar werd gebleekt. Wie wilde er nou voor een raam zitten zodat de hele wereld kon zien hoe jouw haar werd gedaan?

Hij nam een roltrap langs een plastic tuin, compleet met plastic wijnranken, naar het kroonjuweel van het winkelcentrum: het horecaplein. Dat was op dat tijdstip redelijk leeg. De dinergasten waren al lang vertrokken. Horecapleinen waren de laatste buitenposten van de grote Amerikaanse smeltkroes. Italiaans, Chinees, Japans, Mexicaans, Midden-Oosters (of Grieks), een delicatessenzaak, een kiprestaurant, een fastfoodrestaurant, bijvoorbeeld McDonald's, dat de meeste klandizie had, een zaak die bevroren yoghurt verkocht en dan nog een paar vreemde uitwassen. Zaken die waren opgezet door mensen die ervan droomden een franchiseketen op te zetten en de nieuwste Ray Kroc te worden. Ethiopian Ectasy. Sven's Swedish Meatballs. Curry Up and Eat.

Myron keek op alle zeven telefoons of er een nummer op stond. Die waren allemaal bedekt met een dikke laag witte verf. Dat was niet zo vreemd, gelet op de manier waarop mensen er tegenwoordig misbruik van maakten. Bovendien was het geen probleem. Hij pakte zijn mobiele telefoon en toetste het nummer van de nummerweergave in. Onmiddellijk begon een van de telefoons te rinkelen.

Bingo.

Het was de telefoon uiterst rechts. Myron pakte hem op om er zeker van te zijn. 'Hallo?' zei hij. Hij hoorde de hallo via zijn mobiele telefoon. Toen zei hij via zijn mobiele telefoon tegen zichzelf: 'Dag, Myron. Wat leuk om iets van je te horen.' Hij besloot op te houden met tegen zichzelf te praten. Het was te vroeg op de avond om al zo melig te doen.

Hij hing de telefoon op en keek om zich heen. Een groep winkelcentrummeiden zat aan een tafeltje niet ver bij hem vandaan. Ze zaten in een kleine kring en hadden de beschermende houding van coyotes tijdens het paarseizoen.

Van alle eetkraampjes had Sven's Swedish Meatballs het beste zicht op de telefoon. Myron liep erheen. Het kraampje werd bemand door twee kerels. Ze hadden allebei donker haar, een donkere huid en een Saddam Hoessein-snor. Op het ene naambordje stond Mustafa en op het andere Achmed.

'Wie van jullie is Sven?' vroeg hij.

Niemand glimlachte.

Myron informeerde naar de telefoon. Mustafa en Achmed waren bepaald niet hulpvaardig. Mustafa snauwde dat hij werkte voor zijn geld en geen telefoons in de gaten hield. Achmed maakte handgebaren en schold hem uit in een vreemde taal.

'Ik ben bepaald geen taalkundige,' zei Myron, 'maar dat klonk niet Zweeds.'

Dodelijke blikken.

'Nou, dag. Ik zal dit zeker aan al mijn vrienden vertellen.'

Myron draaide zich om naar het tafeltje met de winkelcentrummeiden. Die keken allemaal snel omlaag, als ratten die zich weghaasten in de straal van een zaklamp. Hij liep naar ze toe. Hun ogen schoten heen en weer met wat zij ongetwijfeld beschouwden als steelse blikken. Hij hoorde een zachte kakofonie van 'jezus!jezus!jezus!hijkomthierheen!'

Myron bleef recht voor hun tafeltje staan. Er zaten vier meisjes. Of misschien vijf of zelfs zes. Het viel moeilijk te zeggen. Ze leken allemaal in elkaar over te gaan en vormden een vage, onduidelijke massa van haar, zwarte lippenstift, nagels van fu manchu-lengte, oorbellen, neusringen, sigarettenrook, veel te strakke topjes, blote buiken en knallende kauwgum.

Degene die in het midden zat keek als eerste op. Haar haar leek op dat van Elsa Lancaster in *The Bride of Frankenstein* en om haar hals zat iets wat op een hondenhalsband met sierspijkertjes leek. De andere gezichten volgden haar voorbeeld.

'Nou, hallo,' zei Elsa.

Myron probeerde zijn zachtste, scheefste glimlach op te zetten. Harrison Ford in *Regarding Henry*. 'Mag ik jullie een paar vragen stellen?'

De meisjes keken elkaar allemaal aan. Er ontsnapte wat gegiechel. Myron voelde zijn gezicht rood worden, al wist hij niet precies waarom. Ze stootten elkaar aan met hun ellebogen. Niemand gaf antwoord. Myron ging verder.

'Hoe lang zitten jullie al hier?' vroeg hij.

'Is dit, nou... zo'n winkelcentrumenquête, of zo?'

'Nee,' zei Myron.

'Mooi. Want die zijn echt ongelooflijk afgezaagd, weet je wel?'

'Hmm.'

'Dan heb ik iets van: donder nou gauw een eind op, meneertje met je polyester broek, snap je?'

Myron zei nog een keer 'Hmm'. En daarna: 'Weten jullie ook hoe lang jullie hier al zitten?'

'Nee. Weet jij dat, Amber?'

'Nou, we zijn om vier uur naar de Gap gegaan.'
'O ja, de Gap. Gave uitverkoop.'
'Supercool. Die blouse die je hebt gekocht is echt prachtig, Trish.'
'Vind je niet dat hij totaal gaaf is, Mindy?'
'Echt wel. Super.'
Myron zei: 'Het is nu bijna acht uur. Hebben jullie hier het afgelo-
pen uur gezeten?'
'Ja zeg, ben jij wel helemaal goed? Minstens.'
'Dit is toevallig ons plekje, weet je wel?'
'Hier zit niemand anders, snap je?'
'Behalve die ene keer toen die gore sukkels het probeerden in te
pikken.'
'Bah, begin daar alsjeblieft niet over.'
Ze zwegen en keken naar Myron. Hij nam aan dat het antwoord
op zijn eerdere vraag ja was, dus hij ging dapper verder. 'Hebben jul-
lie iemand die telefoon zien gebruiken?'
'Ben jij soms iets van een agent of zo?'
'Echt niet.'
'Welles.'
'Hij is te schattig voor een agent.'
'Ja, alsof Jimmy Smith geen schatje is.'
'Dat is toevallig wel tv, dombo. Dit is echt. In het echt zijn agenten
geen schatjes, weet je.'
'Maak het nou. Alsof Brad niet waanzinnig schattig is. Je bent toe-
vallig gek op hem, weet je nog?'
'Echt niet. En hij is geen agent. Hij is meer een soort bewaker bij
Florsheim in een gehuurd uniform.'
'Maar hij is waanzinnig knap.'
'Nou.'
'Hartstikke gespierd.'
'Hij valt op Shari.'
'Getver. Op Shari?'
'Ik heb echt de pest aan haar, weet je wel?'
'Ik ook. Zij koopt haar kleren bij Slet en Del.'
'Zeg dat wel.'

'Het is iets van: "Hallo, u bent verbonden met de SOA-lijn. U spreekt met Shari."'

Gegiechel.

Myron keek om zich heen of hij ook een tolk zag. 'Ik ben geen agent,' zei hij.

'Zei ik toch.'

'Echt niet.'

'Maar,' zei Myron. 'Ik ben wel met iets heel belangrijks bezig. Een zaak van leven en dood. Ik moet weten of jullie je kunnen herinneren of iemand die telefoon, die daar in de verste hoek, drie kwartier geleden heeft gebruikt.'

'Whoa.' Het meisje dat Amber heette duwde haar stoel naar achteren. 'Aan de kant, want ik moet zwaar kotsen, weet je wel?'

'Net een schurftige clown.'

'Hij was echt zo goor!'

'Waanzinnig goor.'

'Echt wel.'

'En hij knipoogde naar Amber, weet je wel?'

'Echt niet.'

'Gadver!'

'Om te kotsen.'

'Wedden dat die slet Shari met hem zou hebben getongd?'

'Op z'n minst.'

Gegiechel.

Myron vroeg: 'Dus jullie hebben iemand gezien?'

'Een echte smeerlap.'

'Hartstikke schurftig.'

'Hij was zo van: hallo, was je je haar soms nooit?'

Meer gegiechel.

Myron zei: 'Kunnen jullie een beschrijving van hem geven?'

'Een blauwe spijkerbroek van iets als: vandaag in de aanbieding bij de Kmart.'

'Werkschoenen. Zeker geen Timberlands.'

'Hij deed echt heel erg zijn best om op een skinhead te lijken, weet je wel?'

Myron vroeg: 'Op een skinhead?'

'Je weet wel: kaalgeschoren hoofd. Smerig baardje. Tattoo van dat ding op zijn arm.'

'Dat ding?' probeerde Myron.

'Je weet wel, die tattoo.' Ze tekende vaag iets met haar vinger in de lucht. 'Het lijkt een beetje op een raar kruis van vroeger.'

Myron zei: 'Bedoel je een hakenkruis?'

'Nou, zou best kunnen. Zie ik er soms uit alsof ik geschiedenis studeer?'

'Nou, hoe oud was hij?' Hij had 'nou' gezegd op dezelfde toon als zij. Als hij hier nog veel langer bleef, zou hij nog ergens een piercing laten zetten. Echt wel.

'Oud.'

'Stokoud.'

'Je weet wel, minstens twintig.'

'Lengte?' vroeg Myron. 'Gewicht?'

'Een meter tachtig.'

'Ja, iets van een meter tachtig.'

'Mager.'

'Heel erg.'

'Je weet wel, totaal geen kont.'

'Helemaal niet.'

'Was er iemand bij hem?' vroeg Myron.

'Nee, zeg.'

'Bij hem?'

'Vergeet het maar.'

'Wie zou er bij zo'n goorlap willen zijn?'

'Hij stond in zijn eentje bij die telefoon. Wel een half uur.'

'Hij wilde Mindy.'

'Nietes!'

'Wacht eventjes,' zei Myron. 'Heeft hij daar een half uur gestaan?'

'Nee, niet zo lang.'

'Het leek anders wel lang.'

'Misschien een kwartier. Amber overdrijft altijd, weet je wel.'

'Nou, flikker een eind op, Trish. Flikker gewoon een eind op.'

'Verder nog iets?' vroeg Myron.

'Pieper.'

'O ja, een pieper. Alsof iemand zo'n goorlap ooit zou bellen.'

'Hij hield hem nota bene vlak bij de telefoon.'

Waarschijnlijk geen pieper. Eerder een microcassettespeler. Dat zou in elk geval de gil verklaren. Of een stemvervormer. Die zaten ook in een klein doosje.

Hij bedankte de meisjes en deelde zijn visitekaartjes uit waar zijn mobiele nummer op stond. Een van de meisjes las het. Ze trok een gezicht.

'Zeg, heet je echt Myron?'

'Ja.'

Ze zwegen allemaal en keken hem aan.

'Ja, ik weet het,' zei Myron. 'Helemaal niet gaaf.'

Hij liep terug naar zijn auto toen een knagende gedachte plotseling weer bij hem opkwam. De ontvoerder aan de telefoon had het over een 'Chinese teef' gehad. Op de een of andere manier had hij geweten dat Esme Fong daar naar binnen was gegaan. De vraag was: hoe?

Er waren twee mogelijkheden. Eén: ze hadden een microfoontje in het huis geplaatst.

Onwaarschijnlijk. Als er in het huis van de Coldrens microfoontjes zaten of als het onder een of andere elektronische surveillance stond, dan zou de ontvoerder ook weten dat Myron erbij betrokken was.

Twee: een van hen hield het huis in de gaten.

Dat leek het meest logisch. Myron dacht even na. Als iemand het huis ongeveer een uur geleden had geobserveerd, mocht je aannemen dat hij er nog altijd was, dat hij zich nog altijd verschool achter een struik of in een boom zat of iets dergelijks. Als Myron die persoon ongezien wist te benaderen, kon hij hem misschien terug volgen naar Chad Coldren.

Was dat het risico waard?

Nou, echt wel.

9

Tien uur.

Opnieuw gebruikte Myron Wins naam en parkeerde op de parkeerplaats van Merion. Hij keek of hij Wins Jaguar zag, maar die was nergens te bekennen. Hij parkeerde en keek of hij bewakers zag. Niemand. Die stonden allemaal bij de hoofdingang. Dat maakte de zaak een stuk gemakkelijker.

Snel stapte hij over het witte koord dat gebruikt werd om het publiek op afstand te houden en begon de golfbaan over te steken. Het was onderhand donker, maar de lampen van de huizen aan de andere kant van de fairway boden genoeg licht om eroverheen te lopen. Hoe beroemd het ook was, Merion was een piepkleine golfbaan. Vanaf de parkeerplaats tot Golf Course Road, met daartussenin twee fairways, was het maar net iets meer dan negentig meter.

Myron sjokte verder. Vochtigheid hing in de lucht als een zware deken van druppels. Myrons overhemd begon kleverig te worden. De krekels waren er in grote getale en tjilpten onophoudelijk. Hun gezamenlijke wijsje klonk even monotoon als een cd van Mariah Carey, maar dan net iets minder irritant. Het gras kriebelde aan Myrons blote enkels.

Ondanks zijn natuurlijke afkeer van golf, bekroop Myron het gepaste gevoel van eerbied, alsof hij zich clandestien op heilige grond bevond. Spoken ademden in de avond, zoals ze ademden op elke plek die legenden had voortgebracht. Myron herinnerde zich dat hij eens op de parketvloer van Boston Garden had gestaan toen er verder niemand was. Het was in de week nadat hij door de Celtics was gekozen in de eerste ronde van de NBA-transfers. Clip Arnstein, de beroemde algemeen directeur van de Celtics, had hem eerder die dag aan de pers voorgesteld. Dat was ontzettend leuk geweest. Iedereen had gelachen en geglimlacht en Myron de volgende Larry Bird genoemd. Die avond, toen hij alleen in de beroemde zalen van de Garden stond, leken de kampioensvlaggen aan de spanten zowaar te waaien in de doodstille lucht. Ze wenkten hem naderbij en fluisterden over daden uit het verleden en over beloften die in het verschiet lagen. Myron had nooit een wedstrijd gespeeld op die parketvloer.

Hij vertraagde zijn pas toen hij bij Golf Course Road kwam en stapte over het witte koord. Vervolgens dook hij weg achter een boom. Dit zou niet eenvoudig worden. Al was het dat ook niet voor zijn prooi. In dit soort wijken werden verdachte zaken opgemerkt. Bijvoorbeeld een auto die ergens stond waar hij niet hoorde. Daarom had Myron de zijne bij Merion gezet. Had de ontvoerder hetzelfde gedaan? Of stond zijn auto op straat? Of had iemand hem afgezet?

Hij bukte zich diep en rende naar de volgende boom. Het zag er ongetwijfeld nogal dwaas uit, dacht hij. Een man van ruim twee meter die minstens negentig kilo woog die tussen de struiken doorschoot als iets uit *The Dirty Dozen* wat in de montagekamer op de vloer was beland.

Maar wat moest hij anders?

Hij kon moeilijk op zijn gemak over straat lopen. Dan kon de ontvoerder hem zien. Zijn hele plan draaide erom dat hij de ontvoerder zou zien voor die hem zag. Hoe moest hij dat aanpakken? Hij had geen flauw idee. Het beste wat hij kon verzinnen was in kringetjes steeds dichter bij het huis van de Coldrens komen, speurend naar, eh... iets.

Hij keek speurend om zich heen, zonder dat hij precies wist wat hij zocht. Een plek die een ontvoerder kon gebruiken als uitkijkpost, bedacht hij. Een veilige plek om je te verbergen of een plaats waar een man met een verrekijker de boel in de gaten kon houden. Niks. De avond was windstil en rustig.

Hij liep om het huizenblok heen en sprintte lukraak van de ene struik naar de andere. Hij voelde zich net John Belushi die inbrak in het kantoor van Dean Wormer in *Animal House*.

Animal House en *The Dirty Dozen*. Myron keek veel te veel films. Terwijl hij in steeds kleinere cirkels de woning van de Coldrens naderde, besefte Myron dat de kans groot was dat hij zelf zou worden 'gezien' in plaats van dat hij iemand zou zien. Hij deed beter zijn best om zich te verbergen om op te gaan in de achtergrond en onzichtbaar te worden.

Myron Bolitar, Mutant Ninja Warrior.

Uit riante huizen van steen met zwarte luiken schenen twinkelende lichtjes. Alle huizen waren indrukwekkend en redelijk mooi met een beschermende, blijf-uit-mijn-buurt knusheid. Stevige woningen. Huizen van het derde biggetje. Gesettelde, honkvaste en trotse huizen.

Hij kwam nu wel heel dicht in de buurt van het huis van de Coldrens. Nog altijd niks. Op straat stond zelfs niet een auto geparkeerd. Zweet kleefde aan hem als de stroop op een stapel pannenkoeken. Jezus, wat verlangde hij naar een douche. Hij hurkte neer en keek naar het huis.

En nu?

Wachten. Kijken of hij ook maar iets van beweging zag. Surveillance en soortelijke bezigheden waren niet Myrons sterke punt. Dat soort dingen deed Win meestal. Die beschikte over lichaamscontrole en voldoende geduld. Myron kon nu al niet meer stilzitten. Had hij maar een tijdschrift of iets anders om te lezen meegenomen.

De drie minuten durende eentonigheid werd doorbroken toen de voordeur openging. Myron ging rechtop zitten. Esme Fong en Linda Coldren verschenen in de deuropening. Ze namen afscheid. Esme gaf Linda een stevige handdruk en liep naar haar auto. Linda Coldren deed de voordeur dicht. Esme Fong startte haar auto en reed weg.

Die surveillance was echt de ene sensatie na de andere.

Myron ging achter een struik zitten. Er stonden hier heel wat struiken. Overal waar je keek, stonden struiken van verschillende soorten en maten en voor verschillende doeleinden. Kennelijk waren rijke mensen met blauw bloed gek op struiken, dacht Myron. Hij vroeg zich af of ze die ook hadden meegenomen aan boord van de Mayflower.

Hij kreeg kramp in zijn benen van al dit gekniel. Hij strekte ze om de beurt. Zijn slechte knie, die een einde had gemaakt aan zijn basketbalcarrière, begon te kloppen. Genoeg. Hij had het warm, hij was helemaal bezweet en hij had pijn. Tijd om te vertrekken.

Toen hoorde hij een geluid. Het leek bij de achterdeur vandaan te komen. Hij slaakte een zucht, kwam met krakende knieën overeind en sloop er met een boog naartoe. Hij vond een andere comfortabele struik en verborg zich erachter. Hij gluurde eromheen.

Jack Coldren stond in de achtertuin met zijn caddie, Diane Hoffman. Jack had een golfclub in zijn hand, maar hij sloeg er niet mee. Hij praatte met Diane Hoffman. Geanimeerd. Diane Hoffman praatte terug. Even geanimeerd. Ze leken geen van beiden erg blij. Myron kon ze niet verstaan, maar ze maakten allebei heftige handgebaren.

Een woordenwisseling. Een nogal verhitte woordenwisseling.

Hmm.

Daar kon natuurlijk een onschuldige verklaring voor zijn. Myron vermoedde dat caddies en spelers voortdurend woordenwisselingen hadden. Hij had ergens gelezen dat Seve Ballesteros, het voormalige Spaanse wonderkind, altijd ruzie had met zijn caddie. Dat was logisch. Het was niet meer dan normaal dat een caddie en een prof kibbelden, vooral tijdens een toernooi als de U.S. Open waarbij de spelers zo onder druk stonden.

Maar het tijdstip was merkwaardig.

Ga maar na. Een man krijgt een angstaanjagend telefoontje van een ontvoerder. Hij hoort zijn zoon gillen van angst of pijn. En een paar uur later staat hij in zijn achtertuin ruzie te maken met zijn caddie over zijn backswing.

Klonk dat logisch?

Myron besloot om dichter naar ze toe te gaan, maar er was geen rechtstreekse weg. Weer allerlei struiken, als tackle-dummy's bij American Football-training. Hij rende vlug een stuk naar links en waagde nog een snelle blik. De verhitte woordenwisseling was nog altijd aan de gang. Diane Hoffman deed een stap dichter naar Jack toe.

Toen gaf ze hem een klap in zijn gezicht.

Het geluid sneed als een zeis door de avond. Myron bevroor. Diane Hoffman schreeuwde iets. Myron verstond het woord 'klootzak', maar verder niets. Diane smeet haar sigaret voor Jacks voeten en stormde weg. Jack keek omlaag, schudde langzaam zijn hoofd en ging weer naar binnen.

Nee maar, dacht Myron. Die backswing had kennelijk voor geen meter gedeugd.

Myron bleef achter de struik zitten. Op de oprit hoorde hij een auto starten. Die van Diane Hoffman, vermoedde hij. Even vroeg hij zich af of zij hierbij betrokken was. Het was duidelijk dat ze in het huis was geweest. Kon zij de geheimzinnige waarnemer zijn? Hij leunde achterover en overwoog de mogelijkheid. Het idee nam net een beetje vaste vorm aan toen Myron de man zag.

Hij dacht althans dat het een man was. Het was moeilijk te zien vanaf de plek waar hij geknield zat. Myron kon zijn ogen niet geloven. Hij had het mis gehad. Compleet bij het verkeerde eind. De dader had zich niet verscholen tussen de struiken of iets dergelijks. Myron keek zwijgend toe terwijl iemand die volledig in het zwart gekleed was uit een raam op de bovenverdieping klom. Om precies te zijn – als hij het zich goed herinnerde – uit het slaapkamerraam van Chad Coldren.

Krijg nou wat.

Myron bukte zich snel. En nu? Hij had een plan nodig. Ja, een plan. Slim bedacht. Maar welk plan? Greep hij de dader nu in de kladden? Nee. Hij kon hem beter volgen. Misschien zou hij hem naar Chad Coldren leiden. Dat zou mooi zijn.

Hij wierp nog een blik om de struik. De gestalte in het zwart was omlaag geklommen langs een wit latwerk hek met verstrengelde klimop. De laatste meter sprong hij omlaag. Zodra hij op de grond stond, rende hij weg.

Geweldig.

Myron volgde hem en probeerde zo ver mogelijk achter de figuur te blijven. De figuur had het echter op een lopen gezet. Dat maakte het lastig om hem stilletjes te volgen. Maar toch hield Myron afstand. Hij wilde niet het risico lopen gezien te worden. Bovendien was de kans groot dat de dader met de auto was of door iemand zou worden opgehaald. Er was nauwelijks verkeer in deze straten. Een automotor zou Myron zeker horen.

En dan?

Wat moest Myron doen als de dader bij de auto was? Terugrennen om die van hem te halen? Nee, dat had geen zin. Te voet een auto volgen? Onwaarschijnlijk. Dus wat moest hij doen?

Goede vraag.

Hij wenste dat Win er was.

De dader bleef rennen. En rennen. Myron begon naar adem te snakken. Jezus, wie zat hij in godsnaam achterna? Een professionele hardloper? Zo gingen er nog vierhonderd meter voorbij toen de dader abrupt naar rechts ging en uit het zicht verdween. Myron vroeg zich af of hij gezien was. Nee, onmogelijk. Hij liep op veel te grote afstand en zijn prooi had niet een keer achteromgekeken.

Myron deed zijn best om op te schieten, maar er lag nogal wat grind op de weg. Het zou onmogelijk zijn om stil te rennen. Toch moest hij de afstand verkleinen. Hij rende hoog op zijn tenen en leek op Baryshnikov met dysenterie. Hij bad dat niemand hem zou zien.

Hij kwam bij de afslag. De straat heette Green Acres Road. Green Acres. In zijn hoofd begon de tune van de oude tv-serie te spelen alsof iemand op de knoppen van een jukebox had gedrukt. Hij kon het niet tegenhouden. Eddie Albert reed op een tractor. Eva Gabor opende dozen in een penthouse in Manhattan. Sam Drucker zwaaide vanachter de toonbank van zijn warenhuis. Meneer Haney trok met zijn duimen aan zijn bretels. Arnold het varken knorde.

Verdraaid, de vochtigheid begon hem parten te spelen.

Myron draaide zich naar rechts en keek voor zich uit.

Niks.

Green Acres was een korte doodlopende straat met niet meer dan vijf huizen. Prachtige huizen, nam Myron aan. Aan weerskanten van de straat stonden hoge muren van struiken – daar had je die struiken weer. Voor elke oprit was een afgesloten hek geplaatst, van het soort dat met een afstandsbediening werkte of waar je een cijfercombinatie moest intoetsen. Myron stopte en keek de straat rond.

Nou, waar was onze jongen?

Hij voelde dat zijn hart sneller ging kloppen. Er was geen spoor van hem te bekennen. De enige ontsnappingsmogelijkheid was het bos dat zich tussen twee huizen in de doodlopende straat bevond. Die weg moest hij hebben genomen, concludeerde Myron. Als hij tenminste had willen ontsnappen en zich niet had willen verbergen in het struikgewas, om maar eens iets te noemen. Tenslotte kon hij Myron hebben opgemerkt. Voor hetzelfde geld had hij besloten om ergens achter te duiken en zich daar te verstoppen. Zich te verbergen en toe te slaan op het moment dat Myron voorbijliep.

Dat waren geen geruststellende gedachten.

En nu?

Hij likte het zweet van zijn bovenlip. Zijn mond voelde ongelooflijk droog. Hij kon zichzelf bijna horen zweten.

Stel je niet aan, Myron, zei hij tegen zichzelf. Hij was ruim twee meter lang en woog meer dan negentig kilo. Een grote kerel. Hij had ook een zwarte band in taekwondo en was een goed getrainde vechter. Hij kon elke aanval afslaan.

Behalve als de kerel gewapend was.

Dat was waar. Laten we eerlijk zijn. Gevechtstraining en ervaring waren handig, maar ze maakten je niet kogelwerend. Zelfs Win niet. Nou zou Win natuurlijk niet zo dom zijn geweest om zich deze ellende op de hals te halen. Myron had alleen een wapen op zak als hij het absoluut noodzakelijk achtte, maar Win had altijd twee vuurwapens en een wapen met een lemmet bij zich. Derdewereldlanden mochten willen dat ze zo goed bewapend waren als Win.

Dus wat moest hij doen?

Hij keek van links naar rechts, maar er was nergens een echte plek waar iemand zich kon verschuilen. De muren van struiken waren dik en volkomen ondoordringbaar. Dan bleef alleen het bos aan het einde van de straat over. Maar naar die kant waren geen lichten en het bos zag er dicht en onheilspellend uit.

Moest hij daarin lopen?

Nee. Dat zou op zijn best nutteloos zijn. Hij had geen idee hoe groot het bos was, welke kant hij op moest, helemaal niets. De kans om de dader te vinden was angstaanjagend klein. Myron kon niet meer dan hopen dat de dader zich gewoon een tijdje verborgen hield, wachtend tot Myron zou verdwijnen.

Verdwijnen. Dat klonk als een plan.

Myron liep terug naar het begin van Green Acres. Hij ging naar links, liep een paar honderd meter en verschool zich achter de zoveelste struik. Onderhand tutoyeerden de struiken en hij elkaar. Deze noemde hij Frank.

Hij wachtte een uur. Er verscheen niemand.

Mooi was dat.

Eindelijk stond hij op, nam afscheid van Frank en liep terug naar de auto. De dader moest door het bos zijn ontsnapt. Dat betekende dat hij van tevoren een ontsnappingsroute had bedacht of, wat waarschijnlijker was, dat hij de buurt goed kende. Dat kon betekenen dat het Chad Coldren was geweest. Of het betekende dat de ontvoerders wisten wat ze deden. En in dat geval, was de kans behoorlijk groot dat ze nu ook wisten dat Myron erbij betrokken was en dat de Coldrens hen niet hadden gehoorzaamd.

Myron hoopte van ganser harte dat de hele zaak bedrog was. Maar als dat niet zo was, als het om een echte kidnapping ging, dan vroeg hij zich af wat de gevolgen zouden zijn. Hoe zouden de ontvoerders reageren op zijn acties? Terwijl hij verder liep, dacht Myron aan hun vorige telefoontje en het ijselijke, huiveringwekkende geluid van Chad Coldrens schreeuw.

IO

'Ondertussen, op het statige landgoed van Wayne...'
Myron moest altijd denken aan de voice-over
van de tv-serie *Batman* wanneer hij het stalen hek
van het landgoed van de Lockwoods naderde. In werkelijkheid had
het huis van Wins familie niet veel weg van Bruce Waynes huis, al
straalde het wel dezelfde sfeer uit. Een enorme kronkelende oprijlaan cirkelde naar een imposant stenen landhuis dat op de heuvel
stond. Er was heel veel gras waarvan alle sprieten constant op een
ideale lengte werden gehouden, als het haar van een politicus in een
verkiezingsjaar. Er waren ook weelderige tuinen en heuvels inclusief
een zwembad, een vijver, een tennisbaan, paardenstallen en een
soort hindernisbaan voor paarden.

Al met al was het landgoed van de Lockwoods bijzonder 'statig' en
de term 'landgoed', wat dat dan ook precies betekende, meer dan
waardig.

Myron en Win logeerden in het gastenverblijf, of zoals Wins vader het graag noemde: de cottage. Zichtbare balken, hardhouten
vloeren, een open haard, een nieuwe keuken met een groot kook-
eiland in het midden en een biljartkamer, om nog maar te zwijgen
over de vijf slaapkamers, vier badkamers plus los toilet. Het was me
de cottage wel.

Myron probeerde voor zichzelf op een rijtje te zetten wat er allemaal aan de hand was, maar hij kwam niet verder dan een reeks para-
doxen en een heleboel dingen uit de categorie 'wat kwam eerst, de
kip of het ei?' Bijvoorbeeld het motief. Aan de ene kant was het misschien logisch om Chad Coldren te kidnappen om Jack Coldren op

die manier van zijn à propos te brengen. Maar Chad was al vóór het toernooi verdwenen, wat betekende dat de ontvoerder of heel voorzichtig was of een bijzonder vooruitziende blik had. Aan de andere kant, had de ontvoerder om honderdduizend dollar gevraagd, wat wees op een gewone ontvoering die om geld draaide. Honderdduizend was een mooi, rond bedrag, een tikje aan de lage kant voor een ontvoering, maar zeker niet slecht voor een klus van een paar dagen.

Maar als dit niet anders was dan een ontvoering om *mucho dinero* los te kloppen, was de timing merkwaardig. Waarom nu? Waarom tijdens het enige moment in het jaar dat de U.S. Open werd gehouden? En wat belangrijker was: waarom was Chad ontvoerd tijdens de eerste keer in drieëntwintig jaar dat de Open op Merion werd gespeeld; de enige keer in bijna een kwart eeuw dat Jack Coldren een kans maakte op een rentree, een kans om zijn grootste mislukking goed te maken?

Dat leek veel te toevallig.

Daardoor belandden ze bij een nepontvoering en een scenario dat er ongeveer zo uitzag: Chad Coldren was voor het toernooi verdwenen om zijn vader gek te maken. Toen dat niet lukte – integendeel zelfs, zijn pa begon te winnen – had hij de inzet verhoogd en zijn eigen ontvoering in scène gezet. Als je die lijn iets verder doortrok, kon je zelfs aannemen dat het Chad Coldren was geweest die uit zijn eigen slaapkamerraam was geklauterd. Dat lag ook het meest voor de hand. Chad Coldren kende de buurt. Chad Coldren wist waarschijnlijk hoe hij door dat bos moest komen. Of misschien verborg hij zich in het huis van een vriend die aan Green Acres Road woonde. Dat kon allemaal.

Het leek logisch en het zou alles verklaren.

Dat alles veronderstelde natuurlijk wel dat Chad echt een hekel had aan zijn vader. Was daar bewijs voor? Myron dacht van wel. Te beginnen met het feit dat Chad zestien was. Geen gemakkelijke leeftijd. Dat was natuurlijk geen erg steekhoudende reden, maar het was het waard om in gedachten te houden. Ten tweede, en veel belangrijker, was Jack Coldren een vader die bijna altijd weg was. Geen enkele sporter is zo vaak van huis als een golfer. Geen basketballer, Ameri-

97

can footballer, honkballer of hockeyer. De enigen die erbij in de buurt komen zijn tennissers. Bij zowel tennis als golf vinden de toernooien het hele jaar door plaats – er is bijna geen zogenaamde 'winterstop' – en er is nooit een thuiswedstrijd. Als je geluk had, speelde je minstens een keer per jaar op je thuisbaan.

Tenslotte – en misschien was dit wel het meest cruciale bewijs – was Chad al twee dagen weg geweest zonder dat iemand dat vreemd vond. Vergeet het verhaal van Linda Coldren over verantwoordelijke kinderen en een open opvoeding. De enige rationele verklaring voor hun achteloosheid was dat het al eerder was gebeurd of dat het in elk geval niet onverwacht kwam.

Maar het nep-scenario kende ook een paar zwakke punten.

Wat had meneer Goorlap uit het winkelcentrum ermee te maken?

Daar zat hem inderdaad de kneep. Welke rol speelde de schurftige nazi in het hele verhaal? Had Chad Coldren een medeplichtige? Dat was mogelijk, maar dat paste weer niet echt in het wraakscenario. Ook als Chad hier inderdaad achter zat, betwijfelde Myron dat hij de handen ineen zou slaan met iemand die 'zijn best deed om op een skinhead te lijken', compleet met tatoeage van een hakenkruis.

Dus wat wist Myron nou eigenlijk?

Hij stond voor een raadsel.

Toen Myron bij het gastenverblijf kwam, voelde hij zijn hart samenknijpen. Wins Jaguar stond er. Maar ook een groene Chevrolet Nova.

O, verdomme.

Langzaam stapte Myron uit de auto. Hij las het nummerbord van de Nova. Dat kwam hem niet bekend voor, wat hij al had verwacht. Hij slikte en liep erbij weg.

Hij opende de deur van de cottage en was blij met de plotselinge koelte van de airconditioning. De lampen waren uit. Even bleef hij met zijn ogen gesloten in de hal staan terwijl de koele lucht op zijn huid tintelde. Er tikte een enorme staande klok.

Myron deed zijn ogen open en drukte op een lichtschakelaar.

'Goedenavond.'

Met een ruk draaide hij zich om. Win zat in een leren stoel met een hoge rugleuning bij de open haard. In zijn hand hield hij een cognac-glas.

'Zat je in het donker?' vroeg Myron.

'Ja.'

Myron fronste zijn wenkbrauwen. 'Is dat niet een beetje thea-traal?'

Win deed een lamp naast hem aan. Zijn gezicht was een tikje rozig van de cognac. 'Doe je mee?'

'Best. Ik ben zo terug.'

Myron pakte een koude Yoo-Hoo uit de koelkast en ging op de bank tegenover zijn vriend zitten. Hij schudde het blikje en maakte het open. Ze dronken een paar minuten in stilte. De klok tikte. Lange schaduwen kropen over de vloer in dunne, bijna doorzichtige slierten. Jammer dat het zomer was. Deze situatie smeekte om een knappend haardvuur en misschien een huilende wind. Airconditioning alleen was niet voldoende.

Net toen Myron zich ontspande, hoorde hij een toilet doorspoelen. Vragend keek hij naar Win.

'Ik ben niet alleen,' zei Win.

'O.' Myron ging wat verzitten. 'Een vrouw?'

'Jouw gaven blijven me verbazen,' zei Win.

'Iemand die ik ken?' vroeg Myron

Win schudde zijn hoofd. 'Niet eens iemand die ik ken.'

Dat was normaal. Myron keek zijn vriend onbewogen aan. 'Wil je erover praten?'

'Nee.'

'Als je dat wel wilt, ben ik er voor je.'

'Ja, dat zie ik.' Win liet de drank in het cognacglas ronddraaien. Hij dronk het in één grote teug op en pakte de kristallen karaf. Hij praatte enigszins onduidelijk. Myron probeerde zich te herinneren wanneer hij Win, de vegetariër, de meester van verschillende vecht-sporten, de transcendente mediteerder, de man die zich altijd op zijn gemak voelde en een was met zijn omgeving, voor het laatst te veel had zien drinken.

Dat was heel lang geleden.

'Ik heb een golfvraag voor je,' zei Myron.

Win knikte ten teken dat hij door kon gaan.

'Denk je dat Jack Coldren zijn voorsprong kan behouden?'

Win schonk de cognac in. 'Jack zal winnen,' zei hij.

'Je klinkt nogal zeker van je zaak.'

'Dat ben ik ook.'

'Waarom?'

Win hief het glas op naar zijn mond en keek over de rand. 'Ik heb zijn ogen gezien.'

Myron trok een gezicht. 'Wat bedoel je daar nou weer mee?'

'Hij heeft het terug. De blik in zijn ogen.'

'Maak je een geintje?'

'Misschien wel. Maar mag ik jou iets vragen?'

'Ga je gang.'

'Wat onderscheidt de echt grote sporters van degenen die goed zijn? De legendarische van de middelmatigen? Of om het simpel te vragen: wat zorgt ervoor dat een sporter een winnaar wordt?'

'Talent,' zei Myron. 'Oefening. Vaardigheid.'

Lichtjes schudde Win zijn hoofd. 'Je weet wel beter.'

'O, ja?'

'Ja. Veel mensen hebben talent. Veel mensen oefenen. Er komt meer bij kijken om een echte winnaar te worden.'

'Dat blik-in-de-ogen-gedoe?'

'Ja.'

Myron huiverde. 'Je gaat toch niet "The Eye of the Tiger" zingen?'

Win hield zijn hoofd schuin. 'Van wie was dat nummer?'

Hun doorlopende trivia-spel. Myron wist het antwoord natuurlijk. 'Het kwam toch uit *Rocky II*?'

'*Rocky III*,' verbeterde Win hem.

'Die film met Mr. T?'

Win knikte. 'Wie speelde...' drong hij aan.

'Clubber Lange.'

'Heel goed. En wie zong het nummer?'

'Ik weet het niet meer.'

'De groep heette Survivor,' zei Win. 'Een nogal ironische naam als je bedenkt hoe snel ze zijn verdwenen, vind je niet?'

'Hmm,' zei Myron. 'Dus wat is de oorzaak dan, Win? Wat zorgt ervoor dat iemand een winnaar wordt?'

Win liet de drank nog een keer rondgaan en nam een slok. 'De wil om te winnen,' zei hij.

'De wil om te winnen?'

'Honger.'

'Hmm.'

'Het antwoord wekt toch niet echt verbazing,' zei Win. 'Kijk maar in de ogen van Joe DiMaggio. Of die van Larry Bird. Of die van Michael Jordan. Kijk naar de foto's van John McEnroe in zijn hoogtijdagen of naar die van Chris Evert. Kijk naar Linda Coldren.' Hij zweeg. 'Kijk in de spiegel.'

'De spiegel? Heb ik het ook?'

'Toen je nog in de zaal stond,' zei Win langzaam, 'was de blik in je ogen nauwelijks normaal.'

Ze vervielen in stilzwijgen. Myron nam een slok Yoo-Hoo. Het koele aluminium voelde prettig in zijn hand. 'Je doet net alsof dat hele "wil om te winnen"-gedoe jou vreemd is,' zei Myron.

'Dat is het ook.'

'Onzin.'

'Ik ben een goede golfer,' zei Win. 'Nee, ik ben een heel goede golfer. Ik heb heel wat geoefend in mijn jeugd. Ik heb zelfs flink wat toernooien gewonnen. Maar ik heb het nooit zo graag gewild dat ik een stapje hoger kwam.'

'Ik heb je in de ring gezien,' wierp Myron tegen. 'Bij vechtsporttoernooien. Toen leek je meer dan genoeg "wil" te hebben.'

'Dat is iets heel anders,' zei Win.

'Hoezo?'

'Ik zie een vechtsporttoernooi niet als een sportwedstrijd waarbij de winnaar een prullerige trofee mee naar huis neemt en kan opscheppen tegen zijn collega's en vrienden. En ik zie het ook niet als een wedstrijd die zal leiden tot een soort lege emotie die de onzekeren onder ons beschouwen als roem. Vechten is geen sport voor mij.

Het gaat om overleven. Als ik daar kan verliezen,' hij gebaarde naar een denkbeeldige ring, 'kan ik ook in de echte wereld verliezen.' Win staarde omhoog in het luchtledige. 'Maar…' Zijn stem stierf weg.

'Maar?' herhaalde Myron.

'Maar misschien heb je ergens gelijk.'

'O, ja?'

Win zette zijn vingers tegen elkaar. 'Kijk, vechten is een strijd op leven en dood voor mij. Zo ga ik er ook mee om. Maar de sporters over wie wij het hadden gaan nog een stap verder. Elke wedstrijd, zelfs de meest onbelangrijke, zien zij als een strijd op leven en dood. En verliezen is de dood.'

Myron knikte. Hij geloofde er geen zak van, maar wat maakte het uit? Hou hem aan de praat. 'Maar ik snap iets niet,' zei hij. 'Als Jack die speciale "wil" heeft, waarom heeft hij dan nog nooit een proftoernooi gewonnen?'

'Hij is het kwijtgeraakt.'

'De wil?'

'Ja.'

'Wanneer?'

'Drieëntwintig jaar geleden.'

'Tijdens de Open?'

'Ja,' zei Win opnieuw. 'De meeste sporters raken de wil langzaam kwijt. Ze krijgen er genoeg van of ze winnen voldoende om de vlammenzee die in hun binnenste brandt te doven. Maar zo ging het niet met Jack. Zijn vuur werd gedoofd in een frisse, kille vlaag. Je kon het bijna zien. Drieëntwintig jaar geleden. Op de zestiende hole. De bal belandde in de steengroeve. De blik in zijn ogen is nooit meer hetzelfde geweest.'

'Tot nu toe,' voegde Myron eraan toe.

'Tot nu toe,' beaamde Win. 'Het heeft hem drieëntwintig jaar gekost, maar hij heeft de vlammen weer opgepord.'

Ze dronken allebei. Win nipte en Myron dronk met grote teugen. De chocolade-achtige koelte die door zijn keel gleed voelde heerlijk aan. 'Hoe lang ken je Jack al?' vroeg Myron.

'Ik ontmoette hem voor het eerst toen ik zes was. Hij was vijftien.'

'Had hij die "wil om te winnen" toen al?'

Win glimlachte naar het plafond. 'Hij zou nog liever zijn nier hebben uitgesneden met een grapefruitlepeltje dan van iemand hebben verloren op de golfbaan.' Hij liet zijn blik zakken tot hij Myron aankeek. 'Of Jack Coldren de "wil" had? Hij was er de zuivere belichaming van.'

'Zo te horen bewonderde je hem.'

'Dat klopt.'

'Maar dat doe je niet meer?'

'Nee.'

'Waardoor is dat veranderd?'

'Ik werd volwassen.'

'Wauw.' Myron nam nog een slok Yoo-Hoo. 'Dat is wel heel diep.'

Win grinnikte. 'Je zou het niet begrijpen.'

'Doe eens een poging.'

Win zette het cognacglas neer. Hij boog zich heel langzaam naar voren. 'Wat is er zo geweldig aan winnen?'

'Pardon?'

'Mensen zijn gek op een winnaar. Ze kijken naar hem op. Ze bewonderen, nee sterker nog: ze vereren hem. Ze gebruiken termen als "held" en "moed" en "doorzettingsvermogen" om hem te beschrijven. Ze willen in zijn nabijheid zijn en hem aanraken. Ze willen zijn zoals hij.'

Win spreidde zijn armen uit. 'Maar waarom? Welke eigenschappen van de winnaar willen we evenaren? Zijn vermogen om overal blind voor te zijn behalve voor het nastreven van een lege verheffing? Zijn ego-strelende obsessie met het dragen van een stuk metaal rond zijn hals? Zijn bereidheid om alles en iedereen op te offeren om een medemens op een baan van kunstgras te kunnen verslaan voor een ordinair beeldje?' Hij keek naar Myron, en zijn altijd zo serene gezicht stond opeens afwezig. 'Waarom juichen we voor dat egoïsme, die zelfzucht?'

'De wil om te winnen is niet iets slechts, Win. Jij hebt het over extreme gevallen.'

'Maar het zijn juist de extreemste gevallen die we het meest bewonderen. In wezen leidt wat jij "de wil om te winnen" noemt tot extremisme dat alles op zijn weg vernietigd.'

'Nou ben je wel heel simplistisch, Win.'

'Het is ook simpel, mijn vriend.'

Ze leunden allebei achterover. Myron keek naar de zichtbare plafondbalken. Na een poosje zei hij: 'Je hebt het mis.'

'O, ja?'

Myron vroeg zich af hoe hij het moest uitleggen. 'Toen ik basketbalde,' begon hij. 'Ik bedoel, toen ik er met hart en ziel voor ging en het niveau had bereikt waar jij het over hebt, dacht ik nauwelijks aan de stand. Ik dacht nauwelijks aan mijn tegenstander en ik stond er niet echt bij stil dat ik iemand zou verslaan. Ik was alleen. Ik ging er helemaal in op. Het zal wel stom klinken, maar het spelen op de top van mijn kunnen spelen, had bijna iets Zen-achtigs.'

Win knikte. 'En wanneer had je dat gevoel?'

'Sorry?'

'Wanneer voelde je je het meest Zen-achtig, om jouw woord te gebruiken?'

'Ik begrijp je niet.'

'Was het tijdens de training? Nee. Was het tijdens een onbelangrijke wedstrijd of als je team dertig punten voorstond? Nee, mijn vriend. Wat jou dat van zweet doordrenkte gevoel van nirvana bezorgde, was competitie. Het verlangen, de naakte behoefte, om een toptegenstander te verslaan.'

Myron opende zijn mond om het te ontkennen. Toen hield hij op. De uitputting kreeg hem in zijn greep. 'Ik weet niet of ik daar een antwoord op heb,' zei hij. 'Waar het uiteindelijk op neerkomt, is dat ik het fijn vind om te winnen. Ik weet ook niet waarom. Ik vind het ook fijn om ijs te eten. Ik weet ook niet hoe dat komt.'

Win fronste zijn wenkbrauwen. 'Indrukwekkende vergelijking,' zei hij effen.

'Hé, het is al laat.'

Myron hoorde een auto voor het huis stoppen. Een jonge blondine kwam de kamer in en glimlachte. Win glimlachte terug. Ze boog zich vorover en kuste hem. Daar had Win geen probleem mee. Op het oog was Win nooit onbeleefd tegen zijn dates. Hij was niet het type om ze de deur uit te jagen. Hij vond het geen probleem als ze wilden blijven slapen, als ze dat graag wilden. Sommige mensen zouden dat wellicht aanzien voor tederheid of een teer plekje in zijn ziel, maar dan zouden ze zich vergissen. Win liet ze logeren omdat ze niets voor hem betekenden. Ze konden hem nooit echt bereiken. Ze konden hem niet raken. Dus waarom zouden ze niet mogen blijven?

'Dat is mijn taxi,' zei de blondine.

Wins glimlach was nietszeggend.

'Ik vond het leuk.'

Hij knipperde niet eens met z'n ogen.

'Je kunt me bereiken via Amanda als je…' Ze keek naar Myron en toen weer naar Win. 'Nou, je weet wel.'

'Ja,' zei Win. 'Ik weet het.'

De jonge vrouw glimlachte ongemakkelijk en vertrok.

Myron keek toe en probeerde te verhinderen dat er een geschokte uitdrukking op zijn gezicht verscheen. Een prostituee! Verdomme, ze was een prostituee! Hij wist dat Win die in het verleden had gebruikt. Halverwege de jaren tachtig had hij Chinees eten besteld bij Hunan Grill en Aziatische prostituees bij bordeel Nobel House voor wat hij een 'Chinees avondje' noemde, maar om dat vandaag de dag nog steeds te doen?

Toen herinnerde Myron zich de Chevy Nova en hij werd koud.

Hij wendde zich tot zijn vriend. Ze keken elkaar aan. Allebei zeiden ze niets.

'Moraliseren,' zei Win. 'Mooi is dat.'

'Ik heb niks gezegd.'

'Nee, dat klopt.' Win stond op.

'Waar ga je heen?'

'Uit.'

Myron voelde zijn hart bonzen. 'Vind je het erg als ik meega?'

'Ja.'

'Met welke auto ga je?'

Win nam niet de moeite om antwoord te geven. 'Welterusten, Myron.'

Myrons hersens kraakten om een oplossing te bedenken, maar hij wist dat het hopeloos was. Win zou gaan. Er was geen enkele manier om hem tegen te houden.

Bij de deur bleef Win staan en draaide zich weer naar hem toe. 'Eén vraagje, als je het niet erg vindt.'

Myron knikte, niet in staat om iets te zeggen.

'Was Linda Coldren degene die als eerste contact met je heeft opgenomen?' vroeg Win.

'Nee,' zei Myron.

'Wie dan wel?'

'Jouw oom Bucky.'

Win trok een wenkbrauw op. 'En wie heeft ons aanbevolen bij Bucky?'

Myron keek Win kalm aan, maar hij kon niet stoppen met rillen.

Win knikte en keerde zich weer om naar de deur.

'Win?'

'Ga slapen, Myron.'

11

Myron ging niet slapen. Hij probeerde het niet eens. Hij zat in Wins stoel en probeerde te lezen, maar de woorden drongen niet tot hem door. Hij was doodmoe. Hij leunde tegen het warme leer en wachtte. Uren verstreken. Losse beelden van Wins eventuele daden wrongen zich los in een zware nevel van donker karmozijn. Myron sloot zijn ogen en probeerde het te doorstaan.

Om half vier 's nachts hoorde Myron een auto stoppen. De motor werd uitgezet. Er klikte een sleutel in de deur en die zwaaide open. Win stapte naar binnen en keek zonder spoor van emotie naar Myron.

'Welterusten,' zei Win.

Hij liep door. Myron hoorde de deur van de slaapkamer dichtgaan en hij liet zijn ingehouden adem ontsnappen. Best, dacht hij. Hij duwde zich uit de stoel omhoog en liep naar zijn slaapkamer. Hij kroop onder de lakens, maar nog altijd wilde de slaap niet komen. Zwarte, doorzichtige angst fladderde in zijn buik. Net toen hij in een echte remslaap wegzonk, vloog de deur van zijn slaapkamer open.

'Slaap je nog?' vroeg een bekende stem.

Myron slaagde erin zijn ogen te openen. Hij was eraan gewend dat Esperanza Diaz zonder kloppen zijn kantoor binnenkwam, maar niet dat ze dat deed bij de kamer waar hij sliep.

'Hoe laat is het?' vroeg hij met krakende stem.

'Half zeven.'

'In de ochtend?'

Esperanza wierp hem een van haar vertrouwde boze blikken toe, de blik die wegwerkers probeerden in te huren om grote rotsblokken met de grond gelijk te maken. Met een vinger streek ze een aantal losgeraakte haren van haar gitzwarte lokken achter haar oor. Haar glanzende donkere huid deed je denken aan een mediterrane cruise bij maanlicht, aan heldere wateren, boerenbloezen met pofmouwen en olijfboomgaarden.

'Hoe ben jij hier gekomen?' vroeg hij.

'Een Amtrak-nachttrein,' zei ze.

Myron was nog steeds groggy. 'En wat heb je daarna gedaan? Een taxi genomen?'

'Ben je soms een reisagent? Ja, ik heb een taxi genomen.'

'Het was maar een vraag.'

'Die achterlijke chauffeur vroeg me drie keer om het adres. Hij is zeker niet gewend om latino's naar deze wijk te brengen.'

Myron haalde zijn schouders op. 'Hij dacht vast dat je een bediende was,' zei hij.

'Met deze schoenen?' Ze hief haar voet op zodat hij ze kon zien.

'Heel mooi.' Myron ging verliggen en hij snakte nog altijd naar slaap. 'Ik wil er niet over doorzeuren, maar wat doe je hier precies?'

'Ik heb wat informatie over de voormalige caddie.'

'Lloyd Rennart?'

Esperanza knikte. 'Hij is dood.'

'O.' Dood. Kortom: een doodlopende weg. Niet dat het echt een begin was geweest. 'Je had ook even kunnen bellen.'

'Er is nog meer.'

'O?'

'De omstandigheden van zijn dood zijn…' Ze zweeg en beet op haar onderlip. '… vaag.'

Myron ging een beetje rechtop zitten. 'Vaag?'

'Het lijkt erop dat Lloyd Rennart acht maanden geleden zelfmoord heeft gepleegd.'

'Hoe?'

'Dat is het vage gedeelte. Zijn vrouw en hij waren op vakantie in Peru, in de bergen. Op een ochtend werd hij wakker, heeft een kort briefje geschreven en is daarna van een rots gesprongen.'

'Dat meen je niet.'

'Jawel. Ik ben er nog niet in geslaagd om veel bijzonderheden boven tafel te krijgen. In de *Philadelphia News* stond er slechts een kort artikeltje over.' Er was iets van een glimlach te zien. 'Maar volgens het artikel was het lichaam nog niet gevonden.'

Myron werd opeens heel snel wakker. 'Wat?'

'Lloyd Rennart is blijkbaar naar beneden gesprongen in een afgelegen bergspleet die niet toegankelijk is. Misschien hebben ze zijn lichaam intussen gevonden, maar ik ben geen vervolgartikel tegengekomen. In geen van de plaatselijke kranten heeft een overlijdensbericht gestaan.'

Myron schudde zijn hoofd. Geen lichaam. De vragen die bij hem opkwamen, lagen nogal voor de hand. Kon Lloyd Rennart nog in leven zijn? Had hij zijn eigen dood in scène gezet om zijn wraak te kunnen beramen? Het leek nogal vergezocht, maar je wist maar nooit. Maar als hij dat had gedaan, waarom had hij dan drieëntwintig jaar gewacht? Goed, de U.S. Open werd weer op Merion gehouden. Maar toch. 'Vreemd,' zei hij. Hij keek naar haar op. 'Dit had je me ook allemaal over de telefoon kunnen vertellen. Daar had je niet helemaal hierheen voor hoeven komen.'

'Wat geeft dat nou?' snauwde Esperanza. 'Ik wilde dit weekend even weg uit de stad en het leek me leuk om de Open te zien. Mag dat misschien?'

'Het was maar een vraag.'

'Soms kun jij zo nieuwsgierig zijn.'

'Goed, goed.' Hij stak zijn handen omhoog in een spottend gebaar van overgave. 'Vergeet maar dat ik het heb gevraagd.'

'Het is al vergeten,' zei ze. 'Vertel eens wat hier is gebeurd.'

Hij vertelde haar over de schurftige nazi in het winkelcentrum en dat hij zijn in het zwart geklede dader uit het oog was verloren.

Toen hij was uitgesproken, schudde Esperanza haar hoofd. 'Jezus,' zei ze. 'Zonder Win ben je echt hopeloos.'

Ze wist hem wel een hart onder de riem te steken.

'Over Win gesproken,' zei Myron. 'Je moet niet met hem over deze zaak praten.'

'Waarom niet?'

'Hij reageert er slecht op.'

Ze keek hem onderzoekend aan. 'Hoe slecht?'

'Hij heeft een nachtelijk bezoek gebracht.'

Stilte.

'Ik dacht dat hij daarmee was opgehouden,' zei ze.

'Dat dacht ik ook.'

'Weet je het zeker?'

'Er stond een Chevrolet op de oprit,' zei Myron. 'Hij is er gisteravond in weggereden en pas om half vier teruggekomen.'

Stilte. Win had een aantal oude Chevy's die nergens geregistreerd stonden. Wegwerpauto's noemde hij ze. Volledig ontraceerbaar.

Esperanza's stem klonk zacht. 'Je kunt het niet allebei hebben, Myron.'

'Waar heb je het over?'

'Je kunt Win niet vragen om het wel te doen als het jou uitkomt, en dan kwaad op hem worden als hij het in zijn eentje doet.'

'Ik vraag hem nooit om voor burgerwacht te spelen.'

'Ja, dat doe je wel. Je betrekt hem bij geweld. Als het jou goed uitkomt, laat je hem los. Alsof hij een soort wapen is.'

'Zo is het niet.'

'Zo is het wel,' zei ze. 'Zo is het precies. Als Win die nachtelijke acties onderneemt, doet hij toch nooit onschuldigen kwaad?'

Myron dacht even na over die vraag. 'Nee,' zei hij.

'Wat is het probleem dan? Hij pakt gewoon een andere soort schuldig aan. Hij is degene die de schuldigen uitzoekt, niet jij.'

Myron schudde zijn hoofd. 'Dat is niet hetzelfde.'

'Omdat jij oordeelt?'

'Ik stuur hem er niet op uit om mensen pijn te doen. Ik stuur hem eropuit om mensen in de gaten te houden of mij rugdekking te geven.'

'Ik geloof niet dat ik het verschil zie.'

'Weet je wat hij doet tijdens die nachtelijke acties, Esperanza? Dan loopt hij midden in de nacht door de slechtste buurten die hij kan vinden. Oude FBI-vrienden vertellen hem waar de drugdealers, kinderpornografen of straatbendes uithangen, in stegen, verlaten gebouwen, waar dan ook, en dan loopt hij door die helse oorden waar geen politieagent durft te komen.'

'Klinkt als Batman,' zei Esperanza.

'Vind je niet dat dat verkeerd is?'

'O, ik vind het wel verkeerd,' zei ze rustig. 'Maar ik weet niet zeker of jij dat ook vindt.'

'Wat bedoel je daar in godsnaam mee?'

'Denk er maar eens over na,' zei ze. 'Waarom ben je nou echt van streek?'

Er kwamen voetstappen naderbij. Win stak zijn hoofd om de deur. Hij glimlachte als een gastacteur in de opening van een aflevering van *Love Boat*. 'Goedemorgen allemaal,' zei hij veel te opgewekt. Hij drukte een zoen op Esperanza's wang. Hij droeg klassieke, maar redelijk gematigde golfkleding. Een shirt van Ashworth. Effen golfpet. Hemelsblauwe broek met scherpe vouw.

'Blijf je bij ons logeren, Esperanza?' vroeg hij op zijn meest verlangende toon.

Esperanza keek naar hem en toen naar Myron. Ze knikte.

'Prachtig. Neem de slaapkamer links in de gang maar.' Win wendde zich tot Myron. 'Raad eens?'

'Ik ben een en al oor, meneertje opgewekt,' zei Myron.

'Crispin wil je nog altijd spreken. Blijkbaar heeft het indruk op hem gemaakt dat je gisteravond zomaar vertrok.' Brede glimlach, uitgespreide handen. 'De onwillige minnaar-aanpak. Die moet ik ook een keer proberen.'

Esperanza vroeg: 'Tad Crispin? Dé Tad Crispin?'

'De enige echte,' zei Win.

Goedkeurend keek ze naar Myron. 'Wauw.'

'Zeg dat,' zei Win. 'Goed, ik moet ervandoor. Ik zie jullie wel op Merion. Ik zal bijna de hele dag in de Lock-Horne tent zijn.' Hij vernieuwde de glimlach. 'Tot ziens.'

Win liep weg, maar bleef toen staan en knipte met zijn vingers. 'Dat was ik bijna vergeten.' Hij gooide een videoband naar Myron. 'Misschien scheelt dit je wat tijd.'

De videoband belandde op bed. 'Is dit...'

'De bewakingsband van de First Philadelphia Bank,' zei Win. 'Achttien over zes op donderdagavond. Zoals je had gevraagd.' Nog een glimlach, nog een zwaai. 'Ik wens jullie een heel prettige dag.'

Esperanza keek hem na. 'Ik wens jullie een heel prettige dag?' herhaalde ze.

Myron haalde zijn schouders op.

'Wie was die kerel in godsnaam?' vroeg ze.

'Wink Martindale,' zei Myron. 'Kom op. Laten we naar beneden gaan om deze te bekijken.'

12

Nog voor Myron aanklopte, deed Linda Coldren de deur open.

'Wat is er?' vroeg ze.

Linda's gezicht was ingevallen, waardoor haar toch al hoge jukbeenderen extra werden benadrukt. In haar ogen lag een verloren en lege blik. Ze had niet geslapen. De druk werd onderhand ondraaglijk. De ongerustheid. De ontwetendheid. Ze was sterk. Ze probeerde zich ertegen te wapenen. Maar de verdwijning van haar zoon begon zich een weg te vreten door haar ziel.

Myron stak de videoband omhoog. 'Heb je een videorecorder?'

Als in een roes ging Linda Coldren hem voor naar dezelfde tv als waar ze gisteren naar had zitten kijken toen ze elkaar voor het eerst hadden ontmoet. Jack Coldren kwam uit een achterkamer met zijn golftas over zijn schouder. Ook hij zag er uitgeput uit. Hij had dikke wallen onder zijn ogen, vlezige buidels als zachte cocons. Hij probeerde een gastvrije glimlach te laten zien, maar die flakkerde als een aansteker waar te weinig brandstof in zit.

'Dag, Myron.'

'Dag, Jack.'

'Wat is er aan de hand?'

Myron stak de band in de gleuf. 'Kennen jullie iemand die in Green Acres Road woont?' vroeg hij.

Jack en Linda keken elkaar aan.

'Waarom vraag je dat?' vroeg Linda.

'Gisteravond heb ik jullie huis in de gaten gehouden en toen zag ik iemand uit een raam klimmen.'

'Een raam?' Dat was Jack. Hij liet zijn wenkbrauwen zakken.
'Welk raam?'

'Dat van je zoon.'

Stilte.

Toen vroeg Linda: 'Wat heeft dat met Green Acres Road te maken?'

'Ik ben de persoon in kwestie gevolgd. Hij liep Green Acres Road in en verdween daar, ofwel in een huis of in het bos.'

Linda boog haar hoofd. Jack stapte naar voren en zei: 'De Squires wonen in Green Acres Road,' zei hij. 'Chads beste vriend Matthew.'

Myron knikte. Dat verbaasde hem niks. Hij zette de televisie aan. 'Dit is een bewakingsband van First Philadelphia.'

'Hoe ben je daaraan gekomen?' vroeg Jack.

'Dat doet er niet toe.'

De voordeur ging open en Bucky kwam binnen. De oudere man, die dag gekleed in een geruite broek en een geel-groene trui, stapte de hobbykamer in terwijl hij zijn nek op de gebruikelijke manier bewoog. 'Wat is hier aan de hand?' wilde hij weten.

Niemand gaf antwoord.

'Ik vroeg...'

'Kijk maar naar de tv, papa,' onderbrak Linda hem.

'O,' zei Bucky zacht, en hij kwam dichterbij staan.

Myron zette de tv op drie en drukte op de play-knop. Alle ogen waren op de beeldbuis gericht. Myron had de band al gezien. In plaats daarvan bestudeerde hij de gezichten en lette op de reacties.

Op de televisie verscheen een zwart-wit beeld. De oprit van de bank. Het beeld was vanuit een hoge positie genomen en het was enigszins vervormd, een holrond *fisheye*-effect om een zo groot mogelijk gebied te kunnen opnemen. Er was geen geluid bij. Myron had de band al klaargezet op de juiste plek. Bijna onmiddellijk kwam er een auto in beeld. De camera hing aan de bestuurderskant.

'Dat is Chads auto,' verkondigde Jack.

Ze keken in een aandachtig stilzwijgen toe toen het autoraampje omlaag werd gedraaid. De hoek was een beetje onhandig, boven de auto en vanuit het gezichtspunt van de automaat, maar het leed geen twijfel dat Chad Coldren achter het stuur zat. Hij boog zich uit het raampje en stopte zijn pas in de geldautomaat. Zijn vingers vlogen over de toetsen als een ervaren stenograaf.

De glimlach van de jonge Chad Coldren was opgewekt en gelukkig.

Toen zijn vingers klaar waren met de korte rumba, ging Chad weer goed in de auto zitten om te wachten. Even wendde hij zijn gezicht van de camera af. Naar de bijrijdersplaats. Er zat iemand naast Chad. Opnieuw keek Myron of hij een reactie zag. Linda, Jack en Bucky knepen alle drie hun ogen tot spleetjes en probeerden een gezicht te herkennen, maar dat was onmogelijk. Toen Chad eindelijk weer naar de camera keek, lachte hij. Hij trok het geld uit de automaat, pakte zijn bankpas, ging weer volledig de auto in, deed het raampje dicht en reed weg.

Myron zette de videorecorder uit en wachtte. Stilte overspoelde de kamer. Linda Coldren hief langzaam haar hoofd op. Ze hield haar blik effen, maar haar kaken trilden omdat ze ze hard op elkaar gedrukt hield.

'Er zat nog iemand in de auto,' begon Linda. 'Misschien had hij een wapen op Chad gericht of…'

'Hou op!' riep Jack. 'Kijk dan naar zijn gezicht, Linda! Jezus nog aan toe, kijk dan naar zijn zelfvoldane smoelwerk!'

'Ik ken mijn zoon. Hij zou dit nooit doen.'

'Je kent hem niet,' zei Jack terug. 'Geef maar toe, Linda. We kennen hem geen van beiden.'

'Het is niet wat het lijkt,' hield Linda vol. Ze zei het meer tegen zichzelf dan tegen iemand anders in de kamer.

'O, nee?' Jack gebaarde naar de tv, en zijn gezicht liep rood aan. 'Hoe verklaar je dan wat we net hebben gezien? Nou? Hij lachte, Linda. Hij amuseert zich kostelijk ten koste van ons.' Hij zweeg en worstelde ergens mee. 'Ten koste van mij,' verbeterde hij zichzelf.

Linda wierp hem een lange blik toe. 'Ga spelen, Jack.'

'Ja, dat is inderdaad precies wat ik ga doen.'

Hij tilde zijn tas op. Zijn blik ontmoette die van Bucky. Bucky bleef zwijgen. Er gleed een traan over de wang van de oudere man.

Met moeite wendde Jack zijn blik af en begon naar de deur te lopen.

Myron riep: 'Jack?'

Coldren bleef staan.

'Het kan iets anders zijn dan het lijkt,' zei Myron.

Weer die wenkbrauwen. 'Hoe bedoel je?'

'Ik heb het telefoontje nagetrokken dat jullie gisteravond hebben gekregen,' legde Myron uit. 'Dat kwam van een openbare telefoon in een overdekt winkelcentrum.' In het kort vertelde hij hun over zijn bezoek aan de Grand Mercado Mall en de schurftige nazi. Linda's gezichtsuitdrukking wisselde telkens van hoop in verdriet, maar vooral in verwarring. Dat begreep Myron best. Ze wilde dat haar zoon veilig was. Maar tegelijkertijd wilde ze niet dat dit een wrede grap was. Een lastige combinatie.

'Hij zit in de problemen,' zei Linda zodra hij was uitgesproken. 'Dat wordt daardoor wel bewezen.'

'Het bewijst niks,' zei Jack met vermoeide ergernis. 'Ook rijke jochies hangen rond in winkelcentra en kleden zich als kwajongens. Het is vast een vriend van Chad.'

Weer wierp Linda een harde blik op haar man. Opnieuw zei ze op effen toon: 'Ga spelen, Jack.'

Jack opende zijn mond om iets te zeggen, maar hij bedacht zich. Hij schudde zijn hoofd, verschoof de tas om zijn schouder een beetje en vertrok. Bucky liep de kamer door. Hij probeerde zijn dochter beet te pakken, maar zij verstijfde bij zijn aanraking. Ze stapte bij hem vandaan en bestudeerde Myrons gezicht.

'Jij denkt ook dat hij doet alsof,' zei ze.

'Jacks uitleg klinkt logisch.'

'Dus je stopt met zoeken?'

'Dat weet ik nog niet,' zei Myron.

Ze rechtte haar rug. 'Blijf eraan werken,' zei ze. 'Dan beloof ik dat ik bij jou zal tekenen.'

'Linda…'

'Daarom ben je hier toch in de eerste plaats? Je wilt dat ik met je in zee ga. Nou, dan is dit de afspraak. Je blijft bij me, en ik teken wat je wilt. Nepontvoering of niet. Dat zal toch zeker een hele prestatie

zijn? Een contract met de beste vrouwelijke golfer ter wereld?'
'Ja,' gaf Myron toe. 'Dat zou het zeker zijn.'
'Nou, dan.' Ze stak haar hand uit. 'Hebben we een deal?'
Myron liet zijn armen omlaag hangen. 'Ik wil je iets vragen.'
'Wat dan?'
'Hoe weet je zo zeker dat het niet nep is, Linda?'
'Vind je dat ik me naïef opstel?'
'Niet echt,' zei hij. 'Ik wil gewoon weten waarom je zo zeker van je
zaak bent.'
Ze boog haar hoofd en wendde zich van hem af. 'Papa?'
Bucky leek uit een trance te ontwaken. 'Hm?'
'Zou je ons even alleen willen laten?'
'O,' zei Bucky. Een nekbeweging. En nog een. Twee, vlak achter
elkaar. Het was maar goed dat hij geen giraffe was. 'Ja, nou, ik wilde
toch naar Merion gaan.'
'Ga je gang, papa. Ik zie je daar wel.'
Toen ze alleen waren, begon Linda Coldren door de kamer te ijs-
beren. Opnieuw was Myron onder de indruk van haar uiterlijk; de pa-
radoxale combinatie van schoonheid, kracht en nu ook broosheid.
Sterke, gespierde armen, maar een lange, slanke hals. Harde, spitse
gelaatstrekken, maar zachte indigoblauwe ogen. Myron had schoonheid horen omschrijven als 'naadloos', maar de hare was precies het
tegenovergestelde.
'Ik moet niet veel hebben van,' Linda Coldren maakte met haar
vingers aanhalingstekens in de lucht, 'vrouwelijke intuïtie of van die
een-moeder-kent-haar-zoon-het-beste-onzin. Maar ik weet dat mijn
zoon gevaar loopt. Hij zou nooit zomaar op deze manier verdwijnen.
Hoe het ook lijkt, zo is het niet gegaan.'
Myron bleef zwijgen.
'Ik hou er niet van om hulp te vragen. Het is niks voor mij om... afhankelijk te zijn van een ander. Maar dit is een situatie... Ik ben bang.
Ik heb nog nooit in mijn leven zo'n grote angst gevoeld. Het is alles-
omvattend. Verstikkend. Mijn zoon zit in de problemen en ik kan
niks doen om hem te helpen. Jij wilt bewijs dat dit geen nepontvoering is. Dat kan ik niet leveren. Ik weet gewoon dat het niet nep is. En

ik vraag je of je me alsjeblieft wilt helpen.'
Myron wist niet goed hoe hij moest reageren. Haar betoog kwam recht uit haar hart, *sans* feiten of bewijs. Maar dat maakte haar lijden niet minder echt. 'Ik zal een kijkje nemen bij Matthews huis,' zei hij uiteindelijk. 'Laten we maar eens zien wat er daarna gebeurt.'

13

Bij daglicht was Green Acres Road nog imposanter. Aan beide kanten van de straat stonden struiken van minstens drie meter hoog, zo dik dat Myron niet kon zien hoe dik precies. Hij parkeerde zijn auto voor een smeedijzeren hek en liep naar de intercom. Hij drukte op een knop en wachtte. Er waren verschillende bewakingscamera's. Een aantal bewoog niet. Sommige snorden langzaam van de ene naar de andere kant. Myron zag bewegingssensoren, prikkeldraad en dobermanns.

Een nogal uitvoerig bewaakt fort, bedacht hij.

Een stem, even ontoegankelijk als de struiken, klonk door de luidspreker. 'Kan ik u helpen?'

'Goedemorgen,' zei Myron, en hij keek met een vriendelijke-maar-geen-verkoper-glimlach naar de dichtstbijzijnde camera. Praten in een camera. Hij had het gevoel dat hij in *Nightline* zat. 'Ik ben op zoek naar Matthew Squires.'

Stilte. 'Wat is uw naam, meneer?'

'Myron Bolitar.'

'Verwacht jongeheer Squires u?'

'Nee.' Jongehéér Squires?

'Dus u hebt geen afspraak?'

Een afspraak om een zestienjarige te spreken? Wie is die knul? Doogie Howser? 'Nee, ik vrees van niet.'

'Mag ik naar de reden van uw bezoek vragen?'

'Om met Matthew Squires te spreken.' Meneer Vaagjes.

'Ik vrees dat dat op dit moment niet mogelijk is,' zei de stem.

'Wilt u tegen hem zeggen dat het over Chad Coldren gaat?'

Nog een stilte. Camera's maakten pirouettes. Myron keek om zich heen. Alle lenzen keken blikkerend vanuit de hoogte op hem neer, als vijandelijke buitenaardse wezens of toezichthouders in een kantine.

'Op welke manier gaat het over jongeheer Coldren?' vroeg de stem.

Myron keek met samengeknepen ogen in een camera. 'Mag ik vragen met wie ik spreek?'

Geen antwoord.

Myron wachtte een tel en zei toen: 'Je hoort te zeggen: "Ik ben de grote en machtige Oz."'

'Het spijt me, meneer. Niemand mag binnenkomen zonder afspraak. Ik wens u nog een prettige dag.'

'Wacht eens eventjes. Hallo? Hallo?' Myron drukte nogmaals op de knop. Geen reactie. Hij duwde er een aantal seconden op. Nog altijd niets. Hij keek omhoog in de camera en probeerde zijn beste betrouwbare huisvader-glimlach. Net Tom Brokaw. Hij zwaaide even. Niks. Hij deed een stapje achteruit en gaf een grote Jack Kemp die zogenaamd een football gooit-zwaai ten beste. Noppes.

Hij bleef er nog een minuutje staan. Dit was echt heel vreemd. Een zestienjarige jongen met een dergelijke beveiliging? Hier was iets niet in de haak. Hij drukte nog een keer op de knop. Toen er niemand antwoordde, keek hij in de camera, stak zijn duimen in zijn oren, bewoog zijn vingers en stak zijn tong uit.

In geval van twijfel moet je je volwassen gedragen.

Weer in zijn auto, pakte Myron zijn autotelefoon en belde zijn vriend sheriff Jake Courter.

'Met het bureau van de sheriff.'

'Hé, Jake. Met Myron.'

'Shit. Ik wist dat ik op zaterdag niet naar kantoor had moeten komen.'

'Ooo, dat doet pijn. Maar even serieus, Jake. Word je nog altijd de grootste grappenmaker van de wetshandhaving genoemd?'

Een diepe zucht. 'Wat wil je in vredesnaam, Myron? Ik ben alleen naar kantoor gekomen om wat administratie te doen.'

'De mensen die heel alert vrede en rechtvaardigheid voor de gewone burger nastreven wordt ook geen rust vergund.'

'Precies,' zei Jake. 'Deze week is mijn hulp wel twaalf keer ingeroepen. Raad eens hoeveel daarvan valse inbraakmeldingen waren?'

'Dertien.'

'Bijna goed.'

Jake Courter was meer dan twintig jaar agent geweest in een aantal van de gevaarlijkste steden in het land. Hij had het afschuwelijk gevonden en gesnakt naar een rustiger leventje. Daarom had Jake, een vrij grote zwarte man, ontslag genomen bij de politie en was hij verhuisd naar het pittoreske (lees: roomblanke) stadje Reston in New Jersey. Op zoek naar een gemakkelijk baantje stelde hij zich verkiesbaar als sheriff. Reston was een universiteitsstad (lees: progressieve stad), dus legde Jake de nadruk op zijn 'zwartheid', zoals hij het noemde, en behaalde op die manier een gemakkelijke overwinning. Het schuldgevoel van de blanken, had Jake tegen Myron gezegd. De beste manier om stemmen binnen te halen aan deze kant van Willie Horton.

'Mis je de opwinding van de grote stad niet?' vroeg Myron.

'Als een herpesbesmetting,' zei Jake. 'Goed, Myron, je hebt je charmes op me losgelaten. Ik ben als was in je handen. Wat wil je?'

'Ik ben in Philly voor de U.S. Open.'

'Dat is toch golf?'

'Ja, golf. En ik wilde vragen of jij wel eens hebt gehoord van een man die Squires heet.'

Stilte. Toen: 'O, shit.'

'Wat?'

'Waar ben je nou weer in verzeild geraakt?'

'Nergens. Alleen heeft hij van die rare beveiliging bij zijn huis...'

'Wat spook je in godsnaam uit bij zijn huis?'

'Niks.'

'Ja, ja,' zei Jake. 'Je liep er zeker toevallig voorbij?'

'Zoiets.'

'Nee, niet zoiets.' Jake slaakte een zucht. Toen zei hij: 'Ach, wat maakt het ook uit, het is niet meer in mijn rechtsgebied. Reginald Squires, oftewel Big Blue.'

Myron trok een gezicht. 'Big Blue?'

'Hé, elke gangster heeft een bijnaam nodig. Squires staat bekend als Big Blue. Blue, vanwege zijn blauwe bloed.'

'Die gangsters toch,' zei Myron. 'Jammer dat ze hun creativiteit niet gebruiken voor eerlijke marketing.'

'Eerlijke marketing,' herhaalde Jake. 'Over een *contradictio in terminis* gesproken. Maar goed, Squires heeft een waanzinnige berg oud geld en zijn adellijke afkomst en scholing en zo.'

'Waarom zoekt hij dan zulk slecht gezelschap op?'

'Wil je het eenvoudige antwoord? Er zit een flinke steek los aan die klootzak. Hij vindt het lekker om mensen pijn te doen. Een beetje zoals Win.'

'Win vindt het niet fijn om mensen pijn te doen.'

'Als jij het zegt.'

'Als Win iemand pijn doet, is daar een reden voor. Om te voorkomen dat ze het nog eens doen of om ze te straffen of iets dergelijks.'

'Best, wat jij wilt,' zei Jake. 'Maar reageer je niet een tikkeltje overgevoelig, Myron?'

'Het is een lange dag geweest.'

'Het is pas negen uur 's ochtends.'

Myron zei: 'Wat brengt tijd anders voort dan twee wijzers op een klok?'

'Van wie is dat citaat?'

'Van niemand. Ik heb het net verzonnen.'

'Je moet slogans voor wenskaarten gaan bedenken.'

'Waar houdt Squires zich mee bezig, Jake?'

'Wil je iets grappigs horen? Ik weet het niet precies. Dat weet niemand. Drugs en prostitutie. Dat soort gedoe. Maar heel erg elitair. Niet bijster goed georganiseerd of zo. Meer dat hij er een beetje mee speelt, snap je? Hij bemoeit zich met iets waarvan hij denkt dat het hem een kick zal geven en laat het dan weer vallen.'

'En ontvoering?'

Een korte stilte. 'O shit. Je bent weer ergens bij betrokken geraakt, hè?'

'Ik vroeg je alleen of Squires zich met ontvoeringen bezighield.'

'O. Juist. Alsof het een hypothetische vraag is. Meer iets van: als een beer schijt in het bos en er is niemand in de buurt, stinkt het dan ook?'

'Precies. Stinkt ontvoering naar iets wat hij zou doen?'

'Weet ik veel. Die man is zonder enige twijfel knettergek. Hij valt totaal niet uit de toon bij dat snobistische gezeik; de saaie feestjes, het slechte eten, de gesprekken met dezelfde saaie mensen over dezelfde saaie waardeloze onzin…'

'Zo te horen heb je grote bewondering voor ze.'

'Dat is nou precies wat ik bedoel, makker. Zij hebben toch alles? Van buitenaf gezien, tenminste. Geld, grote huizen, exclusieve clubs. Maar ze zijn allemaal zo verrekte saai dat ik mezelf van kant zou maken. Misschien denkt Squires er net zo over, snap je?'

'Hmm,' zei Myron. 'En dan is Win de engerd?'

Jake lachte. 'Touché. Maar om je vraag te beantwoorden: ik weet niet of Squires aan ontvoering zou doen. Al zou het me niets verbazen.'

Myron bedankte hem en hing op. Hij keek omhoog. Er hingen minstens zes camera's boven de struiken als piepkleine wachtposten.

Wat nu?

Voor hetzelfde geld lachte Chad Coldren zich een breuk terwijl hij naar Myron keek via een van die bewakingscamera's. Dit hele gedoe kon best eens tijdverspilling blijken te zijn. Al had Linda Coldren beloofd zijn cliënt te worden. Ook al wilde hij het eigenlijk niet toegeven aan zichzelf, dat vooruitzicht was niet helemaal onplezierig. Hij stond even stil bij de mogelijkheid en begon te glimlachen. Als hij er ook in slaagde om Tad Crispin als cliënt binnen te halen…

Yo, Myron, er kan een jongen in ernstig gevaar verkeren.

Al was de kans groter dat een verwend rotjong of een verwaarloosde puber – kies zelf maar – spijbelde en wat lol beleefde ten koste van zijn ouders.

Dus de vraag bleef: wat nu?

Hij dacht weer aan de videoband van Chad bij de geldautomaat. Hij had de details niet besproken met de Coldrens, maar het zat hem dwars. Waarom daar? Waarom die specifieke geldautomaat? Als de knul was weggelopen of zich verborgen hield, bestond de kans natuurlijk dat hij ergens geld vandaan moest halen. Best, dat was logisch.

Maar waarom zou hij dat in Porter Street doen?

Waarom niet bij een bank dichter bij huis? En, minstens zo belangrijk, wat deed Chad Coldren überhaupt in die buurt? Er was daar niks. Het was geen stopplek tussen twee snelwegen of iets dergelijks. Het enige waar je in die buurt contant geld voor nodig kon hebben, was de Court Manor Inn. Myron herinnerde zich de houding van *motelier extraordinaire* Stuart Lipwitz en er kwamen verschillende vragen bij hem op.

Hij startte de motor. Dat kon iets zijn. Het was in elk geval de moeite waard om het nader te onderzoeken.

Nou had Stuart Lipwitz natuurlijk heel duidelijk gemaakt dat hij niet zou praten. Maar Myron meende het juiste instrument te hebben om hem van gedachten te laten veranderen.

14

'Even lachen!'

De man lachte niet. Hij zette zijn auto snel in de achteruit en reed naar achteren. Myron haalde zijn schouders op en liet zijn fototoestel zakken. Het hing aan een koord om zijn hals en botste zacht tegen zijn borst. De volgende auto kwam naderbij. Myron hief zijn fototoestel weer op.

'Even lachen,' herhaalde hij.

Weer een man. Weer geen glimlach. Deze kerel slaagde erin omlaag te duiken, waarna hij zijn auto in de achteruit zette.

'Fotoschuw,' riep Myron hem na. 'Leuk om te zien in deze tijd waarin de paparazzi alom aanwezig zijn.'

Het duurde niet lang. Myron stond nog geen vijf minuten op de stoep voor de Court Manor Inn toen hij Stuart Lipwitz op zich af zag rennen. Grote Stu was volledig in kostuum: grijs jacquet, brede das en een portiersspeld in de revers van het kostuum. Een grijs jacquet in een motel voor clandestien bezoek. Net een hoofdkelner bij de Burger King. Toen hij Stu dichterbij zag komen, schoot hem een nummer van Pink Floyd te binnen: *Hello, hello, hello, is there anybody out there?* David Bowie voegde zich erbij: *Ground control to Major Tom.*

Ach ja, de jaren zeventig.

'Hé, jij daar,' riep hij.

'Dag, Stu.'

Geen glimlach ditmaal. 'Dit is privéterrein,' zei Stuart Lipwitz een tikje buiten adem. 'Ik moet je vragen om hier onmiddellijk weg te gaan.'

'Ik vind het vervelend om je tegen te spreken, Stu, maar ik sta op een openbare stoep. Ik heb het volste recht om hier te zijn.'

Stuart Lipwitz stotterde en wapperde gefrustreerd met zijn armen. Door de zwaluwstaart van zijn jacquet moest Myron bij die beweging aan een vleermuis denken. 'Maar je kunt hier niet zomaar staan en foto's nemen van mijn clientèle,' jammerde hij.

'Clientèle,' herhaalde Myron. 'Is dat een nieuw eufemisme voor hoerenloper?'

'Ik bel de politie, hoor.'

'Ooo. Je moet me niet zo bang maken.'

'Je hindert mijn zaak.'

'En jij hindert de mijne.'

Stuart Lipwitz zette zijn handen in zijn zij en probeerde dreigend over te komen. 'Dit is de laatste keer dat ik het vriendelijk zeg. Verlaat dit terrein.'

'Dat was niet vriendelijk.'

'Pardon?'

'Je zei dat het de laatste keer was dat je het vriendelijk zou zeggen,' legde Myron uit. 'En toen zei je: "Verlaat dit terrein." Je zei niet "alsjeblieft". Je zei niet: "Ik verzoek je vriendelijk om dit terrein te verlaten." Dat is toch helemaal niet vriendelijk?'

'Aha,' zei Lipwitz. Er parelden zweetdruppeltjes op zijn gezicht. Wat wilde je ook, het was warm en de man droeg een jacquet. 'Alsjeblieft, ik verzoek je vriendelijk om dit terrein te verlaten.'

'Het antwoord is nee. Maar nu heb jij tenminste woord gehouden.'

Stuart Lipwitz haalde een paar keer diep adem. 'Je wilt meer weten over die jongen, hè? Die van die foto.'

'Absoluut.'

'Als ik nou zeg dat hij hier was, ga je dan weg?'

'Hoeveel moeite het me ook zou kosten om dit schilderachtige plekje te verlaten, ik zou me op de een of andere manier weten los te scheuren.'

'Dat is chantage, meneer.'

Myron keek hem aan. 'Ik kom in de verleiding om te zeggen:

"Chantage is zo'n lelijk woord", maar dat zou wel heel afgezaagd zijn. Dus in plaats daarvan zeg ik gewoon: "Klopt."'

'Maar, maar…' Lipwitz begon te stotteren. 'Dat is tegen de wet!'

'In tegenstelling tot, laten we zeggen, prostitutie en drugshandel en welke andere onfrisse praktijken er ook maar plaatsvinden in deze gribus?'

Stuart Lipwitz sperde zijn ogen wijd open. 'Gribus? Meneer, dit is de Court Manor Inn. We zijn een respectabel…'

'Hou je mond, Stu. Ik moet foto's nemen.' Er stopte nog een auto. Een grijze Volvo stationcar. Leuke gezinswagen. Een man van rond de vijftig in een keurig zakenpak. Het jonge meisje dat naast hem zat, moest haar kleding hebben gekocht bij – zoals de winkelcentrummeisjes hem onlangs hadden geleerd – Slet en Del.

Met een glimlach boog Myron zich naar het raampje. 'Hé meneer, bent u op vakantie met uw dochter?'

Op het gezicht van de man verscheen een klassieke hert-gevangen-in-de-koplampen-uitdrukking. De jonge prostituee gierde het uit. 'Hé, Mel, hij denkt dat ik je dochter ben!' Ze lachte opnieuw.

Myron hief zijn fototoestel op. Stuart Lipwitz probeerde voor hem te gaan staan, maar Myron duwde hem met zijn vrije hand aan de kant. 'Het is de dag van het aandenken bij de Court Manor Inn,' zei Myron. 'Ik kan deze foto op een koffiebeker laten zetten als u dat wilt. Of misschien op een herinneringsbord?'

De man in het zakenpak reed achteruit. Een paar tellen later waren ze verdwenen.

Stuart Lipwitz liep rood aan. Hij balde zijn handen tot vuisten. Myron keek hem aan. 'Hoor eens, Stuart…'

'Ik heb invloedrijke vrienden,' zei hij.

'Ooo. Ik word alweer bang.'

'Best. Als je het zo wilt spelen.' Stuart draaide zich om en stormde de oprit op. Myron glimlachte. Die knul was een hardere noot om te kraken dan hij had verwacht en hij had echt geen zin om dit de hele dag te doen. Maar als hij eerlijk was, had hij geen andere aanwijzingen en bovendien was het heel vermakelijk om een beetje met Grote Stu te spelen.

Myron wachtte op meer klanten. Hij vroeg zich af wat Stuart van plan was. Ongetwijfeld iets heel uitzinnigs. Tien minuten later stopte er een kanariegele Audi waar een grote zwarte man uit gleed. De zwarte man was misschien een paar centimeter kleiner dan Myron, maar hij was stevig gebouwd. Zijn borst kon dienst doen als een stormwal en zijn benen leken op de stammen van redwoods. Hij schreed als hij liep en had niet de logge bewegingen die meestal werden geassocieerd met mensen die overdreven gespierd waren.

Dat beviel Myron niks.

De zwarte man had een zonnebril op en droeg een hawaïhemd en een korte broek van spijkerstof. Zijn opvallendste kenmerk was zijn haar. De kroeskrullen waren glad gekamd met gel en hij had een scheiding opzij, zoals Nat King Cole op oude foto's.

Myron wees naar het topje van het hoofd van de man. 'Is dat moeilijk?' vroeg hij.

'Wat?' vroeg de zwarte man. 'Bedoel je mijn haar?'

Myron knikte. 'Om het zo steil te houden.'

'Nee, valt wel mee. Eens in de week ga ik naar een vent die Ray heet. In een ouderwetse kapperszaak, geloof het of niet. Zo eentje met een paal voor de zaak en alles.' Zijn glimlach was bijna weemoedig. 'Ray zorgt ervoor. Hij scheert je ook geweldig. Met warme handdoeken en alles.' De man streek over zijn gezicht om zijn woorden kracht bij te zetten.

'Ziet er glad uit,' zei Myron.

'O, dank je. Aardig dat je het zegt. Ik vind het heel ontspannend, snap je? Om iets puur voor mezelf te doen. Dat vind ik heel belangrijk. Om de stress te verminderen.'

Myron knikte. 'Ik begrijp precies wat je bedoelt.'

'Misschien geef ik je Rays nummer. Dan kun je er een keertje langsgaan en het proberen.'

'Ray,' herhaalde Myron. 'Dat zou ik op prijs stellen.'

De zwarte man stapte dichter naar hem toe. 'Blijkbaar hebben we een probleempje, meneer Bolitar.'

'Hoe weet je hoe ik heet?'

Hij haalde zijn schouders op. Myron voelde dat hij vanachter de zonnebril werd gewogen. Myron deed hetzelfde. Ze probeerden allebei subtiel te zijn. Beiden wisten precies waar de ander mee bezig was.

'Ik zou het op prijs stellen als je vertrok,' zei hij heel beleefd.

'Ik vrees dat dat niet gaat,' zei Myron. 'Zelfs al heb je het nog zo vriendelijk gevraagd.'

De zwarte man knikte. Hij bleef op enige afstand. 'Laten we eens kijken of we tot een oplossing kunnen komen, oké?'

'Okidoki.'

'Ik moet mijn werk hier doen, Myron. Dat begrijp je toch wel?'

'Tuurlijk,' zei Myron.

'En jij ook.'

'Dat klopt.'

De zwarte man zette zijn zonnebril af en stak hem in het zakje van zijn overhemd. 'Hoor eens, ik weet dat je niet zomaar weg zult gaan. En jij weet dat ik je niet zomaar met rust laat. Als het erop aan komt, weet ik niet wie van ons zou winnen.'

'Ik,' zei Myron. 'Het goede wint altijd van het kwade.'

De man glimlachte. 'Niet in deze buurt.'

'Daar zeg je iets.'

'Ik weet ook niet of het wel de moeite waard is voor ons om erachter te komen. Volgens mij zijn we allebei het onszelf-bewijzen-, macho onzin-stadium ontgroeid.'

Myron knikte. 'Daar zijn we te volwassen voor.'

'Precies.'

'Dus lijken we in een impasse te zitten,' ging Myron door.

'Kennelijk,' beaamde de zwarte man. 'Al kan ik natuurlijk altijd een wapen trekken en jou neerschieten.'

Myron schudde zijn hoofd. 'Niet voor zoiets kleins. Dat heeft te veel vervelende gevolgen.'

'Ja. Ik had niet het idee dat je het zou geloven, maar ik moest het proberen. Je weet maar nooit.'

'Je bent een professional,' stemde Myron in. 'Je zou het gevoel hebben in je plichten tekort te schieten als je het niet zou proberen. En ik zou me tekortgedaan hebben gevoeld.'

'Blij dat je het begrijpt.'

'En nu we het daar toch over hebben,' ging Myron door. 'Ben jij niet wat te belangrijk om je met deze situatie bezig te houden?'

'Ik kan niet zeggen dat ik het daar niet mee eens ben.' De zwarte man liep dichter naar Myron toe. Myron voelde zijn spieren zich spannen en een niet onplezierige verwachtingsvolle rilling wapende hem.

'Je ziet eruit als een man die zijn mond kan houden,' zei de zwarte man.

Myron deed er het zwijgen toe. De opmerking bevestigend.

'Die jongen op je foto, die knul die onze beroemde hotelier in alle staten brengt? Die was hier.'

'Wanneer?'

De zwarte man schudde zijn hoofd. 'Meer krijg je niet. Ik ben heel gul. Je wilde weten of die knul hier was geweest. Het antwoord is ja.'

'Vriendelijk van je,' zei Myron.

'Ik probeer het gewoon eenvoudig te maken. Hoor eens, wij weten allebei dat Lipwitz een sukkel is. Hij doet net alsof dit urinoir hotel Beverly Wilshire is. Maar de mensen die hier komen, willen dat juist niet. Zij willen onzichtbaar zijn. Ze willen niet eens naar zichzelf kijken, als je begrijpt wat ik bedoel.'

Myron knikte.

'Daarom heb ik je een cadeautje gegeven. Die jongen op de foto was hier.'

'Is hij hier nog altijd?'

'Je gaat te ver, Myron.'

'Beantwoord alleen die vraag nog.'

'Nee. Hij is hier alleen die ene nacht geweest.' Hij spreidde zijn handen uit. 'Zeg eens eerlijk, Myron? Ben ik fideel tegen je geweest of niet?'

'Heel erg.'

Hij knikte. 'Jouw beurt.'

'Je wilt me zeker niet vertellen voor wie je werkt?'

De zwarte man trok een gezicht. 'Het was me aangenaam, Myron.'

'Insgelijks.'

Ze gaven elkaar een hand. Myron stapte in zijn auto en reed weg. Hij was bijna bij Merion toen zijn mobiele telefoon ging. Hij nam op en zei 'hallo'.

'Spreek ik met Myron, weet je wel?'

Winkelcentrummeisje. 'Hoi. Ja zeker weet ik dat. Je spreekt inderdaad met Myron.'

'Hè?'

'Laat maar. Wat is er aan de hand?'

'Die smeerlap die je gisteren zocht, weet je wel?'

'Ja.'

'Nou, die is terug in het winkelcentrum.'

'Waar in het winkelcentrum?'

'Het horecaplein. Hij staat in de rij bij McDonald's.'

Myron draaide de auto om en drukte het gas diep in.

15

De schurftige nazi was er nog.
Hij zat in zijn eentje aan een hoektafeltje een of andere burger te eten op een manier alsof die hem persoonlijk had beledigd. De meiden hadden gelijk. Goorlap was het enige woord om hem te beschrijven, al wist Myron niet precies wat het betekende en of het woord eigenlijk wel bestond. Het gezicht van de knul probeerde ongeschoren harde-jongens uit te stralen, maar door een gebrek aan testosteron was het veel dichter bij chassidische onverzorgde-puber beland. Hij droeg een zwarte honkbalpet met een afbeelding van een schedel en gekruiste beenderen. De mouwen van zijn gescheurde witte t-shirt waren helemaal omhooggerold zodat zijn melkwitte, magere armen, de ene met een hakenkruistatoeage, te zien waren. Myron schudde zijn hoofd. Een hakenkruis. Die jongen was te oud om zo stom te zijn.

De schurftige nazi nam nog een agressieve hap en was onderhand duidelijk razend op zijn burger. De winkelcentrummeisjes zaten er ook en wezen op de nazi alsof Myron niet zou weten over welke jongen ze het hadden gehad. Myron gebaarde dat ze moesten ophouden door zijn vinger sussend tegen zijn lippen te drukken. Ze gehoorzaamden, maar overcompenseerden door een overdreven hard en zogenaamd nonchalant gesprek te voeren, terwijl ze tegelijkertijd stiekeme maar al te opvallende blikken, in zijn richting wierpen. Myron wendde zijn blik af.

De schurftige nazi had zijn burger op en stond op. Prima timing. Zoals gezegd was de nazi bijzonder mager. De meiden hadden gelijk: de knul had geen kont. Totaal niet. Myron kon niet zien of de jongen probeerde mee te doen aan de te ruime spijkerbroekenmode of dat hij echt geen achterwerk had, maar elke paar passen moest hij even stilstaan om zijn broek op te sjorren. Myron vermoedde een combinatie van beide.

Hij volgde hem naar buiten in het felle zonlicht. Heet. Verdomd heet. Myron voelde een bijna weemoedig verlangen naar de alomtegenwoordige airconditioning in het winkelcentrum. De schurftige slenterde heel nonchalant de parkeerplaats op. Hij ging ongetwijfeld naar zijn auto. Myron ging naar rechts zodat hij klaar was om hem te volgen. Hij ging in zijn Ford Taurus (lees: de meidenmagneet) zitten en zette de motor aan.

Langzaam reed hij over de parkeerplaats en zag Schurftige helemaal naar de laatste rij auto's lopen. Daar stonden slechts twee voertuigen. De ene was een zilverkleurige Cadillac Seville. De andere was een pick-up truck met van die semi-monster wielen, een plakplaatje van de vlag van de geconfedereerde staten. Op de zijkant stonden de woorden SLECHT TOT OP HET BOT geschilderd. Dankzij zijn jarenlange ervaring als onderzoeker concludeerde Myron dat de pick-up naar alle waarschijnlijkheid het voertuig van de schurftige nazi was. En inderdaad opende die het portier en sprong omhoog in de cabine. Verbazingwekkend. Soms grensden Myrons onderzoekscapaciteiten bijna aan het paranormale. Misschien moest hij een 900-telefoonlijn openen, zoals Jackie Stallone.

De pick-up achtervolgen was nauwelijks een uitdaging. De wagen viel op als de kleding van een golfer in een klooster en El Schurft-ola gaf bepaald niet veel gas. Ze reden ongeveer een half uur. Myron had geen idee waar ze heen gingen, maar voor zich zag hij het Veterans Stadium liggen. Daar had hij verschillende Eagles-wedstrijden bezocht met Win. Win had altijd plaatsen op de vijftig-yard lijn, de onderste rang. Omdat het Veterans een oud stadion was, waren de 'luxe' skyboxen veel te hoog; die bevielen Win niks. Daarom koos hij ervoor om tussen het gewone volk te zitten. Heel grootmoedig van hem.

Ongeveer drie straten voor het stadion reed de schurftige nazi een zijstraat in en parkeerde zijn pick-up. Hij stapte uit en rende meteen weg. Weer overwoog Myron om Win te bellen als ruggensteun, maar dat was zinloos. Win was op Merion. Zijn telefoon zou uitstaan. Hij piekerde weer over de afgelopen nacht en Esperanza's beschuldigingen van die ochtend. Misschien had ze wel gelijk en was hij in elk geval gedeeltelijk verantwoordelijk voor wat Win deed. Maar daar ging het niet om. Dat wist hij nu. De waarheid, en die maakte Esperanza juist bang, was veel duidelijker: misschien kon het Myron niet veel schelen.

Als je kranten leest en naar het nieuws kijkt en ziet wat Myron heeft gezien, dan begint je menselijkheid, je fundamentele vertrouwen in mensen, wel heel dwaas en optimistisch te lijken. Dat was wat echt aan hem vrat. Niet het feit dat hij het walgelijk vond wat Win deed, maar dat het hem eigenlijk niet zo veel kon schelen.

Win had een enge manier om de wereld in zwart-wit te zien en de laatste tijd waren Myrons eigen grijze gebieden een stuk zwarter geworden. Het zien van de wreedheden die de ene mens de ander aandeed waardoor de veranderingen van de maatschappij aan hem werden opgedrongen, beviel hem niks. Hij probeerde zich aan zijn oude normen en waarden vast te klampen, maar het touw werd wel verdraaid glibberig. En waarom klampte hij zich er eigenlijk aan vast? Omdat hij echt in die normen en waarden geloofde of omdat hij zichzelf aardiger vond als hij er daadwerkelijk in geloofde?

Hij wist het niet meer.

Hij had een wapen moeten meenemen. Stom. Maar ach, hij achtervolgde alleen de een of andere smeerlap. Al kon een smeerlap natuurlijk ook een wapen op hem richten en hem doden. Maar wat kon hij doen? Moest hij de politie bellen? Dat ging nogal ver gezien de weinige informatie die hij had. Moest hij later terugkomen met het een of andere wapen? Tegen die tijd kon de schurftige nazi allang gevlogen zijn, wellicht samen met Chad Coldren.

Nee, hij moest hem volgen. Hij zou gewoon voorzichtig moeten zijn.

Myron wist niet precies wat hij moest doen. Hij bracht de auto tot stilstand op de hoek van de straat en stapte uit. In de straat stonden lage bakstenen huizen die allemaal op elkaar leken. Ooit was dit wellicht een prettige woonwijk geweest, maar nu leek de buurt op een man die net zijn baan was kwijtgeraakt en niet meer in bad ging. De buurt had iets overwoekerds en flets, als een tuin die door niemand meer werd onderhouden.

De schurftige nazi liep een steeg in. Myron volgde hem. Veel plastic vuilniszakken. Veel roestige brandtrappen. Vier benen staken onder een grote kartonnen doos uit. Myron hoorde gesnurk. Aan het einde van de steeg ging de nazi naar rechts. Langzaam ging Myron hem achterna. De schurftige nazi was een zo te zien verlaten gebouw binnengegaan via een branddeur. Er was geen kruk of iets dergelijks, maar de deur stond op een kiertje. Myron stak zijn vingers erin en trok hem verder open.

Zodra hij over de schimmelige drempel was, hoorde hij een soort oerschreeuw. De schurftige nazi. Vlak voor zijn neus. Er zwaaide iets naar Myrons gezicht. Het was handig om snelle reflexen te hebben. Myron slaagde erin om zo ver omlaag te duiken dat de ijzeren staaf alleen zijn schouderblad raakte. Er schoot een snelle pijnscheut door zijn arm. Myron liet zich op de grond vallen. Hij rolde over de cementen vloer en ging weer staan.

Nu waren ze met z'n drieën. Allemaal bewapend met een koevoet of moersleutel. Allemaal met een geschoren kop en tatoeages van hakenkruisen. Ze waren net vervolgdelen van dezelfde slechte film. 'De schurftige nazi' was het origineel. 'Onder de planeet van de schurftige nazi' – links van hem – grijnsde met een stompzinnige vreugde. Degene aan zijn rechterkant – 'Ontsnapping van de planeet van de schurftige nazi' – keek wat angstiger. De zwakke schakel, dacht Myron.

'Zijn jullie een band aan het verwisselen?' vroeg hij.

De schurftige nazi sloeg met de moersleutel tegen zijn handpalm om zijn woorden kracht bij te zetten. 'We gaan de jouwe tot moes slaan.'

Myron stak zijn hand voor zich op, met de palm omlaag. Hij schudde hem heen en weer en zei: 'Hè?'

'Waarom volg je me in godsnaam, klootzak?'

'Ik?'

'Ja, jij. Waarom volg je me in godsnaam?'

'Wie zegt dat ik je volg?'

Even stond er verwarring te lezen op het gezicht van Schurftige. Toen: 'Denk je soms dat ik stom ben of zo?'

'Nee, volgens mij ben je lid van Mensa.'

'Van wat?'

Onder de planeet van de schurftige nazi zei: 'Hij probeert je te dollen, man.'

'Ja,' deed Ontsnapping een duit in het zakje. 'Hij dolt je.'

De vochtige ogen van Schurftige puilden uit. 'O, ja? Doe je dat, klootzak? Probeer je me te dollen? Nou? Is dat wat je doet? Me dollen?'

Myron keek hem aan. 'Kunnen we alsjeblieft doorgaan?'

Onder zei: 'Laten we hem een beetje toetakelen. Hem een beetje week maken.'

Myron wist dat de andere drie waarschijnlijk geen ervaren vechters waren, maar hij wist ook dat drie bewapende mannen het praktisch altijd van een ongewapende zouden winnen. Bovendien waren ze een beetje te nerveus en glansden hun ogen als net geglazuurde donuts. Ze waren voortdurend aan het snuiven en langs hun neus aan het wrijven.

Drie woorden: onder de coke. Of één: neussnoep. Of: coke, lekker. Kies maar.

Myron maakte de meeste kans als hij ze eerst in verwarring bracht en dan toe zou slaan. Riskant. Je moest ze pissig maken om hun toch al wankele evenwicht te verstoren. Maar tegelijkertijd wilde je het onder controle houden, weten wanneer je wat gas terug moest nemen. Dat was een delicaat evenwicht waarbij Myron Bolitar, de befaamde kunstenaar op het slappe koord, hoog boven het publiek zou moeten optreden, zonder hulp van een vangnet.

De schurftige nazi vroeg nog een keer: 'Waarom volg je me, klootzak?'

'Misschien voel ik me gewoon tot je aangetrokken,' zei Myron. 'Zelfs al heb je dan geen kont.'

Onder liet een kakelend lachje horen. 'O, jee. O, jee. Laten we hem in elkaar rammen. Laten we hem flink in elkaar rammen.'

Myron probeerde ze zijn ik-ben-een-harde-blik toe te werpen. Sommige mensen verwarden het met verstopping, maar het ging hem steeds beter af. Oefening baart kunst. 'Dat zou ik niet doen als ik jullie was.'

'O, nee?' Dat was Schurftige. 'Geef me een goede reden waarom we je niet lens zouden slaan? Geef me een goede reden waarom ik niet alle ribben in je lijf hiermee zou breken?' Hij hief de moersleutel op. Voor het geval Myron vond dat hij wat te subtiel was.

'Je vroeg daarnet of ik dacht dat je stom was,' zei Myron.

'Nou en?'

'Denk je soms dat ik stom ben? Denk je nou echt dat iemand die jou kwaad wil doen zo dom zou zijn om je hier naarbinnen te volgen, in de wetenschap wat hem dan te wachten staat?'

Daar dachten ze alle drie even over na.

'Ik ben jou gevolgd,' ging Myron verder. 'Als een test.'

'Waar heb je het in godsnaam over?'

'Ik werk voor bepaalde mensen. We zullen geen namen noemen.' Vooral niet, dacht Myron, omdat hij bij god niet wist waar hij het over had. 'Laten we het erop houden dat ze in een zaak zitten die jullie frequenteren.'

'Frequenteren?' Meer gewrijf over neuzen. Coke, lekker, coke, lekker.

'Frequenteren,' herhaalde Myron. 'Zoals in het regelmatig of met gezette tussenpozen bezoeken of er verschijnen. Frequenteren.'

'Wat?'

Allemachtig. 'Mijn opdrachtgever,' zei Myron, 'heeft iemand nodig om een bepaald territorium onder de duim te houden. Een nieuw iemand. Iemand die tien procent wil verdienen aan de verkopen en zo veel gratis poeder kan krijgen als hij wil.'

Ogen puilden uit.

Onder wendde zich tot Schurftige. 'Heb je dat gehoord, gozer?'

'Ja, ik heb het gehoord.'

'Shit, van Eddie krijgen we geen commissie,' ging Onder verder. 'Die kerel is zo onbelangrijk.' Met de moersleutel gebaarde hij naar

Myron. 'Deze kerel, gozer, moet je zien hoe oud hij al is. Hij moet wel voor iemand met macht werken.'

'Kan niet anders,' voegde Ontsnapping eraan toe.

Schurftige aarzelde en kneep zijn ogen argwanend tot spleetjes. 'Hoe heb je over ons gehoord?'

Myron haalde zijn schouders op. 'Nieuws doet de ronde.' Hij legde het er wel erg dik op.

'Dus je volgde me alleen voor een of andere debiele test?'

'Precies.'

'Je kwam toevallig naar het winkelcentrum en je besloot me te volgen.'

'Zoiets.'

Schurftige glimlachte. Hij keek van Ontsnapping naar Onder. Hij pakte de moersleutel steviger vast. O-o. 'Waarom heb je dan in godsnaam gisteravond al vragen over me gesteld? Waarom wilde je alles weten over een telefoontje dat ik heb gepleegd?'

O-o.

Schurftige deed een stap dichter naar hem toe en zijn ogen glansden.

Myron hief zijn hand op. 'Het antwoord is heel eenvoudig.' Ze aarzelden alle drie en daar maakte Myron gebruik van. Zijn voet bewoog als een zuiger, schoot naar voren en belandde recht tegen de knie van de nietsvermoedende Ontsnapping. Ontsnapping viel. Myron had het al op een lopen gezet.

'Grijp die hufter.'

Ze zetten de achtervolging in, maar Myron was al met zijn schouder tegen de branddeur geknald. Het macho-onzin-deel van hem, zoals zijn vriend bij de Court Manor Inn het had omschreven, wilde het tegen ze opnemen, maar hij wist dat dat dom zou zijn. Zij waren bewapend en hij niet.

Tegen de tijd dat Myron aan het einde van de steeg was, had hij slechts drie meter voorsprong. Hij vroeg zich af of hij genoeg tijd zou hebben om zijn portier te openen en in te stappen. Hij had geen keus. Hij moest het proberen.

Hij greep de hendel en zwaaide het portier open. Net toen hij op de stoel gleed, knalde er een moersleutel tegen zijn schouder. Pijn explodeerde. Hij rolde door en sloot het portier. Die werd gegrepen door een hand die weerstand bood. Myron gooide zijn gewicht in de strijd en boog zich voorover om eraan te trekken.

Zijn raam spatte uiteen.

Glas vloog rinkelend in zijn gezicht. Myron schopte met zijn hiel door het open raam en raakte een gezicht. De greep op de deur verdween. Hij had zijn sleuteltje al gepakt en in het contactslot gestoken. Hij draaide het om toen het andere raampje uiteen spatte. Schurftige boog zich naar binnen, zijn ogen zinderend van woede.

'Klootzak, jij gaat dood!'

De moersleutel was weer op weg naar zijn gezicht. Myron blokkeerde de slag. Van achteren voelde hij een scherpe klap tegen de onderkant van zijn nek. Verdoving zette in. Myron schakelde in de achteruit en vloog met piepende banden van zijn plekje vandaan. Schurftige probeerde door het kapotte raampje in de auto te springen. Myron gaf hem een elleboogstoot tegen zijn neus en de greep van Schurftige verzwakte. Hij viel hard op de stoep, maar hij sprong even snel weer op. Dat was het probleem met cokeverslaafden. Die merken pijn vaak helemaal niet op.

De drie mannen renden naar de pick-up, maar Myrons voorsprong was al te groot. De strijd was voorbij. Voorlopig.

16

Myron deed navraag naar het nummerbord van de pick-up, maar dat liep op niets uit. Het nummerbord was vier jaar eerder verlopen. Schurftige moest het van een auto op een autokerkhof hebben afgehaald, of iets dergelijks. Zelfs kleine criminelen wisten wel beter dan hun eigen nummerborden te gebruiken als ze een misdaad pleegden die te traceren was.

Hij reed in een cirkel terug en keek of er in het gebouw aanwijzingen te vinden waren. Gebogen spuiten, gebroken medicijnflesjes en lege zakken Doritos lagen verspreid op het cement. Er was ook een lege vuilnisbak. Myron schudde zijn hoofd. Het was erg genoeg om een drugsdealer te zijn. Maar ook nog een sloddervos?

Hij keek beter om zich heen. Het gebouw was verlaten en half uitgebrand. Binnen was er niemand. En er waren geen aanwijzingen.

Goed, wat had dit allemaal te betekenen? Waren de drie cokeverslaafden de ontvoerders? Myron kon het zich nauwelijks voorstellen. Cokeverslaafden pleegden woninginbraken. Cokeverslaafden besprongen mensen in steegjes. Cokeverslaafden vielen aan met moersleutels. Cokeverslaafden planden over het algemeen geen ingewikkelde ontvoeringen.

Maar aan de andere kant, hoe ingewikkeld was deze ontvoering? De eerste twee keer dat de ontvoerder had gebeld, wist hij niet eens hoeveel geld hij moest afpersen. Was dat niet een beetje vreemd? Kon dit allemaal het werk zijn van een stel schurftige cokeverslaafden die veel te hoog hadden gegrepen?

Myron stapte weer in zijn auto en reed naar Wins huis. Win had meer dan genoeg voertuigen. Hij zou de zijne ruilen voor een auto zonder ingeslagen ramen. De schade aan zijn lichaam leek langzaam weg te trekken. Een paar blauwe plekken, maar geen gebroken botten. Geen van de slagen was echt raak geweest, behalve die tegen zijn autoramen.

In gedachten liep hij verscheidene mogelijkheden na en uiteindelijk slaagde hij erin een redelijk goed scenario te bedenken. Laten we aannemen dat Chad Coldren om de een of andere reden had besloten zijn intrek te nemen in de Court Manor Inn. Misschien om wat tijd door te brengen met een meisje. Of om drugs te kopen. Misschien omdat hij de vriendelijke service fantastisch vond. Wat dan ook. Zoals te zien was op de bewakingscamera van de bank, had Chad wat poen getrokken uit een geldautomaat in de buurt. Toen had hij ingecheckt voor de nacht. Of een uur. Wat dan ook.

Eenmaal in de Court Manor Inn ging er iets mis. Ondanks de ontkenningen van Stu Lipwitz is de Court Manor Inn een achenebbisjzaak die wordt gebruikt door viespeuken. Het zou niet moeilijk zijn om daar in de problemen te komen. Wellicht had Chad Coldren geprobeerd om drugs te kopen van Schurftige. Of was hij getuige geweest van een misdrijf. Misschien had de jongen te veel gepraat en had een aantal nare mensen beseft dat hij uit een rijke familie kwam. Wat dan ook. De agenda's van Chad Coldren en de ploeg van de schurftige nazi sloten naadloos op elkaar aan. Het resultaat was een ontvoering.

Het paste vrij aardig.

Het sleutelwoord hier was 'vrij'.

Op weg naar Merion prikte Myron zijn eigen scenario lek met een aantal rake speldenprikken. Ten eerste de timing. Myron was ervan overtuigd geweest dat de ontvoering iets te maken had met Jacks rentree op de U.S. Open op Merion. Maar in zijn Schurftige-omloopscenario moest de zeurende twijfel over de timing worden afgedaan als een toevalligheid. Goed, misschien kon Myron daarmee leven. Maar hoe had de schurftige nazi aan de telefoon in het winkelcentrum dan kunnen weten dat Esme Fong bij de Coldrens was? Hoe paste de man die uit het raam was geklommen en op Green

Acres Road was verdwenen – van wie Myron zeker wist dat het Matthew Squires of Chad Coldren was geweest – in het hele verhaal? Speelde de goed afgeschermde Matthew Squires onder een hoedje met de Schurftigen? Of was het puur toeval dat de raamman was verdwenen op Green Acres Road? De scenarioballon liet een hard, sissend geluid horen.

Tegen de tijd dat Myron bij Merion kwam, was Jack Coldren op de veertiende hole. Zijn partner die dag was niemand minder dan Tad Crispin. Dat was geen verrassing. De spelers die eerste en tweede stonden waren meestal het laatste tweetal van de dag.

Jack speelde nog altijd goed, al was het niet spectaculair. Hij was slechts een slag van zijn voorsprong kwijtgeraakt en stond nog altijd een zeer riante acht slagen voor op Tad Crispin. Myron sjokte naar de veertiende green. Green, daar had je dat woord weer. Alles was zo verrekte groen. Het gras en de bomen natuurlijk, maar ook de tenten, de markiezen, de scoreborden, de vele televisietorens en steigers. Alles was groen om het op te laten gaan in de pittoreske natuurlijke omgeving. Behalve dan de reclameborden van de sponsors die even subtiel de aandacht trokken als een uithangbord van een hotel in Las Vegas. Maar hé, de sponsors betaalden Myrons salaris. Het zou nogal hypocriet zijn om te klagen.

'Myron, liefje, kom hier met je wiegende kontje.'

Norm Zuckerman wenkte Myron naar voren met een brede zwaai. Naast hem stond Esme Fong. 'Hier,' zei hij.

'Hoi, Norm,' zei Myron. 'Hoi, Esme.'

'Hoi, Myron,' zei Esme. Vandaag was haar kleding iets sportiever, maar ze klampte zich nog altijd vast aan haar aktetas alsof het haar lievelingsknuffeldier was.

Norm sloeg zijn arm om Myrons rug en liet zijn hand op zijn pijnlijke schouder rusten. 'Myron, ik wil dat je me de waarheid vertelt. De absolute waarheid. Ik wil de waarheid horen, oké?'

'De waarheid?'

'Heel grappig. Ik wil alleen dit weten. Niks meer, alleen dit. Ben ik geen eerlijke man? Vertel de waarheid. Ben ik een eerlijke man?'

'Eerlijk,' zei Myron.

'Heel eerlijk, of niet soms? Ik ben een heel eerlijke man.'

'Niet overdrijven, Norm.'

Norm stak allebei zijn handen op, met de handpalmen naar boven. 'Goed, als je het zo wilt. Ik ben eerlijk. Daar neem ik genoegen mee.' Hij keek naar Esme Fong. 'Vergeet niet dat Myron mijn tegenstander is. Mijn grootste vijand. We staan altijd aan verschillende kanten. Toch is hij bereid toe te geven dat ik een eerlijke man ben. Zijn we het wat dat betreft met elkaar eens?'

Esme sloeg haar ogen ten hemel. 'Ja, Norm, maar je hoeft mij niet te overtuigen. Ik heb al gezegd dat ik het wat dit betreft met je eens ben...'

'Ho,' zei Norm, alsof hij een dartele pony probeerde te beteugelen. 'Wacht even, want ik wil ook Myrons mening horen. Kijk, Myron, het zit zo. Ik heb een golftas gekocht. Eentje maar. Ik wilde het uitproberen. Dat heeft me voor het hele jaar vijftienduizend gekost.'

Een golftas kopen betekende in feite precies wat het zei. Norm Zuckerman had het recht gekocht om te mogen adverteren op een golftas. Met andere woorden: hij had er een Zoom-logo op gezet. De meeste golftassen werden opgekocht door de grote bedrijven: Ping, Titleist, Golden Bear, dat soort namen. Maar steeds vaker begonnen bedrijven die niks met golf te maken hadden te adverteren op de tassen. Bijvoorbeeld McDonald's. Spring-Air matrassen. Zelfs Pennzoil Oil. Alsof iemand naar een golftoernooi gaat, daar het logo van Pennzoil ziet en vervolgens een blik olie koopt.

'En?' vroeg Myron.

'Nou, moet je zien!' Norm wees op een caddie. 'Ik bedoel, kijk nou toch!'

'Goed, ik kijk.'

'Vertel eens, Myron. Zie jij een logo van Zoom?'

De caddie hield de golftas vast. Net zoals bij elke golftas hingen er aan de bovenkant handdoeken over om de golfclubs schoon te maken.

Norm Zuckerman sprak op het zangerige toontje van een meester van groep drie. 'Myron, je mag mondeling antwoorden door het woord "nee" te zeggen. Maar als dat je beperkte woordenschat te boven gaat, kun je ook je hoofd van de ene kant naar de andere bewegen. Kijk zo.' Norm deed het voor.

'Het zit onder de handdoek,' zei Myron.

Dramatisch deed Norm zijn hand achter zijn oor. 'Sorry?'

'Het logo zit onder de handdoek.'

'Je meent het! Natuurlijk zit het onder de handdoek,' tierde Norm. Toeschouwers draaiden zich om en wierpen boze blikken op de gekke man met het lange haar en de volle baard. 'En wat heb ik daaraan? Als ik een reclamefilmpje maak voor de tv, heeft het toch zeker geen nut dat ik een handdoek voor de camera hang? Als ik al die sukkels kapitalen betaal om mijn sneakers te dragen, dan heeft het toch geen nut als ze handdoeken om hun voeten wikkelen? Als al mijn reclameborden werden bedekt door een gigantische handdoek...'

'Ja, nu snap ik het wel, Norm.'

'Mooi zo. Ik betaal geen vijftienduizend dollar zodat een stomme caddie mijn logo kan bedekken. Dus ik ga naar die stomme caddie en ik zeg heel vriendelijk dat hij de handdoek voor mijn logo vandaan moet halen en dan werpt die klootzak me zo'n blik toe. Deze blik, Myron. Alsof ik een bruine vlek ben die hij niet uit het toilet kon boenen. Alsof ik een kleine jood uit een getto ben die zijn goj-onzin zal pikken.'

Myron wierp een blik op Esme. Esme glimlachte en haalde haar schouders op.

'Leuk je even gesproken te hebben, Norm,' zei Myron.

'Wat? Vind je dan niet dat ik gelijk heb?'

'Ik begrijp wat je bedoelt.'

'En wat zou jij doen als het jouw cliënt was?'

'Zorgen dat de caddie het logo goed zichtbaar houdt.'

'Precies.' Hij sloeg zijn arm weer om Myrons schouder en boog samenzweerderig zijn hoofd. 'Zeg, wat is er aan de hand met jou en golf, Myron?' fluisterde hij.

'Hoe bedoel je?'

'Jij bent geen golfer. Je hebt geen enkele golfer onder je cliënten. Opeens zie ik je met eigen ogen werk maken van Tad Crispin en nu hoor ik dat je optrekt met de Coldrens.'

'Wie heeft je dat verteld?'

'Nieuws doet vanzelf de ronde. Ik ben een man met fantastische bronnen. Dus hoe zit dat? Vanwaar je plotselinge belangstelling voor golf?'

'Ik ben sportagent, Norm. Ik probeer sporters te vertegenwoordigen. Golfers zijn sporters. Zo ongeveer.'

'Goed, maar hoe zit het met de Coldrens?'

'Wat bedoel je?'

'Hoor eens, Jack en Linda zijn leuke mensen. Ze hebben veel connecties, als je begrijpt wat ik bedoel.'

'Nee, dat begrijp ik niet.'

'Linda Coldren wordt vertegenwoordigd door LBA. Niemand gaat weg bij LBA. Dat weet jij net zo goed als ik. Ze zijn te groot. En Jack... Ach, Jack heeft al zo lang niks gedaan dat hij niet eens de moeite heeft genomen om een agent in de arm te nemen. Dus ik probeer uit te vogelen waarom de Coldrens opeens zo graag in jouw gezelschap verkeren.'

'Waarom wil je dat uitvogelen?'

Norm legde zijn hand op zijn borst. 'Waarom?'

'Ja, wat kan jou dat schelen?'

'Waarom?' herhaalde Norm, ditmaal ongelovig. 'Nou, dat zal ik je vertellen. Vanwege jou, Myron. Ik hou van je, dat weet je best. We zijn broeders. Stamleden. Ik wil alleen het allerbeste voor je. Hand op mijn hart, dat meen ik echt. Als je ooit een aanbevelingsbrief nodig hebt, zal ik je die geven, en dat weet je.'

'Ja, ja.' Myron was niet overtuigd. 'Dus wat is nou precies het probleem?'

Norm gooide zijn handen omhoog. 'Wie zei dat er een probleem was? Heb ik dat gezegd? Heb ik het woord "probleem" zelfs maar gebruikt? Ik ben alleen nieuwsgierig. Zo zit ik nou eenmaal in elkaar. Ik ben een nieuwsgierige kerel. Een moderne roddeltante. Ik stel een hoop vragen. Ik steek mijn neus graag in andermans zaken. Dat is een eigenschap van me.'

'Ja, ja,' zei Myron nogmaals. Hij keek even naar Esme Fong die nu ruim buiten gehoorafstand stond. Ze haalde haar schouders naar hem op. Als je voor Norm Zuckerman werkte, moest je vast vaak je schouders ophalen. Maar dat hoorde bij Norms tactiek, zijn eigen versie van goede agent/slechte agent. Hij kwam over als grillig of zelfs volledig irrationeel, terwijl zijn assistent – die altijd jong, slim en aantrekkelijk was – de kalmerende invloed was waaraan je je vastklampte alsof diegene een reddingsboei was.

Norm gaf hem een por met zijn elleboog en knikte naar Esme. 'Is het geen stuk? Vooral voor een wijfie van Yale. Heb je wel eens gezien wat er normaal aan die universiteit afstudeert? Geen wonder dat ze bekendstaan als de Bulldogs.'

'Wat ben je toch vooruitstrevend, Norm.'

'Ach, vooruitstrevend kan de pot op. Ik ben een oude man, Myron. Ik mag harteloos zijn. Harteloosheid bij een oude man is schattig. Een schattige mopperkont, noemen ze dat. Trouwens, volgens mij is Esme maar half.'

'Half?'

'Chinees,' zei Norm. 'Of Japans. Of wat dan ook. Volgens mij is ze ook half blank. Wat denk jij?'

'Tot ziens, Norm.'

'Best, doe wat je wilt. Mij een zorg. Maar vertel eens, Myron, hoe ben je in contact gekomen met de Coldrens? Heeft Win je aan hen voorgesteld?'

'Tot ziens, Norm.'

Myron liep een stukje verder en bleef even staan om een golfer een drive te zien slaan. Hij probeerde de baan van de bal te volgen. Onbegonnen werk. Hij verloor hem bijna direct uit het oog. Niet dat dat een verrassing hoorde te zijn, want tenslotte is het een piepklein wit rondje dat met ruim honderdzestig kilometer per uur een afstand van een paar honderd meter aflegde. Alleen was Myron de enige aanwezige die deze oculaire prestatie van havikachtige omvang niet kon verrichten. Golfers. De meesten kunnen nog geen afrit-bord op de snelweg lezen, maar ze kunnen wel de baan van een golfbal door verschillende zonnestelsels volgen.

Geen twijfel mogelijk. Golf is een rare sport.

De baan stond vol met zwijgende fans, al vond Myron 'fan' niet helemaal het juiste woord. 'Parochianen' kwam dichter in de buurt. Op de golfbaan heerste een voortdurende eerbied, een verstomd, naïef respect. Elke keer dat de bal werd geslagen was de ontlading van de menigte bijna orgastisch. Mensen gilden van zoete verrukking en moedigden de bal aan met het fanatisme van een deelnemer aan *The Price Is Right*: Ren! Zit! Bijt! Pak! Laat je tanden zien! Rol! Schiet op! Ga liggen! Kom overeind! Bijna als een agressieve mambo-leraar. Ze treurden om een korte *hook* en een gemene slice en een vertroetelde putt, malle greens, zachte greens, geharste greens, de wrijving van de green en de achtervolging door een sneeuwpop en voor een *stymie* gesteld worden en als de bal van de fairway raakte en aan de rand of in de rough belandde en diepe posities, ruwe posities, slechte posities en goede posities. Ze toonden bewondering als een speler dat allemaal kreeg of een keiharde drive sloeg of de bal in de hole kreeg. Ze trokken kwade gezichten wanneer iemand luidkeels suggereerde dat een bepaalde speler vanwege een bepaald tee-shot 'de grote man' was. Ze beschuldigden een putter die de hole niet had bereikt ervan dat hij de bal een klap had gegeven met zijn 'handtasje, Alice'. Spelers maakten onophoudelijk slagen die 'ondoenlijk' waren.

Myron schudde zijn hoofd. Alle sporten hebben hun eigen woordenschat, maar de golftaal spreken stond gelijk aan Swahili onder de knie krijgen. Het was net rap van rijkelui.

Maar op een dag als deze – met de zon die scheen en een smetteloos blauwe zomerlucht die rook als het haar van een geliefde – voelde Myron zich dichter bij de kelk van golf. Hij zag de baan voor zich zonder toeschouwers, de vrede en rust, dezelfde sereniteit die boeddhistische monniken naar toevluchtsoorden boven op bergtoppen liet gaan, het twee keer gemaaide gras zo rijk en groen dat God in eigen persoon er op zijn blote voeten overheen zou willen rennen. Dat wilde niet zeggen dat Myron het begreep – hij was nog altijd een ongelovige van ketterse omvang – maar hij kon op zijn minst heel even voor zich zien waarom dit spel zo veel mensen in zijn greep hield en met huid en haar verslond.

Toen hij bij de veertiende green kwam, bereidde Jack Coldren zich net voor op een putt van vierenhalve meter. Diane Hoffman haalde de vlaggenstok uit de hole. Op bijna elke baan ter wereld had de 'vlaggenstok' bovenaan een vlag. Maar dat kon natuurlijk niet op Merion. In plaats daarvan stond er boven aan de stok een tenen mand. Niemand leek te weten waarom. Win had een verhaal verteld over hoe de oude Schotten die golf hadden bedacht, hun lunch meenamen in manden op stokken, die dan gelijk dienst konden doen om de holes te markeren, maar Myron rook de penetrante geur van overlevering in plaats van feiten in Wins uiteenzetting. Hoe dan ook, de leden van Merion maakten veel poeha van deze tenen manden boven op een grote stok. Golfers.

Myron probeerde dichter in de buurt te komen van Jack Coldren om te zien of hij Wins 'wil om te winnen' in Jacks ogen kon ontdekken. Ondanks zijn tegenwerpingen, wist Myron heel goed wat Win de vorige avond had bedoeld, de ondefinieerbare zaken waardoor rauw talent zich onderscheidde van grootsheid op de baan. Verlangen. Moed. Doorzettingsvermogen. Win had het laten klinken alsof dat slechte eigenschappen waren. Dat waren ze niet. Integendeel zelfs. Uitgerekend Win zou beter moeten weten. Om een beroemd politiek citaat vrij weer te geven en compleet te verbasteren: extremisme voor het nastreven van voortreffelijkheid is geen onvolkomenheid.

Jack Coldrens gezicht was glad, onbezorgd en afstandelijk. Daar was maar een verklaring voor: de trance. Jack was erin geslaagd om zich een weg te banen tot de gewijde trance, die stille kamer waar niets bestond; geen menigte, belangrijke betaaldag, beroemde golfbaan, volgende hole, angstaanjagende druk, vijandige opponent, succesvolle vrouw of ontvoerde zoon. Jacks trance was een klein plekje dat slechts bestond uit zijn golfclub, een klein balletje met kuiltjes erin en een hole. Alle andere dingen verdwenen nu als een droomscène in een film.

Dit was Jack Coldren teruggebracht tot zijn meest essentiële vorm, wist Myron. Hij was een golfer. Een man die wilde winnen. Die moest winnen. Dat begreep Myron. Dat had hij zelf ook meegemaakt – zijn trance bestond uit een grote oranje bal en een metalige cilinder – en een deel van hem zou altijd verstrikt zitten in die wereld. Het was een aangename plek, in veel opzichten de beste plek die je je kon wensen. Win had het mis. Winnen was geen waardeloos doel. Het was edel. Jack had klappen opgelopen in zijn leven. Hij had een doel nagestreefd en strijd geleverd. Hij was bont en blauw en bebloed geraakt. Maar hier stond hij, met opgeheven hoofd, op weg naar de verlossing. Hoeveel mensen krijgen die kans? Hoeveel mensen kregen echt de kans om zich zo levendig te voelen, om zelfs maar voor korte tijd zo'n niveau te bereiken, om hun hart en dromen te laten aanwakkeren door zo'n onuitroeibare hartstocht?

Jack Coldren stootte zacht tegen de putt. Myron merkte dat hij naar de bal keek die langzaam met een boog naar de hole rolde. Hij ging helemaal op in die indirecte roes die toeschouwers zo heftig aantrok tot sporten. Hij hield zijn adem in en voelde een traan opwellen in zijn oog toen de bal erin viel. Een birdie. Diane Hoffman stak haar vuist in de lucht en bewoog hem heen en weer. De voorsprong was weer vergroot tot negen slagen.

Jack keek naar het applaudisserende publiek. Hij begroette de mensen met een knikje van zijn pet, maar hij zag niks. Nog altijd in trance. Worstelend om erin te blijven. Even hechtte zijn blik zich aan die van Myron. Myron knikte terug, omdat hij hem niet terug wilde brengen in de realiteit. Blijf in die trance, dacht Myron. Als je daar in zit, kan een man een toernooi winnen. Als je daar in zit, saboteert een zoon niet opzettelijk de droom die zijn vader al zijn leven lang koestert.

Myron liep langs de vele mobiele toiletten – die beschikbaar waren gesteld door een bedrijf met de half-accurate naam Royal Flush – en liep naar de zakelijke tribune. Golfwedstrijden hadden een ongekende hiërarchie voor kaarthouders. Het was waar dat bij de meeste sportaccommodaties een soort rangschikking was – sommige mensen hadden natuurlijk betere plaatsen, sommigen hadden toegang tot skyboxen of zelfs plaatsen op de eerste rij. Maar in die gevallen gaf je je kaartje aan een plaatsaanwijzer of kaartjesinnemer en ging je op de juiste plek zitten. Bij golf moest je de hele dag je entreepasje laten zien. De algemene toegang-lui (lees: de horigen) hadden meestal een sticker op hun overhemd geplakt die wel wat weg had van een merkteken voor overspelige vrouwen uit het verleden. Anderen hadden een plastic kaart die aan een metalen ketting om hun hals bungelde. Sponsoren (lees: de feodale heren) droegen rode, zilveren of gouden kaarten, afhankelijk van hoeveel geld ze uitgaven. Er waren ook verschillende pasjes voor familie en vrienden van spelers, clubleden van Merion, clubfunctionarissen van Merion en zelfs voor degelijke sportagenten. En de verschillende pasjes gaven je verschillende toegang tot verschillende plaatsen. Zo had je bijvoorbeeld een gekleurde kaart nodig om de zakelijke tribune te mogen betreden. Of je had een gouden pasje nodig als je een van die exclusieve tenten wilde binnengaan, de tenten die strategisch op heuvels geplaatst waren, als generaalsverblijven uit oude oorlogsfilms.

De zakelijke tribune was niet meer dan een rij tenten, elk gesponsord door een groot bedrijf. In theorie was het uitgeven van minstens honderdduizend dollar om vier dagen lang een tent te huren bedoeld om zakelijke klanten te imponeren en de naamsbekendheid te vergroten. In werkelijkheid waren de tenten een manier voor de hotemetoten van de grote bedrijven om gratis het toernooi te kunnen bezoeken. Er werden weliswaar een aantal belangrijke klanten uitgenodigd, maar het viel Myron ook op dat de hoogste directeuren van het bedrijf er ook altijd in slaagden om langs te komen. En de honderdduizend dollar aan huur was nog maar het begin. Dat was exclusief het eten, de drankjes en de bedienden, om nog maar te zwijgen over de eersteklas vliegtickets, luxe hotelsuites, verlengde limousines, enzovoort, voor de hotemetoten en hun gasten.

Dames en heren, kunt u zeggen: 'Ketsjing… kassa?' Dat dacht ik al.

Myron zei zijn naam tegen de knappe jonge vrouw bij de Lock-Horne tent. Win was er nog niet, maar Esperanza zat aan een tafel in de hoek.

'Je ziet er beroerd uit,' zei Esperanza.

'Dat kan zijn. Maar in elk geval voel ik me slecht.'

'Wat is er gebeurd?'

'Drie cokeverslaafden versierd met nazi-memorabilia en moersleutels hebben me besprongen.'

Ze trok een wenkbrauw op. 'Drie maar?'

Die vrouw was ook altijd grappig. Hij vertelde haar over zijn ontmoeting en nipte ontsnapping. Toen hij klaar was, schudde Esperanza haar hoofd en ze zei: 'Hopeloos. Totaal hopeloos.'

'Doe niet zo aangedaan. Ik red het wel.'

'Ik heb de vrouw van Lloyd Rennart gevonden. Ze is een soort kunstenaar en woont aan de kust van Jersey.'

'Nog nieuws over het lichaam van Lloyd Rennart?'

Esperanza schudde haar hoofd. 'Ik heb de websites van de NVI en treemaker gecheckt. Er is geen overlijdensakte verstrekt.'

Myron keek haar aan. 'Dat meen je niet.'

'Jawel. Maar misschien staat het nog niet op internet. De andere kantoren zijn tot maandag gesloten. Maar zelfs als er geen is verstrekt, hoeft dat nog niks te betekenen.'

'Waarom niet?' vroeg hij.

'Een lichaam moet een bepaalde tijd vermist worden voor die persoon dood kan worden verklaard,' legde Esperanza uit. 'Ik weet het niet precies... Vijf jaar of zo. Maar wat er vaak gebeurt, is dat de nabestaanden een verzoek indienen om verzekeringsclaims te innen en de nalatenschap af te wikkelen. Maar Lloyd Rennart heeft zelfmoord gepleegd.'

'Dus is er geen levensverzekering,' zei Myron.

'Precies. En als we ervan uitgaan dat zijn vrouw en hij in gemeenschap van goederen waren getrouwd, heeft ze ook geen reden om zo'n verzoek in te dienen.'

Myron knikte. Dat klonk logisch. Toch was het nog een irritante loshangende nagel, die moest worden afgeknipt. 'Wil je iets drinken?' vroeg hij.

Ze schudde haar hoofd.

'Ik ben zo terug.' Myron pakte een Yoo-Hoo. Win had ervoor gezorgd dat die op voorraad waren in de Lock-Horne tent. Wat een vriend. Op een televisiescherm in de bovenhoek was een scorebord te zien. Jack was net klaar met de vijftiende hole. Zowel Crispin als hij hadden par gehaald. Afgezien van een plotselinge instorting zou Jack een enorme voorsprong hebben voor de laatste ronde van morgen.

Toen Myron weer ging zitten, zei Esperanza: 'Ik wil iets met je bespreken.'

'Ga je gang.'

'Het gaat over mijn afstuderen in de rechten.'

'Oké.' Myron rekte het woord.

'Dat onderwerp ben je uit de weg gegaan,' zei ze.

'Waar heb je het over? Ik ben degene die naar je buluitreiking wil komen, weet je nog?'

'Dat bedoel ik niet.' Haar vingers vonden de wikkel van een rietje en begonnen eraan te friemelen. 'Ik heb het over wat er ná mijn buluitreiking gaat gebeuren. Binnenkort ben ik een volledig bevoegd advocaat. Mijn rol in het bedrijf moet veranderen.'

Myron knikte. 'Mee eens.'

'Ik wil bijvoorbeeld graag een eigen kantoor.'

'Daar hebben we geen ruimte voor.'

'De vergaderkamer is te groot,' wierp ze tegen. 'Daar kun je een stukje vanaf halen, plus een stukje van de wachtkamer. Dan is het alsnog geen groot kantoor, maar is het wel goed genoeg.'

Myron knikte langzaam. 'Dat kunnen we eens bekijken.'

'Het is belangrijk voor me, Myron.'

'Goed, het klinkt haalbaar.'

'Daarnaast hoef ik geen opslag.'

'Niet?'

'Inderdaad.'

'Een vreemde onderhandelingstactiek, Esperanza, maar je hebt me overtuigd. Hoe graag ik je ook opslag zou geven, je zult geen cent meer krijgen. Ik leg me erbij neer.'

'Je doet het weer.'

'Wat doe ik?'

'Grapjes maken als ik serieus ben. Jij hebt een hekel aan veranderingen, Myron. Dat weet ik best. Daarom heb je tot een paar maanden geleden bij je ouders gewoond. Daarom heb je nog altijd iets met Jessica, hoewel je haar al jaren geleden had moeten vergeten.'

'Doe me een lol en bespaar me de amateuristische psychoanalyse,' zei hij vermoeid.

'Ik noem alleen de feiten. Jij houdt niet van veranderingen.'

'Wie wel? En ik hou van Jessica. Dat weet je.'

'Best, je houdt van haar,' zei ze onverschillig. 'Je hebt gelijk, ik had er niet over moeten beginnen.'

'Mooi zo. Zijn we klaar?'

'Nee.' Esperanza hield op met het spelen met de wikkel van het rietje. Ze sloeg haar benen over elkaar en legde haar handen ineengevouwen op haar schoot. 'Ik vind het moeilijk om hierover te praten,' zei ze.

'Wil je het een andere keer doen?'

Ze sloeg haar ogen ten hemel. 'Nee, ik wil het niet een andere keer doen. Ik wil dat je naar me luistert. Dat je goed naar me luistert.'

Myron zei niks, maar boog zich een stukje voorover.

'De reden dat ik geen opslag wil, is omdat ik niet voor iemand wil werken. Mijn vader heeft zijn hele leven ongeschoolde baantjes gehad voor een hele reeks hufters. Mijn moeder heeft haar hele leven de huizen van anderen schoongemaakt.' Esperanza zweeg, slikte en haalde diep adem. 'Daar heb ik geen zin in. Ik wil niet mijn hele leven voor iemand anders werken.'

'Ook niet voor mij?'

'Voor niemand.' Ze schudde haar hoofd. 'Jezus, soms luister je echt niet.'

Myron opende zijn mond, maar sloot hem weer. 'Dan begrijp ik niet waar je heen wilt.'

'Ik wil gedeeltelijk eigenaar worden,' zei ze.

Hij trok een gezicht. 'Van MB SportReps?'

'Nee, van AT&T. Ja, natuurlijk van MB.'

'Maar de naam is MB,' zei Myron. 'De M staat voor Myron en de B voor Bolitar. Jij heet Esperanza Diaz. Ik kan het niet in MBED veranderen. Dat is toch geen naam?'

Ze keek hem enkel aan. 'Je doet het weer. Ik probeer een serieus gesprek te voeren.'

'Nu? Je kiest er wel een mooi moment voor. Ik ben net voor mijn kop geslagen met een moersleutel...'

'Tegen je schouder.'

'Ook goed. Hoor eens, je weet hoeveel je voor me betekent…'

'Dit gaat niet over onze vriendschap,' viel ze hem in de rede. 'Op dit moment kan het me niet schelen hoeveel ik voor je beteken. Maar wel hoeveel ik beteken voor MB SportsRep.'

'Je bent verdomd belangrijk voor MB. Verdomd belangrijk.' Hij zweeg.

'Maar?'

'Niks maar. Je overvalt me nogal, dat is alles. Ik ben net besprongen door een groep neonazi's. Dat doet rare dingen met de psyche van mijn soort mensen. Daarnaast probeer ik een mogelijke ontvoering op te lossen. Ik weet dat de zaken moeten veranderen. Ik was van plan om je meer omhanden te geven, je meer onderhandelingen te laten voeren, een nieuwe werknemer aan te nemen. Maar een vennootschap… Dat is heel andere koek.'

Haar stem klonk onverbiddelijk. 'En dat houdt in?'

'Dat houdt in dat ik erover na wil denken, oké? Hoe was je van plan om vennoot te worden? Welk percentage wil je? Wil je je inkopen of je erin werken of wat? Er zijn zaken die we moeten bespreken en ik geloof niet dat dit het juiste moment is.'

'Best.' Ze stond op. 'Ik ga even naar de spelerslounge. Kijken of ik in gesprek kan komen met een van de vrouwen.'

'Goed idee.'

'Ik zie je later wel weer.' Ze draaide zich om.

'Esperanza?'

Ze keek hem aan.

'Je bent toch niet kwaad?'

'Niet kwaad,' herhaalde ze.

'We regelen wel iets,' zei hij.

Ze knikte. 'Juist.'

'Niet vergeten dat we een uur na het einde van de wedstrijd een afspraak hebben met Tad Crispin. Bij de winkel voor golfbenodigdheden.'

'Wil je dat ik daarbij ben?'

'Ja.'

Ze haalde haar schouders op. 'Goed.' Daarna liep ze weg.

Myron leunde achterover en keek haar na. Fantastisch. Dat kon hij echt gebruiken. Zijn allerbeste vriendin als zijn zakenpartner. Dat zou nooit goed gaan. Geld verpestte relaties; dat was nou eenmaal een vaststaand gegeven. Zijn vader en zijn oom hadden het geprobeerd, en broers met een hechtere band bestonden er niet. Het resultaat was rampzalig geweest. Uiteindelijk had zijn pa oom Morris uitgekocht, maar de twee mannen hadden vier jaar lang niet met elkaar gesproken. Myron en Win hadden hun uiterste best gedaan om hun bedrijven apart te houden, maar wel hun gemeenschappelijke belangen en doelen voor ogen te houden. Dat was gelukt omdat er geen wederzijdse inmenging of te verdelen gelden waren. Met Esperanza ging het uitstekend, maar dat kwam omdat ze altijd een relatie van baas en ondergeschikte hadden gehad. Hun rollen waren scherp gedefinieerd. Maar tegelijkertijd begreep hij het maar al te goed. Esperanza verdiende deze kans. Ze had hem verdiend. Ze was méér dan een belangrijke werknemer van MB. Ze maakte er deel van uit.

Dus wat moest hij doen?

Hij dronk de Yoo-Hoo op, wachtend op een inval. Gelukkig werden zijn gedachten onderbroken toen er iemand op zijn schouder tikte.

17

'Hallo.'
Myron draaide zich om. Het was Linda Coldren. Haar hoofd was in een soort hoofddoek gewikkeld en ze had een donkere zonnebril op. Greta Garbo van rond 1984. Ze opende haar handtas. 'Ik heb de vaste telefoon doorgeschakeld naar deze,' fluisterde ze, wijzend op een mobiele telefoon in haar tas. 'Mag ik even gaan zitten?'

'Ga je gang,' zei Myron.

Ze ging tegenover hem zitten. De zonnebril had grote glazen, maar desondanks kon Myron een rood randje om haar ogen zien. Haar neus zag er rauw uit alsof hij was geschuurd door een tissueoverdosis. 'Is er nog nieuws?' vroeg ze.

Hij vertelde haar over de schurftige nazi's die hem hadden besprongen. Linda stelde een paar vervolgvragen. Opnieuw leek de inwendige paradox haar te verscheuren: ze wilde dat haar zoon veilig was, maar ze wilde niet dat alles in scène was gezet. Myron eindigde door te zeggen: 'Ik vind nog steeds dat we de FBI moeten inschakelen. Dat kan ik onopvallend doen.'

Ze schudde haar hoofd. 'Te riskant.'

'Dat is het ook om op deze manier door te gaan.'

Weer schudde Linda Coldren haar hoofd en ze leunde achterover. Een paar tellen zaten ze in stilte. Haar blik was op een punt achter zijn schouder gericht. Toen zei ze: 'Na Chads geboorte heb ik een pauze van bijna twee jaar genomen. Wist je dat?'

'Nee,' zei Myron.

'Damesgolf,' mompelde ze. 'Ik was op de top van mijn kunnen, de

156

beste vrouwelijke golfer van de wereld, en toch heb je er nooit iets over gelezen.'

'Ik volg golf niet zo erg,' zei Myron.

'Ja, vast,' zei ze snuivend. 'Als Jack Nicklaus twee jaar zou stoppen, zou je dat echt wel hebben gehoord.'

Myron knikte. Daar had ze gelijk in. 'Was het moeilijk om je rentree te maken?' vroeg hij.

'Bedoel je qua spelen of het achterlaten van mijn zoon?'

'Allebei.'

Ze haalde diep adem en dacht na over de vraag. 'Ik miste het spelen,' zei ze. 'Je weet niet half hoe erg. Na een paar maanden stond ik weer op de eerste plaats. En wat Chad betreft, nou, hij was nog een baby. Ik nam een nanny in dienst om met ons mee te reizen.'

'Hoe lang heeft dat geduurd?'

'Tot Chad drie was. Toen besefte ik dat ik hem niet langer mee kon slepen. Dat was niet eerlijk tegenover hem. Een kind heeft een zekere stabiliteit nodig. Dus ik moest een keuze maken.'

Ze vervielen in stilzwijgen.

'Begrijp me niet verkeerd,' zei ze. 'Ik hou niet van zelfmedelijden en ik ben blij dat vrouwen zelf kunnen kiezen. Maar wat ze daar niet bij zeggen is dat keuzes gepaard gaan met schuldgevoel.'

'Wat voor schuldgevoel?'

'Dat van een moeder, het ergste wat er is. Die bezorgen je altijd en overal onderhuidse steken. Ze kwellen je in je slaap. Ze wijzen met een beschuldigend vingertje. Elke vreugdevolle slag met een golfclub bezorgde me het gevoel dat ik mijn eigen kind in de steek liet. Ik vloog zo vaak mogelijk naar huis. Ik heb een aantal toernooien laten schieten die ik dolgraag had willen spelen. Ik heb verdomd hard gewerkt om het moederschap te combineren met mijn carrière. Maar bij elke stap die ik zette, voelde ik me een egoïstisch misbaksel.' Ze keek hem aan. 'Kun je dat begrijpen?'

'Ja, volgens mij wel.'

'Maar je voelt niet echt mee,' voegde ze eraan toe.

'Natuurlijk wel.'

Linda Coldren wierp hem een sceptische blik toe. 'Als ik gewoon huisvrouw was geweest, zou je dan ook zo snel hebben vermoed dat Chad hierachter zat? Werd je mening niet gekleurd door het feit dat ik een afwezige moeder was?'

'Geen afwezige moeder,' verbeterde Myron haar. 'Afwezige ouders.'

'Dat is hetzelfde.'

'Nee. Jij verdiende meer. Zakelijk was jij verreweg de succesvolste ouder. Als iemand thuis had moeten blijven, was het Jack.'

Ze glimlachte. 'Wat ontzettend politiek correct.'

'Nee hoor. Alleen praktisch.'

'Maar zo eenvoudig ligt het niet, Myron. Jack houdt van zijn zoon. En in de jaren dat hij zich niet wist te kwalificeren voor het profcircuit, is hij ook thuis gebleven bij hem. Maar laten we de feiten onder ogen zien: of we het nou leuk vinden of niet, het is de moeder die die last draagt.'

'Dat wil nog niet zeggen dat het goed is.'

'En het wil ook niet zeggen dat het mij vrijpleit. Zoals ik al zei, heb ik een aantal keuzes gemaakt. Als ik alles over kon doen, zou ik alsnog de toernooien aflopen.'

'En zou je je alsnog schuldig voelen.'

Ze knikte. 'Keuzes en schuldgevoel gaan hand in hand. Daar valt niet aan te ontkomen.'

Myron nam een slokje van zijn Yoo-Hoo. 'Je zei dat Jack af en toe thuis bleef.'

'Ja,' zei ze. 'Als hij zakte voor de k-test.'

'De k-test?'

'Kwalificatietest,' zei ze. 'Elk jaar krijgen de honderdvijfentwintig spelers die het meest verdienen automatisch hun PGA Tour-bewijs. Een aantal andere spelers krijgt een sponsor-vrijstelling. De rest moet naar de k-test. Als je het daar slecht doet, mag je dat jaar niet spelen.'

'Wordt dat allemaal bepaald door één toernooi?'

Ze hief het glas naar hem op, alsof ze proostte. 'Inderdaad.'

Over druk gesproken. 'Dus als Jack zakte voor de k-test, bleef hij de rest van het jaar thuis?'

Ze knikte.

'Konden Jack en Chad het goed met elkaar vinden?'

'Vroeger aanbad Chad zijn vader,' zei Linda.

'En nu?'

Ze wendde haar blik af met een enigszins gepijnigde uitdrukking op haar gezicht. 'Nu is Chad oud genoeg om zich af te vragen waarom zijn vader steeds verliest. Ik weet niet wat hij tegenwoordig denkt. Maar Jack is een goede man. Hij doet ontzettend zijn best. Je moet niet vergeten wat hem is overkomen. Het klinkt misschien wat overdreven dramatisch, maar toen hij de Open op die manier verloor, is er iets in hem gestorven. Zelfs het krijgen van een zoon kon hem er niet overheen helpen.'

'Zo belangrijk hoort het niet te zijn,' zei Myron, en hij hoorde de echo van Win in zijn woorden. 'Het was maar een toernooi.'

'Jij was betrokken bij een heleboel belangrijke wedstrijden,' zei ze. 'Heb je ooit een overwinning uit handen gegeven zoals Jack heeft gedaan?'

'Nee.'

'Ik ook niet.'

Twee mannen met grijs haar met bijpassende groene halsdoeken om liepen naar de buffettafel. Ze bogen zich over elk gerecht heen en fronsten alsof er mieren in zaten. Hun borden waren alsnog hoog genoeg opgeschept om een incidentele lawine te veroorzaken.

'Er is nog iets,' zei Linda.

Myron wachtte af.

Ze zette haar zonnebril anders en legde haar handen met de palmen omlaag op tafel. 'Jack en ik hebben geen intieme band. Die hebben we al jaren niet meer.'

Toen ze niet verder ging, zei Myron: 'Maar jullie zijn wel bij elkaar gebleven.'

'Ja.'

Hij wilde vragen waarom, maar de vraag lag zo voor de hand, zo voor het oprapen, dat het overbodig zou zijn om hem te stellen.

'Ik ben een voortdurende herinnering aan zijn falen,' ging ze verder. 'Het is moeilijk voor een man om daarmee te leven. We horen levenspartners te zijn, maar ik heb datgene waar Jack het meest naar hunkert.' Linda hield haar hoofd een beetje schuin. 'Het is grappig.'

'Wat?'

'Op de golfbaan accepteer ik geen middelmatigheid. Maar ik heb wel toegestaan dat het mijn privéleven domineert. Vind je dat niet vreemd?'

Myron maakte een neutrale beweging met zijn hoofd. Hij voelde Linda's misère van haar af stralen als de hitte bij een koorts. Toen keek ze op en glimlachte naar hem. Die glimlach was bedwelmend en brak bijna zijn hart. Hij had de aandrang om zich voorover te buigen en Linda Coldren in zijn armen te nemen. Hij voelde de bijna onbedwingbare behoefte om haar tegen zich aan te drukken en haar glanzende haar tegen zijn gezicht te voelen. Hij probeerde zich te herinneren wanneer hij voor het laatst zulke gevoelens had gehad voor een andere vrouw dan Jessica, maar er schoot hem niemand te binnen.

'Vertel eens wat over jezelf,' zei Linda plotseling.

De verandering van onderwerp overviel hem en hij schudde vaag zijn hoofd. 'Dat is saai.'

'O, dat geloof ik niet,' zei ze, bijna speels. 'Toe nou. Het zal me wat afleiden.'

Myron schudde nog een keer zijn hoofd.

'Ik weet dat je bijna professioneel basketbal hebt gespeeld. Ik weet dat je je knie hebt geblesseerd. Ik weet dat je rechten hebt gestudeerd aan Harvard. En ik weet dat je een paar maanden terug hebt geprobeerd een comeback te maken. Wil je nog iets aanvullen?'

'Dat is het wel zo'n beetje.'

'Nee, dat geloof ik niet, Myron. Tante Cissy heeft niet gezegd dat jij ons kon helpen omdat je goed kon basketballen.'

'Ik heb een poosje voor de overheid gewerkt.'

'Met Win?'

'Ja.'

'Wat deed je dan?'

Weer schudde hij zijn hoofd.

'Was dat topgeheim?'

'Zoiets.'

'En je hebt een relatie met Jessica Culver?'

'Ja.'

'Ik vind haar boeken leuk.'

Hij knikte.

'Hou je van haar?'

'Heel veel.'

'Dus wat wil je?'

'Wat wil ik?'

'Van het leven? Wat zijn je dromen?'

Hij glimlachte. 'Dat meen je toch niet?'

'Ik kom gewoon tot de kern van de zaak,' zei Linda. 'Geef me mijn zin. Wat wil je, Myron?' Vol belangstelling keek ze hem aan en Myron voelde zich warm worden.

'Ik wil met Jessica trouwen. Ik wil in een slaapstad gaan wonen. Ik wil een gezin stichten.'

Ze leunde achterover alsof ze tevreden was. 'Echt waar?'

'Ja.'

'Net als je ouders?'

'Ja.'

Ze glimlachte. 'Dat vind ik leuk.'

'Het is gewoon,' zei hij.

'Niet iedereen is geschikt voor een een gewoon leventje,' zei ze. 'Ook al is dat eigenlijk wat we willen.'

Myron knikte. 'Heel diepzinnig, Linda. Ik weet niet wat je ermee bedoelt, maar het klonk heel diepzinnig.'

'Ik ook niet.' Ze lachte. Dat klonk diep en schor en Myron vond het een mooi geluid. 'Vertel eens waar je Win hebt leren kennen?'

'Op de universiteit,' zei Myron. 'In ons eerste jaar.'

'Na zijn achtste heb ik hem niet meer gezien.' Linda Coldren nam een slok van haar mineraalwater. 'Toen was ik vijftien. Geloof het of niet, maar toen hadden Jack en ik al een jaar verkering. Win was trouwens dol op Jack. Wist je dat?'

'Nee,' zei Myron.

'Het is echt waar. Hij volgde Jack overal. En Jack kon toentertijd zo'n zak zijn. Hij pestte de andere kinderen. Hij was zo ondeugend als de pest. En soms was hij ronduit gemeen.'

'En toch ben je voor hem gevallen?'

'Ik was vijftien,' zei ze, alsof dat alles verklaarde. En misschien was dat ook wel zo.

'Hoe was Win als kind?' vroeg Myron.

Ze glimlachte weer en de groefjes aan de rand van haar ogen en haar lippen werden dieper. 'Je probeert hem zeker te doorgronden?'

'Ik ben alleen nieuwsgierig,' zei Myron, maar de waarheid in haar woorden deed pijn. Opeens wilde hij zijn vraag intrekken, maar het was al te laat.

'Win was blij als kind. Hij was altijd…' Linda zweeg en zocht naar het juiste woord. '… vreemd. Anders kan ik het niet noemen. Hij was niet gek, onbetrouwbaar of agressief of iets dergelijks. Maar iets klopte er niet bij hem. Dat is altijd al zo geweest. Zelfs als kind had hij het vreemde vermogen om zich overal van te kunnen losmaken.'

Myron knikte. Hij wist wat ze bedoelde.

'Tante Cissy is precies hetzelfde.'

'Wins moeder?'

Linda knikte. 'Die vrouw kan ijskoud zijn als ze dat wil. Zelfs als het Win betreft. Ze doet net alsof hij niet bestaat.'

'Ze moet toch over hem praten,' zei Myron. 'In elk geval met je vader.'

Linda schudde haar hoofd. 'Toen tante Cissy tegen mijn vader zei dat hij contact moest opnemen met Win, was dat de eerste keer in jaren dat ze zijn naam noemde.'

Myron zei niets. Opnieuw hing de voor de hand liggende vraag onuitgesproken in de lucht: wat is er voorgevallen tussen Win en zijn moeder? Maar die vraag zou Myron nooit stellen. Dit gesprek ging al veel te ver. De vraag daadwerkelijk stellen zou een onvergeeflijk verraad zijn; als Win wilde dat Myron het zou weten, zou hij het hem zelf wel vertellen.

De tijd verstreek, maar dat merkten ze geen van beiden. Ze praatten, voornamelijk over Chad en wat voor zoon hij was. Jack had de goede lijn doorgezet en ging nog altijd met acht slagen aan de leiding. Een enorme voorsprong. Als hij die ook deze keer zou verspelen, zou het verlies veel erger zijn dan drieëntwintig jaar geleden.

De tent liep langzaam leeg, maar Myron en Linda bleven zitten praten. Een gevoel van intimiteit begon hem te verwarmen; het kostte hem moeite om uit te ademen wanneer hij naar haar keek. Even deed hij zijn ogen dicht. Er was niks aan de hand, bedacht hij. Als er al een zekere aantrekkingskracht was, dan was het een klassiek geval van de jonkvrouw in nood, en er was niets minder politiek correct (en bovendien bijzonder primitief) dan dat.

Het publiek was intussen verdwenen. Het duurde heel lang voor er weer iemand in zicht kwam. Op een gegeven moment keek Win even de tent in. Toen hij hen samen zag, trok hij een wenkbrauw op en glipte weer weg.

Myron keek op zijn horloge. 'Ik moet ervandoor. Ik heb een afspraak.'

'Met wie?'

'Tad Crispin.'

'Hier op Merion?'

'Ja.'

'Denk je dat je lang wegblijft?'

'Nee.'

Ze begon te spelen met haar verlovingsring en keer ernaar alsof ze de waarde ervan probeerde te bepalen. 'Vind je het erg als ik hier op je wacht?' vroeg ze. 'Dan kunnen we samen een hapje gaan eten.' Ze zette haar bril af. Haar ogen waren opgezet, maar de blik erin was krachtig en geconcentreerd.

'Goed.'

Hij trof Esperanza bij het clubhuis. Ze trok een gezicht naar hem. 'Wat is er?' vroeg hij.

'Denk je aan Jessica?' vroeg ze achterdochtig.

'Nee, hoezo?'

'Omdat je je misselijkmakende, smoorverliefde gezicht trekt. Je weet wel. Het gezicht waardoor ik op je schoenen wil kotsen.'

'Kom op,' zei hij. 'Tad Crispin wacht.'

De ontmoeting eindigde zonder overeenkomst. Maar ze kwamen in de buurt.

'Dat contract dat hij heeft getekend met Zoom,' zei Esperanza. 'Daar deugt helemaal niks van.'

'Dat weet ik.'

'Crispin mag je graag.'

'We zien wel hoe het loopt,' zei Myron.

Hij nam afscheid en liep snel terug naar de tent. Linda Coldren zat met haar rug naar hem toe, haar houding nog altijd koninklijk.

'Linda?'

'Het is donker geworden,' zei ze zacht. 'Chad houdt niet van het donker. Ik weet dat hij zestien is, maar ik laat de lamp in de gang nog altijd aan. Voor het geval dat.'

Myron zei niks. Toen ze zich naar hem toe draaide – toen hij haar glimlach voor het eerst zag – was het alsof iets zich in zijn hart boorde. 'Toen Chad klein was,' begon ze, 'liep hij overal rond met een kleine rode golfclub van plastic en een bal van hard plastic. Het is grappig, maar als ik nu aan Chad denk, zie ik hem op die manier voor me. Met die kleine rode club. Ik heb hem heel lang niet op die manier voor de geest kunnen halen. Hij is ondertussen al bijna een man. Maar sinds hij weg is, zie ik alleen nog dat blije jochie dat in de achtertuin tegen golfballen slaat.'

Myron knikte. Hij stak zijn hand naar haar uit. 'Laten we gaan, Linda,' zei hij zacht.

Ze stond op. Ze liepen zwijgend naast elkaar. De avondhemel was zo helder dat hij nat leek. Het liefst zou Myron haar hand beetpakken, maar dat deed hij niet. Toen ze bij haar auto kwamen, deed Linda hem van het slot met een afstandsbediening. Toen opende ze het portier terwijl Myron eromheen liep naar de passagierskant. Opeens bleef hij staan.

De envelop lag op haar stoel.

Een paar seconden lang bewogen ze geen van beiden. Het was een gele envelop, groot genoeg voor een foto van twintig bij vijfentwintig centimeter. Hij was plat, behalve een stukje in het midden dat een beetje omhoog kwam.

Linda Coldren keek op naar Myron. Myron bukte zich en pakte de envelop op aan de rand, terwijl hij ervoor zorgde dat hij alleen zijn handpalmen gebruikte. Op de achterkant stond tekst. In blokletters:

IK HEB JE GEWAARSCHUWD GEEN HULP TE ZOEKEN

NU BETAALT CHAD DAAR DE PRIJS VOOR

ALS JE ONS NOG EEN KEER TEGENWERKT, WORDT HET NOG VEEL

ERGER

Angst wikkelde zich in strakke banden van staal om Myrons borst-kas. Langzaam stak hij zijn hand uit en raakte het opstaande deel met niet meer dan een knokkel aan. Het voelde aan als klei. Heel voorzichtig maakte Myron de plakstrip open. Hij keerde de envelop om en liet de inhoud op de autostoel vallen.

De afgesneden vinger stuiterde een keer op en bleef toen liggen op het leer.

18

Myron staarde ernaar, niet in staat iets te zeggen. *Omijngodomijngodomijngodomijngod...* Pure angst overviel hem. Hij begon te trillen en zijn lichaam werd gevoelloos. Hij keek naar het briefje in zijn hand. Een stemmetje in zijn hoofd zei: jouw schuld, Myron. Jouw schuld.

Hij wendde zich tot Linda Coldren. Haar hand hing vlak voor haar mond en haar ogen waren groot.

Myron probeerde een stap naar haar toe te zetten, maar hij wankelde als een bokser die geen gebruikmaakte van de standaard acht tellen. 'We moeten iemand bellen,' slaagde hij erin uit te brengen. Zijn stem klonk afstandelijk, zelfs in zijn eigen oren. 'De FBI. Ik heb vrienden...'

'Nee.' Haar stem klonk gedecideerd.

'Linda, luister naar me...'

'Lees het briefje,' zei ze.

'Maar...'

'Lees het briefje,' herhaalde ze. Grimmig boog ze haar hoofd. 'Jij hebt hier van nu af aan niets meer mee te maken, Myron.'

'Je weet niet met wie je te maken hebt.'

'O, nee?' Met een ruk hief ze haar hoofd op. Haar handen balden zich tot vuisten. 'Ik heb te maken met een ziek monster,' zei ze. 'Een monster dat bij de geringste provocatie iemand verminkt.' Ze deed een stap dichter naar de auto. 'Hij heeft de vinger van mijn zoon afgesneden alleen omdat ik met jou heb gepraat. Wat denk je dat hij zal doen als ik zijn bevelen willens en wetens negeer?'

Myrons hoofd tolde. 'Linda, het losgeld betalen garandeert niet dat...'

'Dat weet ik ook wel,' onderbrak ze hem.

'Maar...' Zijn gedachten schoten hulpeloos heen en weer en toen zei hij iets buitengewoon doms: 'Je weet niet eens of het wel zijn vinger is.'

Ze keek omlaag. Met een hand onderdrukte ze een snik. Met de andere streelde ze liefdevol over de vinger, zonder een spoor van walging op haar gezicht. 'Ja,' zei ze zacht. 'Dat weet ik wel.'

'Voor hetzelfde geld is hij al dood.'

'Dan maakt het toch niet uit wat ik doe?'

Myron dwong zichzelf verder niets te zeggen. Hij had al stompzinnig genoeg geklonken. Hij had een paar tellen nodig om weer bij zinnen te komen en te bedenken wat de volgende stap moest zijn.

Jouw schuld, Myron. Jouw schuld.

Hij zette het van zich af. Tenslotte had hij voor hetere vuren gestaan. Hij had dode mensen gezien, het opgenomen tegen slechteriken, moordenaars gepakt en voor het gerecht gebracht. Hij moest alleen even...

Allemaal met Wins hulp. Nooit in je eentje.

Linda Coldren pakte de vinger op. De tranen stroomden over haar wangen, maar haar gezicht bleef een kalme poel.

'Tot ziens, Myron.'

'Linda...'

'Van nu af aan doe ik precies wat hij wil.'

'We moeten dit goed op een rijtje zetten...'

Ze schudde haar hoofd. 'We hadden nooit contact met je op moeten nemen.'

Met de vinger van haar zoon als een kuikentje in haar hand, stapte Linda Coldren in de auto. Ze legde de vinger voorzichtig neer en startte de motor. Toen schakelde ze naar de goede versnelling en reed weg.

Myron liep naar zijn eigen auto. Een paar minuten zat hij daar en haalde diep adem. Hij dwong zichzelf te kalmeren. Hij had zich geoefend in vechtsporten vanaf het moment dat Win hem in aanraking had gebracht met taekwondo, toen ze eerstejaarsstudenten waren.

Meditatie vormde een belangrijk onderdeel van wat ze hadden geleerd, al had Myron de cruciale nuances nooit helemaal begrepen. Zijn gedachten hadden de neiging om af te dwalen. Nu probeerde hij de eenvoudige regels in praktijk te brengen. Hij sloot zijn ogen. Hij ademde langzaam in door zijn neus, dwong de lucht omlaag en liet alleen zijn buik, en niet zijn borstkas uitzetten. Hij liet de lucht nog langzamer ontsnappen via zijn mond en zorgde dat zijn longen volledig leeg werden.

Goed, dacht hij. Wat is je volgende stap?

Het eerste antwoord dat bij hem opkwam was het meest eenvoudige: geef het op. Neem je verlies. Besef dat je als een vis op het droge bent. Je hebt nooit echt voor de fbi gewerkt. Je hebt alleen Win vergezeld. Deze zaak ging je ver boven je pet en dat heeft een zestienjarige jongen zijn vinger gekost, en misschien nog wel meer. Zoals Esperanza had gezegd: 'Zonder Win ben je hopeloos.' Leer je lesje en bemoei je er niet meer mee.

En dan? Moest hij de Coldrens deze crisis alleen laten doorstaan?

Als hij dat eerder had gedaan, zou Chad Coldren misschien nog tien vingers hebben.

Die gedachte deed iets in zijn binnenste afbrokkelen. Hij deed zijn ogen open. Zijn hart begon weer in razend tempo te bonzen. Hij kon de Coldrens niet bellen. Hij kon de fbi niet bellen. Als hij dit in zijn eentje voortzette, stelde hij het leven van Chad Coldren in de waagschaal.

Hij startte de auto, en probeerde zijn evenwicht te hervinden. Tijd om goed te analyseren. Tijd om kil te zijn. Hij moest deze jongste ontwikkeling even als een aanwijzing zien. Hij moest zijn afschuw vergeten. Hij moest vergeten dat hij misschien een vreselijke blunder had begaan. De vinger was niets anders dan een aanwijzing.

Eén: De plek van de envelop was vreemd. In de afgesloten auto van Linda Coldren, en ja, die had op slot gezeten want Linda had de afstandsbediening gebruikt om hem te openen. Hoe was die daar gekomen? Had de ontvoerder het voertuig simpelweg opengebroken? Die kans bestond, maar had hij daar tijd voor gehad op het parkeerterrein van Merion? Zou iemand dat niet gemeld hebben? Waarschijnlijk wel. Had Chad Coldren een sleutel die de ontvoerder kon hebben gebruikt? Hmm. Een goede mogelijkheid, maar die zou hij niet bevestigd krijgen tenzij hij Linda te spreken kreeg, waar geen sprake van zou zijn.

Een doodlopend spoor. Voorlopig, dan.

Twee: Er was meer dan een persoon betrokken bij deze ontvoering. Daar was nauwelijks briljant speurwerk voor nodig. Als eerste had je de schurftige nazi. Het telefoontje in het winkelcentrum bewees dat hij er iets mee te maken had, om nog maar te zwijgen van zijn gedrag daarna. Maar het was onmogelijk dat een man als Schurftige het terrein van Merion op kon glippen en de envelop in de auto van Linda Coldren kon leggen. Niet zonder argwaan te wekken. Niet tijdens de U.S. Open. En het briefje had de Coldrens gewaarschuwd om hen niet meer 'tegen te werken'. Tegenwerken. Klonk dat als een woord dat Schurftige zou gebruiken?

Oké, goed. En verder?

Drie: De ontvoerders waren wreed en dom. Het wrede behoefde geen uitleg, maar het domme wellicht wel. Neem de feiten in ogenschouw. Bijvoorbeeld: een hoog losgeld eisen in het weekend terwijl je weet dat de banken maandag pas weer opengaan... Was dat slim? Niet weten hoeveel geld je wilde vragen tijdens de eerste twee keer dat je belde... Zei dat niet tok-tok-tok? En tot slot: was het echt slim om de vinger van een jongen af te snijden alleen omdat zijn ouders met een sportagent hadden gepraat? Had dat ook maar enige zin?

Nee.

Behalve als de ontvoerders wisten dat Myron meer was dan een sportagent.

Maar hoe?

Myron reed Wins lange oprijlaan op. Onbekende mensen haalden paarden uit de stal. Toen hij bij het gastenverblijf kwam, verscheen Win in de deuropening. Myron parkeerde de auto en stapte uit.

'Hoe was je ontmoeting met Tad Crispin?' vroeg Win.

Myron haastte zich naar hem toe. 'Ze hebben zijn vinger afgehakt,' wist hij uit te brengen, zo zwaar hijgend dat hij bijna hyperventileerde. 'De ontvoerders. Ze hebben Chads vinger afgesneden en die in Linda's auto gelegd.'

Wins gezichtsuitdrukking veranderde niet. 'Heb je dat voor of na je bespreking met Tad Crispin ontdekt?'

Die vraag verbaasde Myron. 'Erna.'

Win knikte langzaam. 'Dan blijft mijn oorspronkelijke vraag staan: hoe was je ontmoeting met Tad Crispin?'

Myron deed een stap achteruit alsof hij een klap had gekregen. 'Jezus nog aan toe,' zei hij bijna eerbiedig. 'Dat kun je niet menen.'

'Wat er met die familie gebeurt, gaat mij niet aan. Wat er met jouw zakelijke betrekkingen met Tad Crispin gebeurt wel.'

Onthutst schudde Myron zijn hoofd. 'Zelfs jij kunt niet zo kil zijn.'

'O, toe nou.'

'Toe nou, wat?'

'Er gebeuren echt veel ergere dingen op deze aarde dan een zestienjarige jongen die zijn vinger kwijtraakt. Mensen sterven, Myron. Overstromingen vagen hele dorpen weg. Mannen doen elke dag vreselijke dingen met kinderen.' Hij zweeg even. 'Heb je bijvoorbeeld de krant van vanmiddag gelezen?'

'Waar bazel je nou over?'

'Ik probeer je gewoon te laten inzien,' ging Win op een te trage, te afgemeten toon verder, 'dat de Coldrens niks voor me betekenen. Niet meer dan andere onbekenden, en misschien zelfs minder. De krant staat vol met drama's die me persoonlijk dieper raken. Neem nou bijvoorbeeld...'

Win zweeg en keek Myron heel kalm aan.

'Neem bijvoorbeeld wat?' vroeg Myron.

'Er is een nieuwe ontwikkeling in de zaak Kevin Morris,' antwoordde Win. 'Ben je daar bekend mee?'

Myron schudde zijn hoofd.

'Twee jochies van zeven, Billy Waters en Tyrone Duffy, worden al bijna drie weken vermist. Ze zijn verdwenen toen ze van school naar huis fietsten. De politie heeft ene Kevin Morris ondervraagd, een man met een lang strafblad van perversies, waaronder aanranding, die bij de school had rondgehangen. Maar meneer Morris had een zeer gehaaide advocaat. Er was geen hard bewijs en ondanks vrij overtuigend indirect bewijs, zo werden de fietsen van de jongens in een container niet ver van zijn huis gevonden, werd meneer Morris vrijgelaten.'

Myron voelde iets kouds tegen zijn hart drukken. 'En wat is die nieuwe ontwikkeling dan, Win?'

'Gisteravond laat heeft de politie een tip gekregen.'

'Hoe laat?'

Weer keek Win hem kalm aan. 'Heel laat.'

Stilte.

'Het lijkt erop,' ging Win verder, 'dat iemand heeft gezien dat Kevin Morris de lichamen begroef naast een weg in de bossen bij Lancaster. De politie heeft ze vannacht opgegraven. Weet je wat ze hebben ontdekt?'

Opnieuw schudde Myron zijn hoofd, te bang om zijn mond zelfs maar te openen.

'Billy Waters en Tyrone Duffy waren allebei dood. Ze zijn seksueel aangerand en verminkt op een manier waar zelfs de pers niet over kon berichten. De politie heeft voldoende bewijs bij het graf gevonden om Kevin Morris te arresteren. Vingerafdrukken op een medische scalpel. Plastic zakken die overeenkwamen met zakken in zijn keuken. Spermavlekken die volgens een voorlopig onderzoek corresponderen met het sperma dat in beide jongens is gevonden.'

Myron kromp ineen.

'Iedereen lijkt ervan overtuigd dat meneer Morris zal worden veroordeeld,' maakte Win zijn verhaal af.

'En degene die de tip heeft gegeven? Zal hij moeten getuigen?'

'Nou, dat is eigenlijk wel grappig,' zei Win. 'Die man heeft gebeld vanuit een openbare telefooncel en heeft zijn naam nooit genoemd. Het lijkt erop dat niemand weet wie hij is.'

'Maar de politie heeft Kevin Morris opgepakt?'

'Ja.'

De twee mannen staarden elkaar aan.

'Het verbaast me dat je hem niet hebt vermoord,' zei Myron.

'Dan ken je me echt heel slecht.'

Een paard hinnikte. Win draaide zich om en keek naar het schitterende dier. Een vreemde blik gleed over zijn gezicht, een blik van verlies.

'Wat heeft ze je aangedaan, Win?'

Win bleef staren. Ze wisten allebei wie Myron bedoelde.

'Geef je niet over aan te veel psychologie, Myron. Zo eenvoudig steek ik niet in elkaar. Mijn moeder is niet de enige die mij vorm heeft gegeven. Een man bestaat niet uit een gebeurtenis en ik ben zeker niet gek, zoals je eerder suggereerde. Net zoals ieder mens kies ik zelf voor welke zaken ik wil vechten. Ik vecht behoorlijk hard, harder dan de meeste mensen, en meestal sta ik aan de goede kant. Ik heb gevochten voor Billy Waters en Tyrone Duffy. Maar ik ben niet bereid te vechten voor de Coldrens. Dat is mijn keuze. Als mijn beste vriend heb jij dat te respecteren. Je moet niet proberen me aan te moedigen of op mijn schuldgevoel te werken om me te betrekken bij een strijd waar ik geen zin in heb.'

Myron wist niet wat hij moest zeggen. Het was eng wanneer hij Wins kille logica kon volgen. 'Win?'

Win rukte zijn blik los van het paard. Hij keek Myron aan.

'Ik zit in de problemen,' zei Myron, en hij hoorde de wanhopige klank in zijn stem. 'Ik heb je hulp nodig.'

Opeens klonk Wins stem zacht en lag er een welhaast gepijnigde blik op zijn gezicht. 'Als dat echt zo was, zou ik voor je klaarstaan. Dat weet je. Maar je hebt geen problemen waar je je niet heel gemakkelijk van kunt losmaken. Doe gewoon een stap achteruit, Myron. Je hebt de mogelijkheid om je betrokkenheid te beëindigen. Het is verkeerd om mij er tegen mijn wil bij te betrekken en daar onze vriendschap voor te misbruiken. Keer het ditmaal je rug toe.'

'Je weet dat ik dat niet kan.'

Win knikte en liep naar zijn auto. 'Zoals ik al zei: we kiezen allemaal voor welke zaken we willen vechten.'

Toen hij het gastenverblijf in ging, gilde Esperanza: 'Bankroet! Raak een beurt kwijt! Bankroet!'

Myron ging achter haar staan. Ze keek naar *Het rad van fortuin*. 'Die vrouw is zo hebberig,' zei Esperanza, wijzend naar de tv. 'Ze heeft meer dan zesduizend dollar en ze blijft maar aan het rad draaien. Daar kan ik echt niet tegen.'

Het rad stopte en bleef staan op de glinsterende 1.000 dollar. De vrouw vroeg een B. Er verschenen er twee. Esperanza kreunde. 'Wat ben je vroeg terug,' zei ze. 'Je ging toch uit eten met Linda Coldren?'

'Dat ging niet door.'

Eindelijk draaide Esperanza zich om en ze keek naar zijn gezicht. 'Wat is er gebeurd?'

Hij vertelde het haar. Haar donkere huidskleur werd iets bleker tijdens het verhaal. Toen hij was uitgesproken, zei Esperanza: 'Je hebt Win nodig.'

'Die wil me niet helpen.'

'Tijd om je macho trots in te slikken en hem te vragen. Of te smeken als het echt niet anders kan.'

'Dat heb ik al gedaan. Hij doet niet mee.' Op tv kocht de hebberige vrouw een klinker. Dat begreep Myron nooit. Waarom kopen deelnemers die de oplossing van de puzzel duidelijk al kennen toch nog klinkers? Om geld te verspillen? Om ervoor te zorgen dat hun tegenstanders het antwoord weten?

'Maar,' zei hij. 'Jij bent hier.'

Esperanza keek hem aan. 'Nou en?'

Hij wist dat dat de echte reden was dat ze hierheen was gekomen. Aan de telefoon had ze gezegd dat ze het niet prettig vond om in haar eentje te werken. Die woorden spraken boekdelen over haar motivatie om de Big Apple te ontvluchten.

'Wil jij me helpen?' vroeg hij.

De hebberige vrouw boog zich naar voren, draaide aan het rad, en begon te klappen en te roepen. 'Kom op. Op de duizend!' Haar tegenstanders klapten ook. Alsof ze wilden dat zij succes zou hebben. Ja, vast.

'Wat wil je dat ik doe?' vroeg Esperanza.

'Dat leg ik onderweg wel uit. Als je tenminste mee wilt.'

Ze keken allebei toe toen het rad vaart minderde. De camera

zoomde in voor een close-up. De pijl ging trager en trager en stopte toen op het woord BANKROET. Het publiek kreunde. De hebberige vrouw bleef glimlachen, maar nu zag ze eruit als iemand die net een harde stomp in haar maag heeft gekregen.

'Dat is een voorteken,' zei Esperanza.

'Goed of slecht?' vroeg Myron.

'Ja.'

19

De meiden waren nog steeds in het winkelcentrum. Nog steeds op het horecaplein, waar ze nog steeds aan hetzelfde tafeltje zaten. Als je erover nadacht, was het onvoorstelbaar. Buiten lonkten de lange zomerdagen met zonnige luchten en kwinkelerende vogels. De scholen zaten dicht, maar toch brachten heel veel tieners al hun tijd door in een ruimte iets mooier dan een schoolkantine, vermoedelijk klagend over de dag dat de school weer zou beginnen.

Myron schudde zijn hoofd. Klagen over tieners. Zonder meer een teken dat hij zijn jeugd definitief achter zich had gelaten. Nog even en hij zou iemand toeroepen om de thermostaat hoger te zetten.

Zodra hij het horecaplein op liep, draaiden de meiden zich allemaal naar hem toe. Het leek net alsof ze een mensen-die-we-kennen-detector bij elke ingang hadden staan. Myron aarzelde geen seconde. Met een zo streng mogelijke uitdrukking op zijn gezicht haastte hij zich naar hen toe. Terwijl hij ze dichter naderde, bestudeerde hij elk gezicht afzonderlijk. Tenslotte waren dit maar tieners. Myron was ervan overtuigd dat de schuldige zich zou verraden.

En dat deed ze ook. Bijna onmiddellijk.

Het was degene die de dag ervoor was geplaagd, het meisje dat ze hadden getreiterd omdat Schurftige naar haar had geglimlacht. Missy of Messy of iets dergelijks. Opeens werd het hem allemaal duidelijk. Schurftige had niet gemerkt dat Myron hem was gevolgd. Hij was gewaarschuwd. Sterker nog, de hele zaak was van tevoren bekokstoofd. Hierdoor had Schurftige geweten dat Myron vragen over hem had gesteld. Dat verklaarde de schijnbaar voortreffelijke timing, oftewel dat Schurftige lang genoeg op het horecaplein had rondgehangen tot Myron er was.

Het was doorgestoken kaart geweest.

Het meisje met het Elsa Lancaster-kapsel rimpelde haar gezicht en vroeg: 'Ja, nou zeg. Wat is er aan de hand?'

'Die kerel heeft geprobeerd me te vermoorden,' zei Myron.

Veel gesnak naar adem. Gezichten begonnen te schitteren van nieuwsgierigheid. Voor de meesten was het alsof een televisieserie tot leven was gekomen. Alleen Missy of Messy of een of andere naam die met een m begon, bleef doodstil zitten.

'Maar dat geeft niks,' ging Myron verder. 'We hebben hem bijna. Over een uur of twee wordt hij in hechtenis genomen. De politie zit hem op dit moment op de hielen. Ik wilde jullie even bedanken voor al jullie medewerking.'

Het m-meisje zei: 'Jij was toch geen politieagent?'

Een hele zin 'nou' of 'je weet wel'. Hmm. 'Ik ben undercover,' zei Myron.

'O. Mijn. Hemel.'

'Maak het nou!'

'Whoa!'

'Bedoel je zoals in *New York Undercover*?'

Myron, die niet onbekend was met tv, had geen idee waar ze het over had. 'Precies,' zei hij.

'Wat ontzettend gaaf.'

'Komen wij, nou, op tv?'

'In het journaal van zes uur?'

'Die kerel van Channel Four is zo knap, weet je?'

'Mijn haar zit voor geen meter.'

'Niet waar, Amber. Maar het mijne is net een rattennest.'

Myron schraapte zijn keel. 'We hebben de hele zaak bijna opgelost. Op een ding na. De medeplichtige.'

Myron wachtte tot een van hen zou zeggen: 'Medeplichtige?' Dat deed echter niemand. Myron ging wat verder. 'Iemand uit dit winkelcentrum heeft die engerd geholpen om mij in de val te lokken.'

'Nou, zeg. Hier?'

'Uit óns winkelcentrum?'

'Niet uit óns winkelcentrum. Dat kan niet.'

Ze zeiden het woord 'winkelcentrum' op een toon waarop andere mensen 'synagoge' zeiden.

'Heeft iemand die goorlap geholpen?'

'Uit óns winkelcentrum?'

'Gadver.'

'Nou, dat kan ik niet geloven.'

'Geloof het maar,' zei Myron. 'Sterker nog, hij of zij is waarschijnlijk op dit moment hier. En houdt ons in de gaten.'

Hoofden draaiden naar alle kanten. Zelfs M slaagde erin om mee te doen, al was haar poging niet erg overtuigend.

Myron had ze in aanraking gebracht met de azijn, nu werd het tijd voor de stroop. 'Hoor eens, dames, ik wil dat jullie je ogen en oren openhouden. We krijgen die medeplichtige wel. Geen twijfel mogelijk. Dergelijke kerels praten altijd hun mond voorbij. Maar als de medeplichtige nou een onnozele hals was...'

Niet-begrijpende gezichten.

'Als ze niet echt doorhad hoe het zat, weet je wel?' Niet echt het hiphoptaaltje, maar nu knikten ze tenminste. 'En ze direct bij me komt, voor de politie haar oppakt, dan kan ik haar waarschijnlijk wel helpen. Anders kan ze worden aangeklaagd voor poging tot moord.'

Niks. Dat had Myron wel verwacht. M zou dit natuurlijk nooit toegeven in het bijzijn van haar vriendinnen. De gevangenis boezemde veel angst in, maar het was niet meer dan een natte lucifer vergeleken bij het brandende vuurtje van groepsdruk onder tieners.

'Tot ziens, dames.'

Myron liep naar de andere kant van het horecaplein. Hij leunde tegen een pilaar zodat hij halverwege het tafeltje van de meiden en de toiletten in stond. Hij wachtte, en hoopte dat ze een smoesje zou verzinnen en naar hem toe zou komen. Na ongeveer vijf minuten stond M op en liep op Myron af. Precies zoals zijn bedoeling was geweest. Myron glimlachte bijna. Misschien had hij beroepskeuzeadviseur op een middelbare school moeten worden. Jonge geesten vormen, levens een positieve draai geven.

Het M-meisje liep bij hem vandaan, naar de uitgang.

Verdomme.

Myron draafde haastig naar haar toe, zijn glimlach zo stralend als maar kon. 'Mindy?' Opeens wist hij haar naam weer.

Ze keek hem aan, maar zei niks.

Hij zette een zachte stem op en legde een begrijpende blik in zijn ogen. Een mannelijke Oprah. Een vriendelijkere, zachtere Regis. 'Alles wat je tegen mij zegt, is vertrouwelijk,' zei hij. 'Als jij hier bij betrokken bent...'

'Blijf gewoon uit mijn buurt, ja? Ik ben toevallig nergens bij betrokken.'

Ze passeerde hem en liep haastig langs Foot Locker en Athlete's Foot, twee winkels waarvan Myron altijd had gedacht dat ze elkaars alter ego waren, zoals je Batman en Bruce Wayne ook nooit in dezelfde kamer zag.

Myron keek haar na. Ze was niet ingestort, wat een beetje als een verrassing kwam. Zijn reserveplan kwam in actie. Mindy bleef stevig doorlopen en wierp elke paar stappen een blik achterom om er zeker van te zijn dat Myron haar niet volgde. Dat deed hij niet.

Maar wat Mindy ontging was de aantrekkelijke Latina die gekleed was in een spijkerbroek, slechts een klein stukje links van haar.

Mindy vond een openbare telefoon bij de platenzaak, die er precies hetzelfde uitzag als elke andere platenzaak in een winkelcentrum. Ze keek om zich heen, stopte een kwartje in de gleuf en toetste een nummer in. Net toen haar vinger het zevende cijfer had ingedrukt, werd er een kleine hand over haar schouder gestoken die de verbinding verbrak.

Met een ruk draaide ze zich naar Esperanza toe. 'Hé!'

Esperanza zei: 'Hang de telefoon op.'

'Hé!'

'Ja, hé. Hang nu op.'

'Ja, nou, wie ben jij in godsnaam?'

'Hang op,' herhaalde Esperanza. 'Anders prop ik hem in een neusgat.'

Met haar ogen opengesperd van verwarring, gehoorzaamde Mindy. Een paar seconden later verscheen Myron. Hij keek naar Esperanza. 'In een neusgat?'

Ze haalde haar schouders op.

Mindy riep: 'Nou zeg, dat kun je niet maken.'

'Wat niet?' vroeg Myron.

'Nou...' Mindy zweeg en worstelde met de gedachte. 'Mij dwingen de telefoon op te hangen?'

'Dat is niet tegen de wet,' zei Myron. Hij keek Esperanza aan. 'Ken jij een wet die dat verbiedt?'

'Het ophangen van een telefoon?' Nadrukkelijk schudde Esperanza haar hoofd. 'Nee, *señor.*'

'Zie je, daar is geen wet tegen. Maar er is wel een wet die het helpen en ondersteunen van een misdadiger verbiedt. Dat heet een misdrijf. Daarvoor ga je de gevangenis in.'

'Ik heb niemand geholpen. En ik ondersteun niks.'

Myron wendde zich tot Esperanza. 'Heb je het nummer?'

Ze knikte en gaf het hem.

'Laten we het dan natrekken.'

Ook in dit geval maakte het computertijdperk de taak angstaanjagend eenvoudig. Iedereen kan een computerprogramma kopen bij zijn softwarewinkel of even naar bepaalde websites gaan, zoals Biz, het nummer intypen en voilà, je hebt een naam en adres.

Esperanza gebruikte een mobiele telefoon om het privénummer van de nieuwe receptioniste van MB SportReps te bellen die de toepasselijke naam Big Cindy had. Ze was bijna een meter drieënnegentig en woog ruim honderdvijfendertig kilo. Big Cindy had in het verleden aan professioneel worstelen gedaan onder de naam Big Chief Mama, en ze was de *tag team*-partner van Esperanza 'Little Pocahontas' Diaz geweest. In de ring was Big Cindy opgemaakt als Tammy Faye op steroïden en haar haar was zo hoog getoupeerd dat Sid en Nancy jaloers zouden zijn geweest. Ze droeg gescheurde T-shirts waardoor haar spieren goed te zien waren en ze had een bijzonder hatelijke blik met een bijbehorende grom. In het echte leven was ze eigenlijk precies zo.

Esperanza vertelde Cindy het nummer in het Spaans.

Mindy zei: 'Hé. Nou, ik ga ervandoor.'

Myron greep haar arm beet. 'Ik ben bang van niet.'

'Hé! Je kunt me hier niet zomaar vasthouden, weet je.'

Myrons greep verslapte niet.

'Ik ga gillen dat je me verkracht, hoor.'

Myron sloeg zijn ogen ten hemel. 'Bij een openbare telefoon in een winkelcentrum. Onder felle tl-buizen. Terwijl ik hier sta met mijn vriendin.'

Mindy keek Esperanza aan. 'Is zij je vriendin?'

'Ja.'

Esperanza begon 'Dream Weaver' te fluiten.

'Maar je kunt me niet dwingen om, nou, bij je blijven.'

'Ik begrijp het niet, Mindy. Je ziet eruit als een aardig meisje.' In feite droeg ze een zwarte legging, pumps met veel te hoge hakken, een rood haltertopje en om haar hals zat iets wat op een hondenhalsband leek. 'Wil je soms zeggen dat die kerel het waard is om in de gevangenis te belanden? Hij is een drugsdealer, Mindy. Hij heeft geprobeerd mij te vermoorden.'

Esperanza verbrak de verbinding. 'Het is van een bar die de Parker Inn heet.'

'Weet je waar dat is?' vroeg hij aan Mindy.

'Ja.'

'Kom mee.'

Mindy rukte zich los. 'Laat me los,' zei ze, het laatste woord langer aanhoudend.

'Mindy, dit is geen spelletje. Je hebt iemand geholpen bij een poging mij te vermoorden.'

'Dat zeg jij.'

'Wat?'

Mindy zette haar handen in haar zij en kauwde op haar kauwgum. 'Nou, hoe moet ik weten dat jij niet de slechterik bent?'

'Pardon?'

'Nou, je komt gisteren naar ons toe, hè? Heel mysterieus en zo. Maar je hebt helemaal geen badge of zo, weet je wel? Hoe moet ik weten of je het niet op Tito hebt gemunt? Hoe moet ik weten of je niet gewoon een drugsdealer bent die probeert zijn handel over te nemen, weet je wel?'

'Tito?' herhaalde Myron, terwijl hij even naar Esperanza keek. 'Een neonazi die Tito heet?'

Esperanza haalde haar schouders op.

'Nou, door zijn vrienden wordt hij geen Tito genoemd,' ging Mindy verder. 'Dat is veel te lang, weet je wel? Daarom noemen ze hem Tiet.'

Myron en Esperanza wierpen elkaar een blik toe, maar ze schudden hun hoofd. Te gemakkelijk.

'Mindy,' zei Myron langzaam. 'Ik maakte zojuist geen geintje. Tito is geen lieverdje. De kans bestaat zelfs dat hij betrokken is bij de ontvoering en verminking van een jongen van jouw leeftijd. Iemand heeft de vinger van de jongen afgesneden en naar zijn moeder gestuurd.'

Haar gezicht vertrok. 'O, dat is, nou goor.'

'Help me, Mindy.'

'Ben je politieagent?'

'Nee,' zei Myron. 'Ik probeer alleen een jongen te redden.'

Ze zwaaide laatdunkend met haar handen. 'Nou, ga dan. Daar heb je mij niet voor nodig.'

'Ik wil graag dat je met ons meegaat.'

'Waarom?'

'Zodat je Tito niet waarschuwt.'

'Dat zal ik niet doen.'

Myron schudde zijn hoofd. 'Jij weet ook hoe je bij de Parker Inn moet komen. Dat scheelt ons tijd.'

'Nee, nee. Echt niet. Ik ga niet met jullie mee.'

'Als je het niet doet, vertel ik Amber, Trish en de rest alles over je nieuwe vriendje,' zei Myron.

Nu had hij haar aandacht. 'Hij is mijn vriendje niet,' zei ze nadrukkelijk. 'We hebben alleen een paar keer, nou, wat rondgehangen, weet je wel?'

Myron glimlachte. 'Goed, dan zal ik liegen,' zei hij. 'Ik zal tegen ze zeggen dat je met hem naar bed bent geweest.'

'Dat ben ik niet,' gilde ze. 'Dat is, nou, zo gemeen.'

Myron haalde hulpeloos zijn schouders op.

Ze sloeg haar armen over elkaar en kauwde op haar kauwgum. Dat was haar versie van opstandigheid. Dat duurde niet lang. 'Goed, goed, ik ga wel mee.' Met een vinger wees ze naar Myron. 'Maar ik wil niet dat Tiet me ziet, oké? Ik blijf in de auto.'

'Afgesproken,' zei Myron. Hij schudde zijn hoofd. Nu zaten ze achter een man aan die Tiet heette. Het werd steeds gekker.

De Parker Inn was een typische redneck-, motorrijders- en schurkentent. De parkeerplaats stond vol pick-ups en motoren. Uit de deur die telkens openging blèrde countrymuziek. Een aantal mannen met een John Deere-honkbalpet op gebruikte de zijkant van het gebouw als urinoir. Af en toe draaide eentje zich om en piste op de anderen. Dat leidde tot gevloek en gelach. Wat een pret.

In zijn auto die aan de overkant van de straat stond, keek Myron naar Mindy en vroeg: 'Dus jij kwam hier graag?'

Ze haalde haar schouders op. 'Nou, ik ben er maar een paar keer geweest,' zei ze. 'Voor de spanning, snap je?'

Myron knikte. 'Waarom heb je je niet gewoon overgoten met benzine en een lucifer afgestreken?'

'Val dood, oké? Je bent mijn vader niet.'

Hij hief zijn handen op. Daar had ze gelijk in. Het ging hem niets aan. 'Zie je Tito's pick-up staan?' Myron kon zich er niet toe brengen de man Tiet te noemen. Misschien als hij hem wat beter had leren kennen.

Mindy keek de parkeerplaats rond. 'Nee.'

Myron ook niet. 'Weet je waar hij woont?'

'Nee.'

Myron schudde zijn hoofd. 'Hij dealt drugs. Hij heeft een tatoeage van een hakenkruis. En hij heeft geen kont. Maar laat me raden... diep vanbinnen is Tito echt heel lief.'

Mindy gilde: 'Val dood, oké? Val toch dood.'

'Myron,' zei Esperanza bij wijze van waarschuwing.

Opnieuw stak Myron zijn handen omhoog. Ze leunden allemaal achterover en keken naar buiten. Er gebeurde niks.

Mindy zuchtte zo hard mogelijk. 'Kan ik, nou, naar huis gaan?'

Esperanza zei: 'Ik heb een idee.'

'Wat dan?' vroeg Myron.

Esperanza trok de panden van haar blouse uit haar spijkerbroek. Ze legde er een knoop in, vlak onder haar ribbenkast, zodat er flink wat platte, donkere buik te zien was. Daarna maakte ze de knoopjes gewaagd ver los. Daardoor was haar zwarte beha zichtbaar, zag Myron, die immers een volleerd detective was. Ze deed het spiegeltje aan de zonneklep open en begon zich op te maken. Met heel veel make-up. Veel te veel make-up. Ze maakte haar haren wat in de war en rolde de pijpen van haar spijkerbroek op. Toen ze klaar was, keek ze Myron glimlachend aan.

'Hoe zie ik eruit?' vroeg ze.

Zelfs Myrons benen voelden een beetje slapjes. 'Ga je daar zo gekleed naar binnen?'

'Zo kleedt iedereen zich daar.'

'Maar niet iedereen ziet eruit zoals jij,' zei hij.

'Nee, maar,' zei Esperanza. 'Een complimentje.'

'Ik bedoel, als een danseresje uit *West Side Story*.'

'*A boy like that*,' zong Esperanza, '*he keel your brother, forget that boy, go find another…*'

'Als ik je vennoot maak, moet je niet in die kleren naar directievergaderingen komen.'

'Afgesproken,' zei Esperanza. 'Mag ik nu gaan?'

'Bel me eerst op de mobiele telefoon. Ik wil er zeker van zijn dat ik alles kan horen wat er gebeurt.'

Ze knikte en belde het nummer. Hij nam op. Ze controleerden de verbinding.

'Niet de held uithangen,' zei hij. 'Vraag alleen of hij er is. Als het uit de hand loopt, ga je er meteen weg.'

'Oké.'

'En we moeten een codewoord hebben. Iets wat je zegt als je mijn hulp nodig hebt.'

Esperanza knikte en deed net alsof ze serieus was. 'Als ik de woorden "voortijdige zaadlozing" zeg, moet je meteen komen.'

'Om het maar zo te zeggen.'

Esperanza en zelfs Mindy kreunden.

Myron deed zijn dashboardkastje open en haalde er een wapen uit. Hij zou niet nog eens onvoorbereid overvallen worden. 'Ga,' zei hij.

Esperanza sprong de auto uit en stak de straat over. Een zwarte Corvette met geschilderde vlammen op de motorkap en een motor die extra luid *vroem* zei stopte naast haar. Een primaat, behangen met gouden kettingen, liet de motor brullen en stak zijn hoofd uit het raampje. Hij glimlachte glibberig naar Esperanza. Esperanza keek van de auto naar de bestuurder. 'Het spijt me te horen van je penis,' zei ze effen.

De auto reed weg. Esperanza haalde haar schouders op en zwaaide naar Myron. Het was geen originele zin, maar ze had er altijd succes mee.

'Jezus, ik ben gek op die vrouw,' zei Myron.

'Ze is waarzinnig cool, weet je wel,' stemde Mindy in. 'Zag ik er maar zo uit.'

'Je zou moeten willen dat je zo was als zij,' verbeterde hij haar.

'Wat is het verschil? Ze gaat zeker heel vaak naar de sportschool?'

Esperanza ging de Parker Inn binnen. Het eerste wat haar trof was de geur, een penetrante combinatie van opgedroogde kots en zweet, alleen dan minder aangenaam voor de neus. Ze trok haar neus op en liep verder de zaak in. Er lag een hardhouten vloer met heel veel zaagsel erop. Het licht was gedempt en kwam van de plafondlampen die boven de pooltafel hingen en die voor namaak Tiffany-lampen moesten doorgaan. Er waren waarschijnlijk twee keer zo veel mannen als vrouwen. Iedereen ging – in twee woorden – goedkoop gekleed.

Esperanza keek de bar door. Toen sprak ze zo hard dat Myron haar via de telefoon kon horen. 'Zowat honderd mannen hier voldoen aan je omschrijving,' zei ze. 'Het is net alsof ik een implantaat in een stripclub moet zoeken.'

Myrons telefoon stond op mute, maar ze durfde te wedden dat hij zat te lachen. Een implantaat in een stripclub. Niet slecht, dacht ze. Helemaal niet slecht.

En nu?

Mensen staarden naar haar, maar daar was ze wel aan gewend. Er verstreken drie seconden waarna er een man naar haar toe kwam. Hij had een lange, kroezige baard waar stukjes aangekoekt eten in zaten. Hij glimlachte tandenloos en liet zijn blik onbeschaamd over haar heen gaan.

'Ik heb een geweldige tong,' zei hij tegen haar.

'Nou alleen nog een paar tanden.'

Ze duwde hem opzij en liep naar de bar. Twee tellen later sprong er een kerel op haar af. Hij droeg een cowboyhoed. Een cowboyhoed. In Philadelphia. Wat klopt er niet aan dat plaatje?

'Hé, schatje, ken ik jou niet ergens van?'

Esperanza knikte. 'Nog één zo'n gladde opmerking en ik ga me misschien wel uitkleden,' zei ze.

De cowboy schaterde het uit alsof hij nog nooit zoiets grappigs had gehoord. 'Nee, kleine meid, ik probeer je niet te versieren. Ik meen het...' Zijn stem stierf min of meer weg. 'Jezus nog aan toe!' riep hij. 'Het is Little Pocahontas! De Indiase prinses! Jij bent Little Pocahontas toch? Nee, ontken het maar niet, schatje. Jij bent het echt. Het is ongelooflijk.'

Myron kwam ongetwijfeld niet meer bij.

'Aangenaam kennis te maken,' zei Esperanza. 'Ik vind het leuk dat je dat nog weet.'

'Shit, kom eens kijken, Bobby. Het is Little Pocahontas. Weet je nog? Dat hete wijfie van FLOW?'

FLOW was natuurlijk de afkorting van 'Fabulous Ladies of Wrestling'. De originele naam van de organisatie was 'Beautiful Ladies of Wrestling' geweest, maar nadat ze populair genoeg voor de tv waren geworden, hadden de zenders erop gestaan dat ze een nieuwe afkorting zouden verzinnen.

'Waar?' Een andere man kwam erbij staan. Zij ogen waren groot en hij was dronken en opgewekt. 'Godsamme, je hebt gelijk. Zij is het! Ze is het echt!'

'Hé, bedankt voor de herinneringen, mannen, maar...'

'Ik herinner me die keer dat je vocht tegen Tatiana de Siberische Husky. Weet jij dat nog? Shit, mijn stijve boorde bijna een gat in het raam van mijn slaapkamer.'

Esperanza was van plan dat weetje te archiveren onder Te Veel Informatie.

Een gigantische barkeeper kwam naar hen toe. Hij zag eruit als de man op de poster in het maandblad *Leather Biker*. Extra groot en extra angstaanjagend. Hij had lang haar, een lang litteken en tatoeages van slangen die langs zijn armen glibberden. Hij wierp de mannen een boze blik toe en – poef – ze waren verdwenen. Het leek wel alsof zijn blik ze had verdampt. Toen wendde hij zich tot Esperanza. Ze weerstond zijn boze blik en keek net zo kwaad terug. Ze gaven allebei geen krimp.

'Dame, wat moet jij in godsnaam voorstellen?' vroeg hij.

'Is dat een nieuwe manier om te vragen wat ik wil drinken?'

'Nee.' De boze blik verdween niet. Met twee enorme slangenarmen leunde hij op de bar. 'Je bent veel te knap om een agent te zijn,' zei hij. 'En je bent veel te knap om in deze pleezaak rond te hangen.'

'Nou, bedankt,' zei Esperanza. 'En wie ben jij?'

'Hal,' zei hij. 'Ik ben de eigenaar van deze pleezaak.'

'Dag, Hal.'

'Ja, dag. Nou, wat moet je hier?'

'Ik probeer een snuifje te scoren,' zei ze.

'Nee,' zei Hal hoofdschuddend. 'Daarvoor zou jij naar de latinobuurt gaan. Je zou het van je eigen soort kopen. En daar bedoel ik niks mee.' Hij boog zich nog verder naar haar toe en Esperanza vroeg zich onwillekeurig af of Hal een geschikte kerel zou zijn voor Big Cindy. Die was gek op grote motormuizen. 'Hou eens op met die onzin, liefje. Wat wil je?'

Esperanza besloot er niet omheen te draaien. 'Ik zoek een klein onderkruipsel dat Tito heet. Hij wordt Tiet genoemd. Mager, kaalgeschoren hoofd...'

'Ja, ja, mísschien ken ik hem wel. Hoeveel?'

'Vijftig dollar.'

Hal snoof. 'Moet ik een klant verraden voor vijftig dollar?'

'Honderd.'

'Honderdvijftig. Die verrekte klaploper is me nog geld schuldig.'

'Afgesproken,' zei ze.

'Laat me het geld zien.'

Esperanza pakte de briefjes uit haar portemonnee. Hal probeerde ze te pakken, maar ze trok ze weg. 'Jij eerst,' zei ze.

'Ik weet niet waar hij woont,' zei Hal. 'Hij en zijn vriendjes die altijd in de paradepas lopen, komen hier elke avond, behalve woensdag en zaterdag.'

'Waarom komen ze niet op woensdag en zaterdag?' vroeg ze.

'Hoe moet ik dat in godsnaam weten? Misschien spelen ze op woensdag bingo en gaan ze op zaterdag naar de avondmis. Of zitten ze in een kringetje te rukken en roepen ze "Heil Hitler" als ze klaarkomen. Weet ik veel.'

'Wat is zijn echte naam?'

'Dat weet ik niet.'

Ze keek het café rond. 'Is een van die jongens er nu?'

'Nee,' zei Hal. 'Tiet komt altijd met dezelfde slappe lullen en ze vertrekken ook weer samen. Ze praten verder met niemand. Dat is *verboten*.'

'Zo te horen mag je hem niet.'

'Het is een stomme gozer. Dat zijn ze allemaal. Klootzakken die het andere mensen kwalijk nemen dat zij genetische mutaties zijn.'

'Waarom laat je ze hier dan binnen?'

'Omdat ik in tegenstelling tot hen weet dat we in de Verenigde Staten van Amerika zijn. Je mag zijn wat je wilt. Iedereen is hier welkom. Zwart, blank, Spanjool, Jap, wat dan ook. Zelfs stomme gozers.'

Esperanza begon bijna te glimlachen. Soms trof je tolerantie op de vreemdste plekken aan. 'Verder nog iets?'

'Dat is alles wat ik weet. Het is zaterdagavond. Morgen zijn ze hier.'

'Goed,' zei Esperanza. Ze scheurde de biljetten doormidden. 'Morgen geef ik je de andere helft van de briefjes.'

Hal stak zijn grote hand uit en legde hem op haar onderarm. Zijn boze blik werd iets gemener. 'Niet zo snel, dame met de mooie benen,' zei hij langzaam. 'Als ik *gang bang* roep, lig je over vijf seconden plat op je rug op de pooltafel. Je geeft me die honderdvijftig nu. Dan scheur je nog een honderdje in tweeën zodat ik mijn mond hou. Heb je dat goed begrepen?'

Haar hart bonsde hard in haar borstkas. 'Begrepen,' zei ze. Ze gaf hem de andere helft van de biljetten. Toen pakte ze nog een honderdje, scheurde het doormidden en gaf het aan hem.

'Maak dat je wegkomt, lekker kontje. Nu meteen.'

Dat hoefde hij geen twee keer te zeggen.

20

Meer konden ze die avond niet doen. Het zou op z'n minst onbezonnen zijn om het huis van de Squires te benaderen. Hij kon de Coldrens niet bellen of contact met ze opnemen. Het was te laat om zich tot de weduwe van Lloyd Rennart te wenden. En ten slotte – misschien wel de belangrijkste reden – was Myron doodmoe.

Daarom bracht hij de avond door in het gastenverblijf met de twee beste vrienden die hij had. Myron, Win en Esperanza lagen elk languit op een bank, als klokken van Dali. Ze droegen T-shirts en korte broeken en hadden zich diep in dikke kussens genesteld. Myron dronk te veel Yoo-Hoo; Esperanza dronk te veel cola-light en Win dronk bijna genoeg Brooklyn pils. (Win dronk alleen pils, nooit bier.) Er waren pretzels en Fritos en Ruffles en vers bezorgde pizza. De lampen waren uit. De breedbeeldtelevisie stond aan. Win had pas een heel stel afleveringen van de *Odd Couple* opgenomen en ze keken naar de vierde op rij. Het leukste aan die serie was de consistentie, bedacht Myron. Ze hadden nooit een slechte aflevering gemaakt. Van hoeveel series kon je dat zeggen?

Myron nam een hap van een pizzapunt. Dit had hij echt nodig. In de eeuwigheid sinds hij de Coldrens had ontmoet, had hij nauwelijks geslapen (in werkelijkheid was dat pas de dag ervoor geweest). Zijn hersens waren doorgebrand; zijn zenuwen werden rafelig als flossdraad dat te lang was gebruikt. Nu hij hier zat met Win en Esperanza, terwijl hun gezichten blauw werden verlicht door de beeldbuis, voelde Myron zich werkelijk tevreden.

'Het is gewoon niet waar,' hield Win vol.

'Echt niet,' beaamde Esperanza en ze at een Ring-Ding.

'Geloof me maar,' zei Myron. 'Jack Klugman draagt een haarstukje.'

Wins stem klonk vastberaden. 'Oscar Madison zou nooit een toupet dragen. Nooit, zeg ik je. Felix misschien wel. Maar Oscar niet. Dat kan gewoon niet.'

'Jawel,' zei Myron. 'Dat is een haarstukje.'

'Je bent in de war met de vorige aflevering,' zei Esperanza. 'Die met Howard Cosell.'

'Ja, precies,' stemde Win in, en hij knipte met zijn vingers. 'Howard Cosell. Die droeg een pruik.'

Myron keek vermoeid naar het plafond. 'Ik ben niet in de war met Howard Cosell. Ik kan Howard Cosell en Jack Klugman uit elkaar houden. Echt, Klugman draagt een toupet.'

'Waar is de overgang dan?' daagde Win hem uit, naar de tv wijzend. 'Ik zie geen overgang, grens of verkleuring. En meestal ben ik heel goed in het zien van overgangen.'

'Ik zie er ook geen,' zei Esperanza met samengeknepen ogen.

'Dat is twee tegen één,' zei Win.

'Best, dan geloven jullie me maar niet,' zei Myron.

'In *Quincy* had hij zijn eigen haar,' zei Esperanza.

'Nee,' zei Myron. 'Dat had hij niet.'

'Twee tegen één,' herhaalde Win. 'De meerderheid wint.'

'Best,' herhaalde Myron. 'Blijf dan maar onwetend.'

Op tv leidde Felix een band die Felix and the Sophisticatos heette. Ze dwaalden door een up-tempo nummer met de telkens herhaalde zin '*Stumbling all around*'. Best wel aanstekelijk.

'Waarom ben je er zo zeker van dat het een tapijtje is?' vroeg Esperanza.

'*The Twilight Zone*,' zei Myron.

'Hè, wat bedoel je?'

'*The Twilight Zone*. Jack Klugman speelde in minstens twee afleveringen.'

'O, ja,' zei Win. 'Nee, niks zeggen, eens even denken of ik het nog weet.' Hij zweeg even en tikte met zijn wijsvinger tegen zijn lip. 'Die met Pip, het kleine jongetje. Die werd gespeeld door…' Win wist het antwoord. Het leven met zijn vrienden was een eeuwigdurend spel van nutteloze weetjes.

'Bill Mumy.' Esperanza gaf het antwoord.

Win knikte. 'En zijn beroemdste rol was…'

'Will Robinson,' zei Esperanza. 'In *Lost in Space*.'

'Kennen jullie Judy Robinson nog?' Win slaakte een zucht. 'Wat een aards stuk.'

'Ja, maar waarom droeg ze van die rare kleren?' vroeg Esperanza. 'Goedkope velours truien voor ruimtereizen? Wie heeft die in vredesnaam uitgezocht?'

'En we mogen de uitgelaten dr. Zachery Smith niet vergeten,' voegde Win eraan toe. 'Het eerste homoseksuele personage in een tv-serie.'

'Sluw, konkelend, laf, met een vleugje pedofilie,' zei Esperanza hoofdschuddend. 'Door hem is de beweging twintig jaar teruggezet.'

Win pakte nog een pizzapunt. De pizzadoos was wit met rode en groene letters en de klassieke afbeelding van een dikke bakker die een dun snorretje om zijn vingers draaide. Op de doos stond, en dat is geen geintje:

Of het nou een pizza of een onderzeeër is
Wij bereiden het beste
En jij mag het testen!

Poëzie van het hoogste niveau.

'Ik kan me de tweede *Twilight Zone*-aflevering van meneer Klugman niet herinneren,' zei Win.

'Die met de poolspeler,' zei Myron. 'Jonathan Winters speelde er ook in mee.'

'O, ja.' Win knikte ernstig. 'Nu weet ik het weer. De geest van Jonathan Winters speelt een poolwedstrijd tegen het personage van meneer Klugman. Om het recht erover op te mogen scheppen of iets dergelijks.'

'Correct geantwoord.'

'Maar wat hebben die twee afleveringen van *The Twilight Zone* met het haar van meneer Klugman te maken?'

'Heb je ze op band?'

Win zweeg even. 'Ik denk het wel. Ik heb onlangs een *Twilight*-marathon opgenomen. Daar staat ongetwijfeld een van beide afleveringen tussen.'

'Dan moeten we die zoeken,' zei Myron.

Het kostte hen met zijn drieën bijna twintig minuten om door zijn enorme verzameling videobanden heen te gaan tot ze eindelijk de aflevering met Bill Mumy hadden gevonden. Win deed de band in de videorecorder en eiste vervolgens zijn bank weer op. In stilte bekeken ze de aflevering.

Een paar minuten later, zei Esperanza: 'Verrek nog aan toe.'

Een zwart-witte Jack Klugman riep 'Pip', de naam van zijn overleden zoon, en zijn gekwelde kreten riepen een lieve verschijning uit het verleden op. De scène was behoorlijk aangrijpend, maar deed er in feite helemaal niks toe. Waar het natuurlijk om ging, was dat in deze aflevering, die minstens tien jaar ouder was dan de *Odd Couple*, de haargrens van Jack Klugman duidelijk een heel eind was teruggetrokken.

Win schudde zijn hoofd. 'Jij bent goed,' zei hij op gedempte toon. 'Heel erg goed.' Hij keek Myron aan. 'Ik voel me echt heel nederig in jouw aanwezigheid.'

'Trek het je niet aan,' zei Myron. 'Jij bent op je eigen manier heel bijzonder.'

Diepzinniger dan dat werd het gesprek niet.

Ze lachten. Ze maakten grapjes. Ze maakten elkaar belachelijk. Niemand zei iets over een ontvoering of de Coldrens, het bedrijf, geldzaken, het binnenhalen van Tad Crispin of de afgesneden vinger van een jongen van zestien.

Win was de eerste die indommelde. Toen Esperanza. Myron probeerde Jessica nog een keer te bellen, maar ze nam niet op. Dat verbaasde hem niets. Jessica kon vaak niet slapen. Ze zei altijd dat een wandeling haar inspireerde. Hij hoorde haar stem op het antwoordapparaat en voelde iets in hem omlaag storten. Toen het piepje klonk, sprak hij een bericht in.

'Ik hou van je,' zei hij. 'Ik zal altijd van je houden.'

Hij hing op, kroop terug naar de bank en trok de deken op tot zijn kin.

21

Toen Myron de volgende ochtend op de Merion Golf-club kwam, vroeg hij zich even af of Linda Coldren Jack had verteld over de afgesneden vinger. Dat had ze. Op de derde hole was Jack al drie slagen van zijn voorsprong kwijtgeraakt. Zijn gezichtskleur leek op die van Casper uit de teken-films. Zijn blik was zo leeg als het Bates Motel en zijn schouders zakten omlaag als zakken nat veenmos.

Win fronste zijn wenkbrauwen. 'Kennelijk zit dat gedoe met die vinger hem dwars.'

Meneer Inzicht.

'Die gevoeligheidstraining begint echt zijn vruchten af te werpen,' zei Myron.

'Ik had niet verwacht dat Jack daar volledig door zou instorten.'

'Win, een ontvoerder heeft de vinger van zijn zoon afgehakt. Dat is iets waarvan iedereen in verwarring zou raken.'

'Ja, dat zal wel.' Win klonk niet erg overtuigd. Hij wendde zijn blik af en begon in de richting van de fairway te lopen. 'Heeft Crispin je de cijfers van zijn overeenkomst met Zoom laten zien?'

'Ja,' zei Myron.

'En?'

'Hij is afgescheept met een fooitje.'

Win knikte. 'Daar kun je nu niet veel meer aan doen.'

'Daar kan ik nog heel wat aan doen,' zei Myron. 'Dat heet op-nieuw onderhandelen.'

'Crispin heeft een overeenkomst getekend,' zei Win.

'Nou en?'

'Zeg alsjeblieft niet dat je wilt dat hij zich terugtrekt.'

'Ik heb niet gezegd dat ik wil dat hij zich terugtrekt. Ik zei dat ik opnieuw wil onderhandelen.'

'Opnieuw onderhandelen,' herhaalde Win alsof het woord een azijnsmaak had. Hij sjokte verder over de fairway. 'Waarom gaat een sporter die slechte prestaties levert nooit opnieuw onderhandelen? Waarom zie je een speler die een vreselijk seizoen kent nooit een overeenkomst naar beneden bijstellen?'

'Daar zeg je iets,' zei Myron. 'Maar kijk, ik heb nou eenmaal een bepaalde taakomschrijving. Die luidt ongeveer zo: zo veel mogelijk geld binnen zien te halen voor een cliënt.'

'Of dat moreel verantwoord is of niet.'

'Jezus, wat heb jij opeens? Ik mag dan misschien naar mazen in de wet zoeken, maar ik speel altijd volgens de regels.'

'Je klinkt net als een strafpleiter,' zei Win.

'Dat is wel een heel gemene opmerking,' zei Myron.

Het publiek ging op een nogal verontrustende manier op in het drama dat zich voor hun ogen ontvouwde. Het had wel iets van kijken naar een auto-ongeluk in super slowmotion. Je was geschokt; je staarde ernaar; en een deel van je juichte bijna vanwege de pech van je medemens. Met open mond vroeg je je af hoe dit zou aflopen en je hoopte bijna dat de knal fataal zou zijn. Jack Coldren was langzaam aan het sterven. Zijn hart brak in stukjes als bruine blaadjes in een gesloten vuist. Je zag het allemaal gebeuren. En je wilde dat het doorging.

Op de vijfde hole voegden Myron en Win zich bij Norm Zuckerman en Esme Fong. Ze waren allebei gespannen, vooral Esme, maar voor haar hing er dan ook veel af van deze ronde. Op de achtste hole zagen ze hoe Jack een eenvoudige putt miste. Slag voor slag werd zijn voorsprong kleiner van onaantastbaar tot flink tot nagelbijtend klein.

Op de laatste negen holes wist Jack het bloeden een beetje te stelpen. Hij bleef slecht spelen, maar met nog drie holes te gaan, had hij nog altijd een voorsprong van twee slagen. Tad Crispin zette hem onder druk, maar hij zou nog altijd een flinke blunder van Jack Coldren nodig hebben om te winnen.

Toen gebeurde het.

Op de zestiende hole. Dezelfde hindernis die drieëntwintig jaar eerder een einde had gemaakt aan Jacks droom. Beide mannen begonnen prima. Ze hadden mooie tee-slagen op wat Win een 'enigszins kromme fairway' noemde. Ja, ja. Maar bij Jacks tweede slag sloeg het noodlot toe. Hij kwam over de top, maar was te kort. Veel te kort.

De bal belandde in de steengroeve.

De menigte snakte naar adem. Myron keek vol afgrijzen toe. Jack had het ondenkbare gedaan. Alweer.

Norm Zuckerman stootte Myron aan. 'Ik ben vochtig,' zei hij opgetogen. 'Ik zweer het, ik ben vochtig in de onderste regionen. Voel zelf maar.'

'Ik geloof je op je woord, Norm.'

Myron wendde zich tot Esme Fong. Haar gezicht begon te stralen. 'Ik ook,' zei ze.

Een intrigerend beeld, maar ook daar ging hij niet op in.

Jack Coldren reageerde nauwelijks, alsof een inwendig circuit kortsluiting had geleden. Hij zwaaide niet met een witte vlag, maar hij zag eruit alsof hij dat wel zou moeten doen.

Tad Crispin deed er zijn voordeel mee. Hij sloeg een prachtige bal van de fairway naar de green en eindigde met een putt van tweeënhalve meter die hem aan de leiding zou brengen. Terwijl de jonge Tad over de bal gebogen stond, was de stilte van de tribunes overweldigend. Niet alleen van de toeschouwers, maar het leek alsof het verkeer in de buurt en de overvliegende vliegtuigen en zelfs het gras, de bomen en de baan zelf zich allemaal tegen Jack Coldren hadden gekeerd.

Dit was een ongelooflijk grote druk. En daar maakte Tad Crispin dankbaar gebruik van.

Toen de putt in het kuiltje viel, klonk er geen beleefd golfapplaus. De menigte ontplofte als de Vesuvius in zijn laatste dagen. Het geluid drong naar voren in een krachtige golf, verwarmde de jonge nieuwkomer en slingerde de stervende veteraan opzij. Iedereen leek dit te willen. Iedereen wilde Tad Crispin kronen en Jack Coldren onthoofden. De jonge, knappe man tegen de rimpelige oudgediende, als het golfequivalent van de debatten tussen Nixon en Kennedy.

'Wat een *yip-master*,' zei iemand.

'Nou, een yipper pur sang,' zei een ander.

Myron keek vragend naar Win.

'Yip,' zei Win. 'Het nieuwste eufemisme voor verliezen.'

Myron knikte. Je kon een sporter niets ergers noemen. Het gaf niet wanneer je ongetalenteerd was, er niks van bakte of je dag niet had, maar je mocht hem geen verliezer noemen. Dat nooit. Verliezers waren laf. Hun mannelijkheid werd in twijfel getrokken. Uitgescholden worden voor verliezer was hetzelfde als in je nakie voor een beeldschone vrouw staan die lachend naar je wees.

Zo stelde Myron het zich tenminste voor.

Hij zag Linda Coldren in een privétent op de eretribune die uitzicht bood op de achttiende hole. Ze had een zonnebril op en ze droeg een honkbalpet die ze ver naar beneden had getrokken. Myron keek naar haar op. Zij keek niet terug. Op haar gezicht lag een licht verwonderde uitdrukking, alsof ze een wiskundeprobleem aan het oplossen was of zich de naam probeerde te herinneren van iemand die haar bekend voorkwam. Om de een of andere reden stoorde Myron zich aan die uitdrukking. Hij bleef in haar blikveld staan, in de hoop dat ze hem een teken zou geven. Dat deed ze niet.

Tad Crispin begon met een voorsprong van een slag aan de laatste hole. De andere golfers waren klaar voor die dag en veel van hen kwamen rond de achttiende hole staan om het laatste bedrijf van de grootste instorting bij het golfen te bekijken.

Win begon voor Meneer Merion te spelen. 'De achttiende hole is vierhonderdvijfentwintig meter lang en is par vier,' begon hij. 'De tee is in de steengroeve. Je moet de bal heuvel op slaan, bijna honderddrieëntachtig meter ver.'

'Ik snap het,' zei Myron. Hè?

Tad moest eerst. Zijn slag leek een goede, degelijke drive te zijn. Het publiek liet dat beleefde golfapplausje horen. Jack Coldren ging klaarstaan. Zijn slag ging hoger en leek zich te meten met de elementen.

'Heel mooie golfslag,' zei Win. 'Super.'

Myron wendde zich tot Esme Fong. 'Wat gebeurt er als het in een gelijkspel eindigt? Volgt er dan een *sudden death*?'

Esme schudde haar hoofd. 'Bij andere toernooien wel. Maar niet op de Open. Dan moeten beide spelers morgen terugkomen om nog een hele ronde te spelen.'

'Alle achttien holes?'

'Ja.'

Tads tweede slag kwam bijna op de green terecht.

'Een degelijke golfslag,' vertelde Win hem. 'Zo ligt hij heel redelijk voor par.'

Jack pakte een golfclub met ijzeren kop en liep naar de bal.

Win glimlachte naar Myron. 'Komt dit je bekend voor?'

Myron kneep zijn ogen tot spleetjes. Een déjà vu overviel hem. Hij was geen fan van golf, maar vanuit deze hoek herkende hij zelfs de plek. Win had de foto op zijn dressoir op kantoor staan. Bijna elk golfboek, elke golfpub of elke golf-wat-dan-ook had de foto. Ben Hogan had op precies dezelfde plek gestaan waar Jack Coldren nu stond. In 1950 of daaromtrent. Hogan had geslagen met de beroemde één iron die hem de kampioen van de U.S. Open had gemaakt. Het was het golfequivalent van 'Havlicek stal de bal!'

Toen Jack zijn oefenswing deed, moest Myron onwillekeurig denken aan oude geesten en vreemde mogelijkheden.

'Hij staat voor een bijna onmogelijke opgave,' zei Win.

'Wat dan?'

'De plaatsing van de pin is hels vandaag. Achter die gapende bunker.'

Een gapende bunker? Myron nam niet de moeite door te vragen.

Jack vuurde een lange iron af op de green. Hij haalde hem, maar zoals Win al had voorspeld, lag hij op nog ruim zes meter afstand. Tad Crispin nam zijn derde slag, een prachtige korte chip die tot stilstand kwam op vijftien centimeter van de hole. Tad gaf hem een stootje voor par. Dat hield in dat Jack geen kans maakte om te winnen binnen de regels. Het beste wat hij kon bereiken was het afdwingen van een tiebreak. Als hij deze putt tenminste zou halen.

'Een putt van 6,7 meter,' zei Win, en hij schudde grimmig zijn hoofd. 'Dat kan hij wel vergeten.'

Hij had 6,7 meter gezegd. Niet 6,5 of 6,9. 6,7 meter, en dat zag Win na een snelle blik vanaf ruim achttien meter afstand. Golfers. Kun je nagaan.

Jack Coldren slenterde naar de green. Hij bukte zich, tilde zijn bal op, zette een marker neer, pakte de marker weer op en legde de bal neer op exact dezelfde plek. Myron schudde zijn hoofd. Golfers. Jack leek heel ver weg te zijn, alsof hij aan het putten was vanuit New Jersey. Ga maar na. Hij stond op een afstand van 6,7 meter van een hole die een doorsnede had van 10,5 centimeter. Pak snel een rekenmachine en reken het uit.

Myron, Win, Esme en Norm wachtten af. Dit was het dan. De *coup de grâce*. Het moment waarop de matador eindelijk toesteekt met het lange, dunne lemmet.

Maar terwijl Jack de loop van de green bestudeerde leek er een soort verandering plaats te vinden. De vlezige gelaatstrekken verhardden zich. De blik in de ogen werd doelbewust en staalhard en – al beeldde Myron zich dat vast in – er leek iets van de 'wil om te winnen' van de dag ervoor in op te flitsen. Myron keek achterom. Linda Coldren had de verandering ook opgemerkt. Heel even dwaalde haar aandacht af en haar blik zocht die van Myron, alsof ze bevestiging zocht. Voor Myron meer kon doen dan haar blik ontmoeten, keek ze alweer weg.

Jack Coldren nam er de tijd voor. Hij bekeek de green vanuit verschillende hoeken. Hij hurkte neer waarbij zijn club voor hem uitstak zoals wel vaker bij golfers. Hij praatte langdurig met Diane Hoffman. Maar toen hij zich eenmaal tot de bal wendde, was er geen enkele aarzeling. De club ging naar achteren als een metronoom en kuste de bal hard op weg naar beneden.

Het piepkleine witte rondje dat alle dromen van Jack Coldren met zich meedroeg cirkelde naar de hole als een arend die zijn prooi zoekt. Er bestond geen enkele twijfel voor Myron. De aantrekkingskracht was bijna magnetisch. Een paar welhaast eindeloze seconden later viel het witte rondje met een hoorbaar gerinkel op de bodem van de hole. Even heerste er stilte, maar toen volgde er nog een uitbarsting, deze meer uit verbazing dan van opwinding. Myron merkte dat hij woest applaudisseerde.

Jack had het voor elkaar gekregen. Hij had de stand gelijkgetrokken.

Boven de kakofonie van het publiek uit zei Norm Zuckerman: 'Dit is fantastisch, Esme. De hele wereld zal morgen kijken. De publiciteit zal ongelooflijk zijn.'

Esme keek overdonderd. 'Alleen als Tad wint.'

'Hoe bedoel je?'

'Stel je voor dat Tad verliest.'

'Hé, de tweede plaats op de U.S. Open?' zei Norm, zijn handpalmen opheffend naar de hemel. 'Dat is helemaal niet slecht, Esme. Zover waren we vanochtend ook. Voor dit allemaal gebeurde. Niets gewonnen, niets geronnen.'

Esme Fong schudde haar hoofd. 'Als Tad nu verliest, is hij niet eens tweede. Dan is hij niet meer dan een verliezer. Dan is hij degene die het onderspit heeft gedolven bij de confrontatie met de wereldberoemde verliezer. Dan is hij de ultieme verliezer. Dat is nog erger dan de Buffalo Bills.'

Norm snoof minachtend. 'Je maakt je veel te veel zorgen, Esme,' zei hij, maar zijn gebruikelijke poeha was verdwenen.

De menigte begon te verdwijnen, maar Jack Coldren stond nog altijd in dezelfde houding, met zijn putter in de hand. Hij vertoonde geen vreugde. Hij bewoog zich niet, zelfs niet toen Diane Hoffman hem op zijn rug begon te slaan. Alle kleur leek weer uit zijn gezicht te trekken en zijn ogen stonden plotseling glaziger dan ooit. Het leek alsof de kracht die nodig was geweest voor die ene slag elke gram energie, karma, kracht en levenskracht aan hem had onttrokken.

Of misschien speelde er iets anders, bedacht Myron. Iets diepers. Misschien had dat laatste magische moment Jack een nieuw inzicht gegeven – een soort nieuwe heldere levensvisie – wat betreft het relatieve, langetermijnbelang van dit toernooi. Alle andere mensen zagen een man die net de belangrijkste putt van zijn leven had gemaakt. Maar misschien zag Jack Coldren een man die in zijn eentje stond en zich afvroeg waar dit nou eigenlijk om ging en of zijn enige zoon nog in leven was.

Linda Coldren verscheen op de rand van de green. Ze probeerde enthousiast te kijken toen ze naar haar man toe liep en hem plichtsgetrouw zoende. Ze werd gevolgd door een cameraploeg van de tv. Camera's met lange lenzen klikten en hun flitsen zorgden voor een stroboscoopeffect. Een sportverslaggever liep met uitgestoken microfoon op hen af. Linda en Jack slaagden er allebei in te glimlachen.

Maar achter die glimlach leek Linda bijna behoedzaam. En Jack zag er ronduit doodsbang uit.

22

Esperanza had een plan bedacht. 'De weduwe van Lloyd Rennart heet Francine. Ze is kunstenares.'
'Wat voor een?'
'Ik heb geen idee. Schilderen, beeldhouwen, wat is het verschil?'
'Ik was alleen nieuwsgierig. Ga verder.'
'Ik heb haar gebeld en gezegd dat jij een journalist bent van de *Coastal Star*. Dat is een regionale krant in de omgeving van Spring Lake. Je werkt aan een lichtvoetig lifestyle artikel over een aantal kunstenaars uit de buurt.'

Myron knikte. Het was een goed plan. Mensen slaan zelden de kans af op een interview voor een luchtig stuk waarmee ze zichzelf in de kijker spelen.

Win had Myrons autoruiten al laten maken. Myron had geen idee hoe. Rijkelui. Die waren nou eenmaal anders.

De rit kostte hem bijna twee uur. Het was zaterdagavond acht uur. Morgen zouden Linda en Jack Coldren het losgeld afleveren. Hoe zou dat gaan? Een ontmoeting op een openbare plek? Via een tussenpersoon? Voor de zoveelste keer vroeg hij zich af hoe het met Linda, Jack en Chad ging. Hij stelde zich voor hoe Chads jonge, zorgeloze gezicht moest hebben gestaan toen zijn vinger werd afgehakt. Hij vroeg zich af wat de ontvoerder had gebruikt; een scherp mes, een hakmes, een bijl, een zaag of iets anders?

Hij vroeg zich af hoe het zou voelen.

Francine Rennart woonde in Spring Lake Heights, niet in Spring Lake. Daar was een groot verschil tussen. Spring Lake lag aan de Atlantische Oceaan en een mooier kuststadje bestond er niet. Er was heel veel zon, heel weinig misdaad en bijna geen gekleurde mensen. In feite was dat een probleem. De rijke stad had als bijnaam de Ierse Rivièra. Dat hield in dat er geen goede restaurants waren. Geen enkele. Voor dit stadje was *haute cuisine* eten dat werd opgediend op een bord in plaats van in een bak van een fastfoodrestaurant. Als je trek had in iets exotisch reed je naar een Chinees afhaalrestaurant waar je het eclectische menu heerlijkheden aantrof als kip chow mein en voor de echte durfallen ook kip lo mein. Dat was het probleem van sommige van die stadjes. Ze hadden een paar joden of homo's of iets dergelijks nodig om voor wat leven in de brouwerij te zorgen, en voor een beetje drama en een paar interessante bistro's.

Zo dacht hij er tenminste over.

Als Spring Lake een oude film was, dan zou Spring Lake Heights aan de verkeerde kant van het spoor liggen. Niet dat er krottenwijken of iets dergelijks waren. De buurt waar de Rennarts woonden was een soort voorstad die bestond uit een eindeloze huizenzee. Het hield het midden tussen een kamp voor stacaravans en split level rustieke vrijstaande huizen van rond 1967. Amerikaanser bestond niet.

Myron klopte op de deur. Een vrouw van wie hij aannam dat het Francine Rennart was, duwde de hordeur open. Haar vriendelijke glimlach werd overschaduwd door een indrukwekkende haakneus. Haar gebrande omber-kastanjebruine haar was golvend en onhandelbaar, alsof ze net haar krulspelden had uitgedaan, maar nog geen tijd had gehad om het uit te kammen.

'Dag,' zei Myron.

'U moet van de *Coastal Star* zijn.'

'Dat klopt.' Myron stak zijn hand uit. 'Bernie Worley.' Primeurjager Bolitar neemt een schuilnaam aan.

'Je timing is perfect,' zei Francine. 'Ik ben net met een nieuwe expositie begonnen.'

Het meubilair in de woonkamer was niet bedekt met plastic, maar dat had wel gemoeten. De bank was verschoten groen. De BarcaLounger, een echte BarcaLounger nota bene, was kastanjebruin en de scheuren waren geplakt met plakband. Op het televisiemeubel stond een sprietantenne. Verzamelaarsborden waarvoor Myron advertenties in *Parade* had gezien hingen keurig aan de muur.

'Mijn studio is achter,' zei ze.

Francine Rennart ging hem voor naar een grote aanbouw bij de keuken. Het was een karig gemeubileerde kamer met witte muren. In het midden stond een bank waar een veer uitstak. Daar leunde een keukenstoel tegenaan. Iets wat op een deken leek was in een driehoekig patroon over de bovenkant gedrapeerd. Tegen de achtermuur stonden vier prullenbakken. Myron vermoedde dat ze lekkage had.

Myron wachtte tot Francine Rennart hem zou vragen om plaats te nemen. Dat deed ze niet. Ze bleef bij hem in de deuropening staan en vroeg: 'Nou?'

Hij glimlachte en zijn hersens leken bevroren in een stand waarin hij niet zo stom was om 'Nou wat?' te zeggen, maar ook niet zo slim om te vragen wat ze in godsnaam bedoelde. Dus Myron stond daar als bevroren met zijn nieuwslezer-die-wacht-tot-ze-naar-de-reclame-gaan-grijns.

'Vind je het mooi?' vroeg Francine Rennart.

De grijns was er nog steeds. 'Hmm.'

'Ik weet dat het niet voor iedereen is.'

'Hmm.' Primeurjager Bolitar waagt zich aan sprankelende conversatie.

Ze keek even naar zijn gezicht. Hij hield de idiote grijns vast. 'Jij weet helemaal niets van installatiekunst, hè?'

Hij haalde zijn schouders op. 'Betrapt.' Myron paste zijn verhaal soepeltjes aan. 'Weet je, normaal gesproken doe ik geen hoofdartikelen. Ik ben sportjournalist. Dat is mijn stiel.' Stiel. Let goed op het authentieke journalistentaaltje. 'Maar Tanya, mijn baas, ze had iemand nodig voor een lifestyle-artikel. En toen Jennifer belde en zich ziek meldde, moest ik aan de bak. Het is een stuk over een verscheidenheid aan plaatselijke kunstenaars, schilders, beeldhouwers...' Omdat hij geen ander soort kunstenaars kon bedenken, deed hij er verder het zwijgen toe. 'Maar goed, kun je in het kort uitleggen wat je precies doet?'

'Mijn kunst draait om ruimte en concept. Het gaat om het creëren van een stemming.'

Myron knikte. 'O, juist.'

'Het is niet per se kunst in de klassieke betekenis. Het gaat verder dan dat. Het is de volgende stap in de evolutie van het artistieke proces.'

Meer geknik. 'O, juist.'

'Alles in deze expositie heeft een doel. Waar ik de bank zet. De textuur van het tapijt. De kleur van de muren. De manier waarop het zonlicht door de ramen valt. De combinatie daarvan zorgt voor een specifieke ambiance.'

O, hemel.

Myron gebaarde naar de, eh… kunst. 'En hoe verkoop je zoiets?'

Ze fronste haar wenkbrauwen. 'Je verkoopt het niet.'

'Pardon?'

'Kunst draait niet om geld, meneer Worley. Echte kunstenaars kennen geen geldwaarde toe aan hun werk. Dat doen alleen mensen met middelmatig talent.'

Ja, ja. Michelangelo en Da Vinci, dat soort middelmatige talenten.

'Maar wat doe je hier dan mee?' vroeg hij. 'Ik bedoel, laat je deze kamer zo?'

'Nee. Ik verander hem steeds. Ik voeg andere stukken toe. Ik creëer telkens iets nieuws.'

'En wat gebeurt hier dan mee?'

Ze schudde haar hoofd. 'Kunst draait niet om duurzaamheid. Het leven is vergankelijk. Waarom zou voor kunst niet hetzelfde gelden?'

Oóóóké.

'Heeft deze kunstvorm een naam?'

'Installatiekunst. Maar we houden niet van labels.'

'Hoe lang ben je al een, eh… installatiekunstenares?'

'Ik ben nu twee jaar bezig aan mijn master-titel aan het New York Art Institute.'

Hij probeerde niet gechoqueerd te kijken. 'Volg je hier een opleiding voor?'

'Ja. Het is een heel prestatiegericht programma.'

Ja, dacht Myron. Net als een correspondentiecursus tv- en videorecorderreparatie.

Eindelijk gingen ze terug naar de woonkamer. Myron ging op de bank zitten. Voorzichtig. Het kon kunst zijn. Hij wachtte tot hij een koekje kreeg aangeboden. Dat kon ook kunst zijn.

'Je begrijpt het nog steeds niet, hè?'

Myron haalde zijn schouders op. 'Als je er nou een pokertafel en wat honden aan toevoegt.'

Ze lachte. Meneer Zelfkritiek slaat weer toe. 'Dat zou kunnen,' zei ze.

'Sta me toe om het even over iets anders te hebben,' zei Myron. 'Laten we even over Francine Rennart, de persoon praten?' Primeurjager Bolitar gooit het over de persoonlijke boeg.

Ze keek hem wat bedachtzaam aan, maar ze zei: 'Goed. Vraag maar.'

'Ben je getrouwd?'

'Nee.' Haar stem klonk als een deur die werd dichtgesmeten.

'Gescheiden?'

'Nee.'

Primeurjager Bolitar is dol op een loslippige geïnterviewde.

'Aha,' zei hij. 'Dan heb je zeker ook geen kinderen?'

'Ik heb een zoon.'

'Hoe oud is hij?'

'Zeventien. Hij heet Larry.'

Een jaar ouder dan Chad Coldren. Interessant. 'Larry Rennart?'

'Ja.'

'Op welke school zit hij?'

'Hier, op Manasquan High. Hij gaat naar de laatste klas.'

'Wat leuk.' Myron nam het risico en knabbelde op een koekje. 'Misschien kan ik hem ook interviewen.'

'Mijn zoon?'

'Ja, een leuk citaat van de verloren zoon over hoe trots hij is op zijn moeder, dat hij haar steunt in wat ze doet, dat soort dingen.' Primeurjager Bolitar wordt wel heel zielig.

'Hij is er niet.'

'O, nee?'

Hij wachtte tot ze verdere uitleg zou geven. Niks.

'Waar is Larry dan?' probeerde Myron. 'Woont hij bij zijn vader?'

'Zijn vader is dood.'

Eindelijk. Myron reageerde prompt heel overdreven. 'O, verdraaid. Het spijt me. Ik wist niet... Ik bedoel, je bent nog zo jong en zo. Het is gewoon nooit bij me opgekomen dat...' Primeurjager Bolitar als Robert DeNiro.

'Geeft niet,' zei Francine Rennart.

'Ik schaam me rot.'

'Dat hoeft niet.'

'Ben je al lang weduwe?'

Ze hield haar hoofd schuin. 'Waarom vraag je dat?'

'Achtergrond,' zei hij.

'Achtergrond?'

'Ja. Volgens mij is dat cruciaal om de kunstenares Francine Rennart te kunnen begrijpen. Ik wil uitzoeken hoe het weduwe-zijn je kunst heeft beïnvloed.' Primeurjager Bolitar smeert flink stroop om de mond.

'Ik ben nog maar kort weduwe.'

Myron wees naar de, eh... studio. 'En toen je dit werk creëerde, was het overlijden van je man toen van invloed op de uitkomst? Op de kleur van de prullenbakken misschien? Of op de manier waarop je dat tapijt hebt opgerold?'

'Nee, niet écht.'

'Hoe is je man gestorven?'

'Waarom wil je...'

'Zoals ik al zei, is het volgens mij van belang om de hele artistieke uiting te kunnen begrijpen. Was het toevallig een ongeluk? Het soort dood waardoor je gaat nadenken over het onbestendige noodlot? Was het een langdurige ziekte? Als je een geliefde ziet lijden...'

'Hij heeft zelfmoord gepleegd.'

Myron deed net alsof hij schrok. 'Het spijt me verschrikkelijk,' zei hij.

Haar ademhaling klonk niet goed en haar borstkas ging met korte stootjes op en neer. Terwijl Myron naar haar keek, voelde hij een harde steek diep in zijn borst. Rustig aan, zei hij tegen zichzelf. Richt je niet langer alleen op Chad Coldren en vergeet niet dat deze vrouw ook heeft geleden. Ze was met die man getrouwd. Ze heeft van hem gehouden, met hem samengewoond, een leven met hem opgebouwd en een kind met hem gehad.

En ondanks dat alles, had hij liever een einde gemaakt aan zijn leven dan het met haar door te brengen.

Myron slikte moeizaam. Het was op zijn minst oneerlijk om haar verdriet om deze manier te misbruiken. En het was wreed om haar artistieke expressie te kleineren omdat hij het niet begreep. Op dit moment vond Myron zichzelf niet erg aardig. Even overwoog hij om op te stappen – de kans dat iets van dit alles met de zaak te maken had was heel klein – maar hij kon nou eenmaal niet zomaar een jongen van zestien met een missende vinger vergeten.

'Zijn jullie lang getrouwd geweest?'

'Bijna twintig jaar,' zei ze zacht.

'Ik wil niet opdringerig zijn, maar mag ik je naar zijn naam vragen?'

'Lloyd,' zei ze. 'Lloyd Rennart.'

Myron kneep zijn ogen tot spleetjes alsof hij zijn hersens pijnigde naar een herinnering. 'Waarom komt die naam me bekend voor?'

Francine Rennart haalde haar schouders op. 'Hij was mede-eigenaar van een café in Neptune City. De Rusty Nail.'

'Ach, natuurlijk,' zei Myron. 'Nu weet ik het weer. Daar was hij toch vaak te vinden?'

'Ja.'

'O, mijn god, ik heb hem zelfs ontmoet. Lloyd Rennart. Nu weet ik het weer! Hij gaf vroeger toch golfles? Heeft hij niet een poosje in het profwereldje gezeten?'

Het gezicht van Francine Rennart ging dicht als een autoraampje. 'Hoe weet je dat?'

'De Rusty Nail. Ik ben een groot golffan. Ik bak er niks van, maar ik volg het zoals sommige mensen de Bijbel volgen.' Hij zei maar wat, maar misschien kwam hij op deze manier ergens. 'Je man is toch de caddie van Jack Coldren geweest? Heel lang geleden. Daar hebben we het nog over gehad.'

Ze slikte hard. 'Wat heeft hij dan gezegd?'

'Gezegd?'

'Over dat hij een caddie was?'

'O, niet veel. We hebben het voornamelijk gehad over onze favoriete golfers. Nicklaus, Trevino, Palmer. En over een aantal geweldige banen. Voornamelijk Merion.'

'Nee,' zei ze.

'Pardon?'

Haar stem klonk kordaat. 'Lloyd praatte nooit over golf.'

Primeurjager Bolitar verprutst het compleet.

Francine Rennart doorboorde hem met haar blik. 'Je kunt niet van de verzekeringsmaatschappij zijn. Ik heb niet eens een claim ingediend.' Ze dacht even na. Toen zei ze: 'Wacht eens even. Je zei dat je een sportjournalist was. Daarom ben je hier. Jack Coldren maakt een comeback, dus jij wilt een waar-zijn-ze-nu-artikel schrijven?'

Myron schudde zijn hoofd. Zijn gezicht was rood van schaamte. Zo was het wel genoeg, dacht hij. Hij haalde een paar keer diep adem en zei: 'Nee.'

'Wie ben je dan?'

'Ik heet Myron Bolitar en ik ben een sportagent.'

Ze raakte in de war. 'Wat wil je van mij?'

Hij zocht naar de juiste woorden, maar alles klonk afgezaagd. 'Ik weet het niet precies. Waarschijnlijk is het niks. Tijdverspilling. Je hebt gelijk. Jack Coldren maakt een comeback. Maar het is net alsof... Alsof het verleden hem achtervolgt. Er overkomen hem en zijn familie verschrikkelijke dingen. En ik dacht gewoon...'

'Wat?' snauwde ze. 'Dat Lloyd uit het graf was opgestaan om wraak te nemen?'

'Wilde hij dan wraak nemen?'

'Wat er is gebeurd op Merion, is heel lang geleden,' zei ze. 'Nog voor ik hem kende.'

'Was hij eroverheen?'

Daar dacht Francine Rennart een poosje over na. 'Het heeft heel lang geduurd,' zei ze ten slotte. 'Na die gebeurtenis kon Lloyd geen golfwerk meer krijgen. Jack Coldren was nog altijd de publiekslieveling en niemand wilde hem dwarszitten. Lloyd raakte al zijn vrienden kwijt. Hij begon te veel te drinken.' Ze aarzelde. 'Er was een ongeluk.'

Myron zei niks en keek alleen naar Francine Rennart die ademhaalde.

'Hij verloor de macht over het stuur.' Haar stem klonk nu als die van een robot. 'Zijn auto knalde tegen een andere auto. In Narberth. Bij de plaats waar hij vroeger woonde.' Ze zweeg even en keek hem vervolgens aan. 'Zijn eerste vrouw was op slag dood.'

Myron voelde een rilling door hem heen gaan. 'Dat wist ik niet,' zei hij zacht.

'Het is lang geleden gebeurd. Kort daarna hebben wij elkaar ontmoet. We werden verliefd. Hij hield op met drinken. Hij kocht het café onmiddellijk. Ja, ja, dat klinkt heel gek, ik weet het. Een alcoholist die een bar heeft. Maar voor hem werkte het. We kochten ook dit huis. Ik... Ik dacht dat alles goed was.'

Myron wachtte een tel. Toen vroeg hij: 'Heeft je man Jack Coldren met opzet de verkeerde club gegeven?'

Die vraag leek haar niet te verrassen. Ze plukte aan de knoopjes van haar blouse en nam de tijd voor ze antwoord gaf. 'Om je de waarheid te zeggen, weet ik het niet. Hij heeft nooit over het incident gepraat. Zelfs niet met mij. Maar er was wel iets. Misschien schuldgevoel, ik weet het niet.' Met beide handen streek ze haar rok glad. 'Maar dat is allemaal irrelevant. Zelfs al had Lloyd wrok jegens Jack gekoesterd, hij is dood.'

Myron probeerde een tactvolle manier te verzinnen om het te vragen, maar er viel hem niets in. 'Hebben ze zijn lichaam gevonden, mevrouw Rennart?'

Zijn woorden kwamen aan als een kaakslag van een zwaargewicht. 'Het... Het was een diepe bergspleet,' stamelde Francine Rennart. 'Er was geen enkele manier om... De politie zei dat ze daar niemand naar beneden konden sturen. Dat was te gevaarlijk. Maar Lloyd had het nooit kunnen overleven. Hij heeft een briefje geschreven. Hij heeft zijn kleren er achtergelaten. Ik heb zijn paspoort nog...' Haar stem stierf weg.

Myron knikte. 'Natuurlijk,' zei hij. 'Ik begrijp het.'
Maar toen hij zichzelf uitliet, wist hij bijna zeker dat hij nergens iets van begreep.

23

Tito de schurftige nazi kwam nooit opdagen in de Parker Inn.

Myron zat in een auto aan de overkant van de straat. Zoals gewoonlijk haatte hij surveillance. Deze keer had hij geen last van verveling, maar bleef het ontdane gezicht van Francine Rennart hem achtervolgen. Hij vroeg zich af wat de langetermijngevolgen van zijn bezoek zouden zijn. De vrouw had haar verdriet in haar eentje verwerkt en haar privédemonen in een kast opgesloten en toen was Myron gekomen en had hij de scharnieren van de deur geblazen. Hij had geprobeerd haar te troosten. Maar wat had hij nou eigenlijk kunnen zeggen?

Sluitingstijd. Nog altijd geen spoor van Tito. Zijn twee vrienden – Onder en Ontsnapping – waren een ander geval. Die waren om half elf gekomen. Om één uur vertrokken ze allebei weer. Ontsnapping liep op krukken, naar Myrons stellige overtuiging als gevolg van de nare schop tegen zijn knie. Myron glimlachte. Het was een kleine overwinning, maar je moet blij zijn met wat je kunt krijgen.

Onder had zijn arm om de hals van een vrouw geslagen. Haar haarkleurtje kwam uit een heel goedkoop flesje en ze leek min of meer het type vrouw dat wel op een door tatoeages geïnfecteerde skinhead zou vallen. Of om het op een iets andere manier te zeggen: ze leek op iemand die regelmatig in de *Jerry Springer* show te zien was.

Beide mannen stopten om tegen de buitenmuur te plassen. Onder hield zijn arm zowaar om de vrouw geslagen terwijl hij zijn blaas leegde. Jezus. Er pisten zo veel mannen tegen die muur dat Myron zich afvroeg of er binnen geen toilet was. De twee mannen hielden op. Onder stapte in aan de passagierkant van een Ford Mustang. Goedkoop Bleekmiddel reed. Ontsnapping hobbelde naar zijn eigen strijdwagen, de een of andere motorfiets. Hij maakte de krukken vast aan de zijkant. De twee voertuigen reden in verschillende richting weg.

Myron besloot Ontsnapping te volgen. Volg bij twijfel degene die kreupel is.

Hij hield ruime afstand en was extra voorzichtig. Beter om hem kwijt te raken dan ook maar het minste risico op ontdekking te lopen. Maar de achtervolging duurde niet lang. Bij de derde zijstraat parkeerde Ontsnapping en hij ging een huis binnen dat zo armzalig was dat het de naam niet verdiende. De verf bladderde af in schilfers ter grootte van ronde putdeksels. Een van de steunpilaren van de veranda was volledig ingestort, waardoor het leek alsof de voorste rand van het dak door een reus in tweeën was gescheurd. De twee bovenramen waren versplinterd als de ogen van een dronkenlap. De enige reden dat deze bouwval nog niet onbewoonbaar was verklaard was dat de bouwinspecteur niet lang genoeg had kunnen ophouden met lachen om een dagvaarding te schrijven.

Goed, en nu?

Hij wachtte een uur om te zien of er iets zou gebeuren. Maar nee. Hij had een lamp in een slaapkamer aan en weer uit zien gaan. Dat was alles. Deze nacht veranderde rap in een ongelooflijke tijdverspilling.

Wat moest hij doen?

Hij had geen antwoord op die vraag. Daarom veranderde hij de vraag een beetje.

Wat zou Win doen?

Win zou de risico's tegen elkaar afwegen. Win zou beseffen dat de situatie wanhopig was, dat de vinger van een jongen van zestien als een hinderlijke draad was afgeknipt. Hem redden was van het grootste belang.

Myron knikte bij zichzelf. Tijd om Win te spelen.

Hij stapte uit de auto. Ervoor zorgend dat hij uit het zicht bleef, liep hij in een boog naar de achterkant van de bouwval. De tuin baadde in het donker. Hij liep door gras dat hoog genoeg was om Vietcong-strijders te verbergen, waarbij hij af en toe struikelde over een cementblok, een hark of de deksel van een vuilnisbak. Zijn scheen werd twee keer geraakt; Myron moest een aantal vloeken onderdrukken.

De achterdeur was dichtgetimmerd met spaanplaat. Maar het raam aan de linkerkant ervan was open. Myron keek naar binnen. Donker. Behoedzaam klom hij de keuken in.

De geur van bederf bereikte zijn neusgaten. Er zoemden vliegen rond. Even was Myron bang dat hij een stoffelijk overschot zou vinden, maar deze stank was anders, en leek meer op de geur van een container bij een supermarkt dan iets uit de familie van rottend vlees. Hij controleerde de andere kamers, waarbij hij op zijn tenen liep en verscheidenen plekken in de vloer ontweek waar geen vloer was. Geen spoor van een ontvoeringsslachtoffer. Geen vastgebonden jongen van zestien. Helemaal niemand. Myron volgde het gesnurk naar de kamer waar hij eerder het licht had zien aangaan. Ontsnapping lag op zijn rug. Diep in slaap. Zorgeloos.

Dat zou binnenkort veranderen.

Myron sprong omhoog en belandde hard op de slechte knie van Ontsnapping. De ogen van Ontsnapping werden groot. Zijn mond opende zich en hij slaakte een gil, maar daar maakte Myron een einde aan door hem een harde stomp tegen zijn mond te geven. Hij bewoog snel en ging boven op Ontsnapping zitten, met zijn knieën aan weerskanten van diens borstkas. Hij drukte zijn vuurwapen tegen de wang van de boef.

'Als je gilt, ga je eraan,' zei Myron.

De ogen van Ontsnapping bleven groot. Uit zijn mond druppelde bloed. Hij gilde niet, maar toch was Myron teleurgesteld in zichzelf. Als je gilt, ga je eraan? Kon hij echt niets beters verzinnen dan dat?

'Waar is Chad Coldren?'

'Wie?'

Myron ramde de loop van het wapen in de bloedende mond. Hij raakte tanden en verstikte de man bijna. 'Verkeerd geantwoord.'

'Ontsnapping bleef zwijgen. De boef was dapper. Of heel misschien kon hij niet praten omdat Myron een wapen in zijn mond had gestoken. Heel slim, Bolitar. Met een effen gezicht trok Myron de loop langzaam naar buiten.

'Waar is Chad Coldren?'

Ontsnapping hoestte en snakte naar adem. 'Ik zweer je op alles wat heilig is dat ik niet weet waar je het over hebt.'

'Geef me je hand.'

'Wat?'

'Geef me je hand.'

Ontsnappings hand kwam in zicht. Myron greep de pols, draaide hem om en pakte de middelvinger beet. Hij krulde hem naar binnen en drukte het opgevouwen kootje plat tegen de handpalm. De jongen schokte van pijn. 'Ik heb geen mes nodig,' zei Myron. 'Ik kan hem gewoon verpulveren tot splinters.'

'Ik weet niet waar je het over hebt,' wist de knul uit te brengen. 'Echt niet.'

Myron kneep wat harder. Hij wilde niet dat het bot zou breken. Ontsnapping schokte nog een keer. Glimlach even, dacht Myron. Zo doet Win het. Hij laat een glimp van een glimlach zien. Niet veel. Je wilt dat je slachtoffer denkt dat je tot alles in staat bent, dat je in en in kil bent, dat je er misschien zelfs van geniet. Maar je wilt niet dat hij denkt dat je compleet gek of volledig doorgedraaid bent, een lijp die je sowieso pijn zal doen. Ga daar tussenin zitten en doe er je voordeel mee.

'Alsjeblieft...'

'Waar is Chad Coldren?'

'Hoor eens, ik was erbij, goed? Toen hij je besprong. Tiet zei dat hij me honderd dollar zou geven. Maar ik ken geen Chad Coldren.'

'Waar is Tiet?' Weer die naam.

'In zijn *crib*, denk ik. Ik weet het niet.'

Crib? De neonazi gebruikte verouderde straattaal. Dat was wel heel ironisch. 'Is Tito niet meestal bij jullie in de Parker Inn?'

'Ja, maar hij kwam niet opdagen.'

'Was dat dan wel de bedoeling?'

'Ik denk het. Het is niet zoals we het hadden afgesproken.'

Myron knikte. 'Waar woont hij?'

'Mountainside Drive. Aan het einde van de straat. Derde huis aan je linkerkant als je bent afgeslagen.'

'Als je tegen me liegt, kom ik terug om je ogen uit te snijden.'

'Ik lieg niet. Mountainside Drive.'

Myron wees met de loop van zijn wapen op de hakenkruistatoeage. 'Waarom heb je die?'

'Wat?'

'Het hakenkruis, sukkel.'

'Omdat ik trots ben op mijn ras.'

'Wil je alle "smouzen" in de gaskamer stoppen? Alle "nikkers" vermoorden?'

'Zo zit het niet,' zei hij. Er klonk meer zelfvertrouwen door in zijn stem nu hij zich op goed-ingestudeerd terrein bevond. 'Wij komen op voor de blanken. We hebben er genoeg van dat we worden overspoeld door nikkers. We hebben er genoeg van dat we onder de voet worden gelopen door joden.'

Myron knikte. 'Nou, in elk geval door deze jood,' zei hij. In het leven haal je je genoegdoening waar je kunt. 'Weet je wat breed plakband is?'

'Ja.'

'Goh, en ik maar denken dat alle neonazi's dom waren. Waar is dat van jou?'

De ogen van Ontsnapping vernauwden zich een beetje. Alsof hij echt nadacht. Je kon de roestige scharnieren bijna horen knarsen. Toen: 'Dat heb ik niet.'

'Jammer dan. Ik wilde je vastbinden zodat je Tito niet kunt waarschuwen. Maar als je het niet hebt, zal ik je gewoon door allebei je knieschijven moeten schieten.'

'Wacht!'

Myron gebruikte bijna de hele rol.

Tito zat achter het stuur van zijn pick-up met de monsterwielen. En hij was dood.

Twee schoten in z'n hoofd, waarschijnlijk van heel dichtbij. Heel bloederig. Er was niet veel van het hoofd over. Arme Tito. Eerst geen kont en nu ook geen hoofd meer. Myron lachte niet. Maar galgenhumor was dan ook niet zijn sterkste kant.

Myron bleef kalm, waarschijnlijk omdat hij nog in de Win-stand stond. Er brandde geen licht in het huis. Tito's sleutels zaten nog in het contact. Myron pakte ze en maakte de voordeur open. Zijn doorzoeking bevestigde wat hij al had vermoed: er was niemand.

En nu?

Zonder acht te slaan op het bloed en het hersenweefsel ging Myron terug naar de auto en doorzocht die grondig. Over niet zijn sterkste punt gesproken. Myron klikte nogmaals op het Win-icoon. Niet meer dan protoplasma, verzekerde hij zichzelf. Alleen hemoglobine, bloedplaatjes, enzymen en andere dingen die hij was vergeten sinds de biologielessen in de derde klas. Het blokkeren werkte goed genoeg om met zijn handen onder de zittingen en tussen de kussens te voelen. Zijn vingers kwamen heel veel troep tegen. Oude boterhammen. Wikkels van een fastfoodrestaurant. Kruimels van verschillende vorm en grootte.

Afgeknipte vingernagels.

Myron keek hoofdschuddend naar het lijk. Het was een beetje laat om Tito vermanend toe te spreken, maar wat gaf het?

Toen had hij succes.

Het was goud. Er stond een golf-insigne op. Aan de binnenkant waren de initialen c.b.c. licht gegraveerd: Chad Buckwell Coldren.

Het was een ring.

Myrons eerste gedachte was dat Chad Coldren zo slim was geweest om hem af te doen en achter te laten als aanwijzing. Zoals in een film. Dat de jongeman een boodschap stuurde. Als Myron zijn rol naar behoren speelde, zou hij zijn hoofd schudden, de ring in de lucht gooien en mompelen: 'Slim joch.'

Zijn tweede gedachte was een stuk ernstiger.

De afgesneden vinger in Linda Coldrens auto was de ringvinger geweest.

24

Wat moest hij doen?
Moest hij de politie bellen? Of gewoon weggaan? Een anoniem telefoontje plegen? Wat? Myron had geen idee. Hij moest om te beginnen aan Chad Coldren denken. Welk risico zou die knul lopen als hij de politie belde? Hij had geen idee.

Jezus, wat een puinhoop. Hij hoorde zich hier niet eens meer mee te bemoeien. Hij hoorde zich erbuiten te houden, en had dat ook moeten doen. Maar dit was allerlei spreekwoordelijke soorten gedonder in een grote hoeveelheid spreekwoordelijke glazen. Wat moest hij doen met het vinden van een lijk? En wat moest hij met Ontsnapping? Myron kon hem niet voor onbepaalde tijd vastgebonden en gekneveld laten liggen. Stel je voor dat hij overgaf tegen het plakband.

Goed, Myron, denk na. Ten eerste moet je niet, ik herhaal niet, de politie bellen. Iemand anders zal het lichaam vinden. Of moest hij anoniem bellen vanuit een telefooncel? Dat zou kunnen. Maar nam de politie tegenwoordig niet alle binnenkomende telefoontjes op? Dan zouden ze zijn stem op de band hebben. Misschien kon hij die iets veranderen. Het ritme en het tempo. Hem wat dieper laten klinken. Met een accent praten of zoiets. O, ja, zoals Meryl Streep zeker? Tegen de telefoniste zeggen dat ze moest opschieten omdat 'de dingo mijn baby heeft gepakt'.

Wacht, niet te hard van stapel lopen.

Zet alles wat er net was gebeurd even op een rijtje. Even terugspoelen naar een uur geleden en kijk hoe het eruitziet. Myron had zonder enige provocatie ingebroken bij een man. Die had hij lichamelijk aangevallen, op afschuwelijke wijze bedreigd en gebonden en gekneveld achtergelaten, allemaal omdat hij achter Tito aan zat. Niet lang na dat incident krijgt de politie een anoniem telefoontje en vindt Tito dood in zijn pick-up.

Wie zal dan de logische verdachte zijn?

Myron Bolitar, sportagent van de eeuwig getroebleerden.

Verdomme.

Wat nu? Wat Myron in dit stadium ook deed of niet deed – wie hij ook belde of niet belde – hij zou altijd een verdachte zijn. Ontsnapping zou ondervraagd worden. Hij zou vertellen over Myron, en dan zou het lijken alsof Myron de moordenaar was. Een bijzonder eenvoudige optelsom als je er goed over nadacht.

Dus de vraag bleef: wat moest hij doen?

Hij kon zich niet druk maken om de conclusies die de politie misschien zou trekken. Hij kon zich ook niet druk maken om zichzelf. Hij moest zich richten op Chad Coldren. Wat was het beste voor hem? Dat viel moeilijk te zeggen. De veiligste optie was natuurlijk om voor zo min mogelijk deining te zorgen. Om te proberen zijn betrokkenheid bij dit hele gedoe niet bekend te maken.

Oké, goed, dat was logisch.

Dus het antwoord luidde: meld het niet. Laat het lichaam liggen waar je het hebt gevonden. Leg de ring terug tussen de stoelkussens, voor het geval de politie later bewijs nodig heeft. Goed zo, dit leek op een plan; en wel het beste plan om ervoor te zorgen dat de jongen ongedeerd bleef en tegelijkertijd de wensen van de Coldrens te respecteren.

Maar wat moest hij doen met Ontsnapping?

Myron reed terug naar het krot van Ontsnapping. Hij trof de man aan waar hij hem had achtergelaten: op zijn bed, aan handen en voeten gebonden en gekneveld met grijs breed plakband. Hij leek halfdood. Myron schudde hem door elkaar. De boef kwam bij, en zijn gezicht had de tint groen van zeewier. Myron rukte de knevel weg.

Ontsnapping kokhalsde en maakte kotsgeluiden zonder dat er iets uitkwam.

'Ik heb buiten een mannetje staan,' zei Myron terwijl hij nog meer plakband verwijderde. 'Als hij je weg ziet lopen van dit raam, zul je een pijn beleven die slechts weinigen ooit hebben hoeven doorstaan. Heb je me goed begrepen?'

Ontsnapping knikte haastig.

Een pijn beleven die slechts weinigen ooit hebben hoeven doorstaan. Jezus.

Er was geen telefoon in huis, dus daar hoefde hij zich niet druk om te maken. Met nog een paar harde waarschuwingen, luchtig besprenkeld met martelclichés – waaronder Myrons persoonlijke favoriet: 'Voor ik met je klaar ben, zul je me smeken om je te doden' – liet hij de neonazi alleen, trillend op zijn zwart gelaarsde benen.

Buiten was niemand. De spreekwoordelijke kust was veilig. Myron stapte in de auto en dacht opnieuw aan de Coldrens. Hoe ging het op dit moment met hen? Had de ontvoerder al gebeld? Had hij hun instructies gegeven? Welk gevolg had Tito's dood op de gebeurtenissen? Had Chad meer bloedvergieten beleefd of had hij weten te ontsnappen? Misschien had hij het vuurwapen te pakken gekregen en iemand neergeschoten.

Dat zou kunnen. Maar het was niet waarschijnlijk. Het lag meer voor de hand dat er iets mis was gegaan. Iemand had de controle verloren. Er was iemand doorgedraaid.

Hij zette de auto stil. Hij moest de Coldrens waarschuwen.

Linda Coldren had hem dan wel duidelijk te verstaan gegeven dat hij uit de buurt moest blijven, maar dat was voor hij een lijk had gevonden. Hoe kon hij nu niets doen en ze blind laten rondtasten? Iemand had de vinger van hun zoon afgehakt. Iemand had een van de ontvoerders vermoord. Een 'eenvoudige' ontvoering – als dat al bestond – was vreselijk uit de hand gelopen. Bloed had vrijelijk in het rond gespat.

Hij moest ze waarschuwen. Hij moest contact opnemen met de Coldrens en ze vertellen wat hij had ontdekt.

Maar hoe?

Hij reed Golf Course Road op. Het was onderhand heel laat, bijna twee uur 's nachts. Er zou niemand meer op zijn. Myron deed zijn lampen uit en reed stilletjes verder. Hij liet de auto op een plekje op de erfgrens tussen twee huizen glijden. Als een van de bewoners toevallig wakker was, zou hij of zij misschien denken dat het de auto was van iemand die bij de buren op bezoek was. Hij stapte uit en liep langzaam naar het huis van de Coldrens.

Terwijl hij ervoor zorgde uit het zicht te blijven, bewoog Myron dichterbij. Hij wist natuurlijk dat er geen enkele kans was dat de Coldrens zouden slapen. Jack zou misschien een poging wagen, maar Linda zou niet eens gaan zitten. Maar op dit moment deed dat er niet veel toe.

Hoe moest hij contact met ze opnemen?

Hij kon ze niet bellen. Hij kon niet naar het huis lopen en aankloppen. En hij kon geen steentjes tegen het raam gooien, als een onhandige vrijer in een slechte romantische komedie. Dus wat moest hij?

Hij was de weg kwijt.

Hij liep van struik naar struik. Sommige struiken kwamen hem bekend voor van zijn vorige verblijf in deze contreien. Hij zei ze gedag, babbelde wat en maakte zijn beste cocktailparty-schertsen tegen hen. Een struik gaf hem een beurstip, maar Myron negeerde hem. Hij sloop langzaam dichter naar het huis, er nog altijd voor zorgend dat niemand hem zag. Hij had geen idee wat hij zou gaan doen, maar toen hij zo dichtbij was gekomen dat hij een lamp zag branden in de hobbykamer, kreeg hij een idee.

Een briefje.

Hij zou een briefje schrijven waarin hij ze van zijn ontdekking op de hoogte bracht en waarin hij ze zou waarschuwen om extra voorzichtig te zijn. Ook zou hij zijn diensten aanbieden. Hoe moest hij dat briefje in de buurt van het huis krijgen? Hmm. Hij kon het opvouwen tot een papieren vliegtuig en het erheen laten vliegen. O, tuurlijk. Myron was mechanisch zo handig dat dat zeker succes zou hebben. Myron Bolitar, de joodse gebroeder Wright. Wat dan? Het briefje aan een steen binden? En dan? Een raam ingooien?

Maar hij hoefde niets van dat alles te doen.

Rechts van hem hoorde hij een geluid. Voetstappen. Op straat. Om twee uur 's nachts.

Myron dook haastig achter een struik. De voetstappen kwamen dichterbij. Sneller. Er naderde iemand. Rennend.

Hij bleef zitten en zijn hart bonkte wild. De voetstappen werden harder en hielden toen plotseling op. Myron tuurde om de struik heen. Zijn zicht werd gehinderd door nog meer heggen.

Hij hield zijn adem in. En wachtte.

De voetstappen liepen verder. Langzamer ditmaal. Zonder gehaast. Nonchalant. Nu maakte de persoon gewoon een wandelingetje. Myron strekte zijn hals uit aan de andere kant van de struik. Niets. Hij ging op zijn hurken zitten. Langzaam, centimeter voor centimeter, kwam hij overeind, waarbij zijn slechte knie protesteerde. Hij vocht zich door de pijn heen. Zijn ogen bereikten de bovenkant van de struik. Myron keek eroverheen en zag eindelijk wie het was.

Linda Coldren.

Ze droeg een blauw trainingspak en hardloopschoenen. Was ze wezen hardlopen? Het was er een vreemd tijdstip voor. Maar je kon niet weten. Jack mepte tegen golfballen, Myron wierp met basketballen. Misschien hield Linda ervan om laat te gaan hardlopen.

Het leek hem echter onwaarschijnlijk.

Ze kwam bij het begin van de oprit. Myron moest haar zien te bereiken. Met zijn nagels trok hij een stuk steen uit de aarde en gooide die laag naar haar toe. Linda bleef staan en keek abrupt op, als een hert dat wordt gestoord tijdens het drinken. Myron gooide nog een steen. Ze keek naar de struik. Myron zwaaide met een hand. Jezus, dit was wel heel subtiel. Maar als zij zich veilig genoeg had gevoeld om het huis te verlaten – als de ontvoerder het niet erg vond dat ze een nachtelijk wandelingetje ging maken – dan moest naar een struik lopen ook geen paniek veroorzaken. Een kromme redenering, maar het was al laat.

Als ze niet was wezen hardlopen, wat deed ze dan zo laat nog buiten?

Tenzij…

Tenzij ze het losgeld had overhandigd.

Maar nee, het was nog altijd zondagnacht. De banken waren gesloten. Ze kon niet aan honderdduizend dollar komen zonder naar een bank te gaan. Dat hadden ze toch heel duidelijk gesteld, of niet soms?

Linda Coldren liep langzaam op de struik af. Myron kwam bijna in de verleiding om hem in brand te steken en met diepe stem te zeggen: 'Treed naar voren, Mozes.' Meer galgenhumor. Ook nu niet grappig.

Toen ze op ongeveer drie meter afstand was, zorgde Myron dat ze zijn gezicht kon zien. Linda's ogen sprongen bijna uit hun kassen.

'Maak dat je wegkomt!' fluisterde ze.

Myron verspilde geen tijd. Ook hij fluisterde en zei: 'Ik heb de kerel van de openbare telefoon dood gevonden. Twee keer in zijn hoofd geschoten. Chads ring lag in zijn auto. Maar geen spoor van Chad.'

'Donder op!'

'Ik wilde je alleen waarschuwen. Wees voorzichtig. Het is ze menens.'

Haar ogen schoten door de tuin. Ze knikte en draaide zich om.

'Wanneer moet het geld worden afgegeven?' probeerde Myron. 'En waar is Jack? Zorg ervoor dat je Chad met eigen ogen ziet voor je iets overdraagt.'

Maar als Linda hem al had gehoord, liet ze het niet merken. Ze haastte zich de oprit over, opende de deur en verdween uit het zicht.

25

Win deed de deur van de slaapkamer open. 'Je hebt bezoek.'

Myron liet zijn hoofd op het kussen liggen. Van vrienden die niet eerst klopten, raakte hij nauwelijks meer van streek. 'Wie dan?'

'Opsporingsambtenaren,' zei Win.

'Agenten?'

'Ja.'

'In uniform?'

'Ja.'

'Enig idee waar het over gaat?'

'O, het spijt me. Maar nee.'

Myron wreef de slaap uit zijn ogen en schoot wat kleren aan. Hij schoof zijn voeten in een paar Top-Siders zonder sokken. Heel erg Win-achtig. Even snel de tanden poetsen, meer vanwege de adem dan de mondhygiëne op de lange termijn. Hij koos voor een honkbalpet in plaats van de tijd te nemen om zijn haar nat te maken. De pet was rood en op de voorkant stond TRIX CEREAL en op de achterkant SILLY BUNNY. Jessica had hem cadeau gedaan en Myron aanbad haar erom.

De twee uniformen wachtten met politiegeduld in de woonkamer. Ze waren jong en zagen er gezond uit. De langere zei: 'Meneer Bolitar?'

'Ja.'

'We zouden het op prijs stellen als u met ons mee zou gaan.'

'Waarheen?'

'Rechercheur Corbett zal het uitleggen als we er zijn.'

'Kunnen jullie geen hint geven?'

Twee gezichten als uit steen gehouwen. 'Liever niet, meneer.'

Myron haalde zijn schouders op. 'Laten we dan maar gaan.'

Myron zat achter in de patrouillewagen. De twee uniformen zaten voorin. Ze reden redelijk hard, maar hadden de sirene niet aan. Myrons mobiele telefoon ging.

'Vinden jullie het erg als ik even opneem?'

De langere zei: 'Natuurlijk niet, meneer.'

'Heel vriendelijk van je.' Myron drukte op de opneem-toets. 'Hallo.'

'Ben je alleen?' Het was Linda Coldren.

'Nee.'

'Zeg tegen niemand dat ik je bel. Kun je hier alsjeblieft zo snel mogelijk komen? Het is dringend.'

'Hoe bedoel je, voor donderdag kan het niet worden bezorgd?' Meneer Zet ze op het verkeerde spoor.

'Ik kan nu ook niet praten. Kom gewoon zo snel als je kunt. En zeg niks tot je hier bent. Alsjeblieft. Vertrouw me.'

Ze hing op.

'Best, maar dan wil ik wel gratis bagels. Begrepen?'

Myron zette het mobieltje uit. Hij keek uit het raampje. De route die de agenten namen, kwam hem zeer bekend voor. Myron was op dezelfde manier naar Merion gegaan. Toen ze bij de ingang van de club aan Ardmore Avenue kwamen, zag Myron een overvloed aan mediabusjes en politiewagens.

'Verdomme,' zei de langere agent.

'Je wist dat het niet lang rustig zou blijven,' zei de kortere.

'Een veel te groot verhaal.'

'Waarom vertellen jullie niet wat er aan de hand is?'

De kortere agent draaide zijn hoofd naar Myron. 'Nee, meneer.' Hij keek weer voor zich.

'Okidoki,' zei Myron. Maar hij had er geen goed gevoel bij.

De politiewagen reed langzaam spitsroeden tussen de persmensen door. Journalisten drukten zich tegen de raampjes en keken naar binnen. Flitslichten gingen af in Myrons gezicht. Een politieman gebaarde dat ze verder konden rijden. Langzaam, als vlokken roos, lieten de journalisten hun auto los. Ze zetten de auto op de parkeerplaats van de club. Er stonden minstens nog zes andere politieauto's, zowel burger- als surveillancewagens.

'Komt u alstublieft mee,' zei de langere.

Dat deed Myron. Ze liepen over de achttiende fairway. Er liepen heel veel geüniformeerde agenten met gebogen hoofd. Ze raapten stukjes op van Joost mocht weten wat en stopten die in bewijszakken.

Dit was zeker geen goed teken.

Toen ze boven op de heuvel kwamen, zag Myron dat tientallen agenten een volmaakte cirkel vormden in de befaamde steengroeve. Sommigen namen foto's. Foto's van de plaats delict. Anderen stonden voorovergebogen. Toen eentje rechtop ging staan, zag Myron hem.

Hij voelde zijn knieën knikken. 'O, nee…'

In het midden van de groeve – uitgestrekt in de beroemde hindernis die hem drieëntwintig jaar daarvoor het toernooi had gekost – lag het stille, levenloze lichaam van Jack Coldren.

De geüniformeerde agenten keken hem aan, en peilden zijn reactie. Myron liet hun niets zien. 'Wat is er gebeurd?' wist hij te vragen.

'Wacht u alstublieft hier, meneer.'

De langere agent liep de heuvel af, de kortere bleef bij Myron. De langere sprak even met een man in burger van wie Myron het vermoeden had dat het rechercheur Corbett was. Corbett keek omhoog naar Myron terwijl de man praatte. Hij knikte naar de kleinere agent.

'Volgt u mij, alstublieft, meneer.'

Nog altijd als verdoofd sjokte Myron de heuvel af, de steengroeve in. Hij hield zijn blik op het lijk gericht. Geronnen bloed bedekte Jacks hoofd als een toupet uit een spuitbus. Het lichaam was verdraaid tot een pose die een lichaam nooit hoorde aan te nemen. O, verdomme. Arme, zielige zak.

De rechercheur in burger begroette hem met een enthousiaste handdruk. 'Fijn dat u bent gekomen, meneer Bolitar. Ik ben rechercheur Corbett.'

Myron knikte met stomheid geslagen. 'Wat is er gebeurd?'

'Een terreinknecht heeft hem vanochtend gevonden, meneer.'

'Is hij neergeschoten?'

Corbett liet een scheve grijns zien. Hij was ongeveer van Myrons leeftijd en *petit* voor een agent. Niet zomaar klein. Heel wat agenten waren aan de korte kant. Maar deze vent was zo teer gebouwd dat hij bijna ziekelijk leek. Corbett verhulde zijn fysieke gestalte met een trenchcoat. Geen geweldige outfit voor in de zomer. Te veel afleveringen van *Columbo* gezien, vermoedde Myron.

'Ik wil niet onbeleefd zijn,' zei Corbett, 'maar mag ik de vragen stellen?'

Myron keek naar het levenloze lichaam. Hij voelde zich licht in zijn hoofd. Jack was dood. Waarom? Hoe was het gebeurd? En waarom had de politie besloten hem te ondervragen? 'Waar is mevrouw Coldren?' vroeg Myron.

Corbett keek van de twee agenten naar Myron. 'Waarom vraagt u dat?'

'Ik wil er zeker van zijn dat zij niks mankeert.'

'Nou, in dat geval had u moeten vragen: "Hoe gaat het met mevrouw Coldren?" Of: "Is alles goed met mevrouw Coldren?"' zei Corbett, en hij sloeg zijn armen over elkaar. 'Ik bedoel, als u echt wilt weten hoe het met haar gaat.'

Myron keek Corbett een aantal seconden aan. 'Jezus. Wat. Ben. Jij. Goed.'

'Sarcasme is niet nodig, meneer Bolitar. U lijkt gewoon heel bezorgd om haar.'

'Dat ben ik ook.'

'Bent u een vriend?'

'Ja.'

'Een goede vriend?'

'Pardon?'

'Ik herhaal, ik wil niet onbeleefd zijn of zo,' zei Corbett en hij spreidde zijn handen uit, 'maar hebt u met haar... U weet wel... Gekeesd?'

'Ben je helemaal gek geworden?'

'Is dat een ja?'

Rustig aan, Myron. Corbett probeerde hem van zijn stuk te brengen. Dat spelletje kende Myron. Stom om het zich aan te trekken. 'Het antwoord is nee. We hebben geen enkel seksueel contact gehad.'

'Echt niet? Dat is vreemd.'

Hij wilde dat Myron zou toehappen met de vraag: Wat is er vreemd? Myron werkte niet mee.

'Een aantal getuigen heeft jullie de afgelopen dagen namelijk een paar keer samen gezien. Voornamelijk in een tent op de zakelijke tribune. Alleen jullie tweeën, een paar uur lang. Weet u zeker dat u niet een beetje hebt zitten zoenen?'

Myron zei: 'Nee.'

'Nee, u hebt zitten zoenen of nee, u hebt niet...'

'Nee, we hebben niet zitten zoenen, of iets dergelijks.'

'Hmm, ik begrijp het.' Corbett deed net alsof hij over dat nieuwtje nadacht. 'Waar was u gisteravond, meneer Bolitar?'

'Ben ik een verdachte, rechercheur?'

'We voeren alleen een goed gesprek, meneer Bolitar. Anders niet.'

'Hebt u een geschat tijdstip van overlijden?' vroeg Myron.

Corbett wierp hem weer een beleefde agentenglimlach toe. 'Ik zeg nogmaals dat het echt niet mijn bedoeling is om dom of onbeleefd te zijn, maar ik richt me op dit moment liever op u.' Zijn stem klonk iets gedecideerder. 'Waar was u gisteravond?'

Myron herinnerde zich Linda's telefoontje op zijn mobieltje. Ongetwijfeld had de politie haar al ondervraagd. Had zij hun verteld over de ontvoering? Waarschijnlijk niet. Hoe dan ook, het was niet aan hem om het te zeggen. Hij wist niet hoe de zaken ervoor stonden. Als hij voor zijn beurt zou praten, werd Chads veiligheid misschien in gevaar gebracht. Hij kon maar het beste ervoor zorgen dat hij hier wegkwam.

'Ik wil mevrouw Coldren graag spreken.'

'Waarom?'

'Om me ervan te overtuigen dat alles goed met haar is.'

'Dat is heel lief, meneer Bolitar. En bijzonder edel. Maar ik wil graag dat u mijn vraag beantwoordt.'

'Eerst wil ik mevrouw Coldren graag zien.'

Corbett wierp hem de achterdochtige agentenblik toe. 'Weigert u mijn vragen te beantwoorden?'

'Nee. Maar op dit moment heeft het welzijn van mijn potentiële cliënt voorrang.'

'Cliënt?'

'Mevrouw Coldren en ik hebben gesprekken gevoerd over de mogelijkheid dat MB SportsReps haar gaat vertegenwoordigen.'

'Ik begrijp het.' Corbett wreef over zijn kin. 'Dus dat verklaart waarom u beiden samen in een tent zat.'

'Ik zal uw vragen later beantwoorden, rechercheur. Op dit moment wil ik graag even langs bij mevrouw Coldren.'

'Met haar is alles goed, meneer Bolitar.'

'Dat wil ik graag met eigen ogen zien.'

'Vertrouwt u me niet?'

'Dat is het niet. Maar als ik haar agent word, dan moet ik in de eerste plaats tot haar beschikking staan.'

Corbett schudde zijn hoofd en trok zijn wenkbrauwen op. 'Je verkoopt wel een hele hoop onzin, Bolitar.'

'Mag ik nu gaan?'

Opnieuw spreidde Corbett zijn handen. 'U staat niet onder arrest. Sterker nog…' Hij richtte zich tot de twee agenten. 'Breng meneer Bolitar alsjeblieft naar het huis van de Coldrens. Zorg dat niemand hem onderweg lastigvalt.'

Myron glimlachte. 'Heel vriendelijk van u, rechercheur.'

'Het is niets.' Toen Myron wegliep, riep Corbett: 'O, nog een ding.' De man had inderdaad te vaak naar *Columbo* gekeken. 'Dat telefoontje dat u net kreeg in de politiewagen. Was dat van mevrouw Coldren?'

Myron zei niets.

'Maakt niet uit. We kunnen haar telefoongegevens controleren.' Hij gaf de Columbo-zwaai. 'Nog een heel bijzondere dag.'

26

Voor de woning van de Coldrens stonden nog eens vier politieauto's. Myron liep in zijn eentje naar de deur en klopte aan. Een zwarte vrouw die hij niet herkende deed open.

Haar ogen gleden naar de bovenkant van zijn hoofd. 'Mooie pet,' zei ze zonder intonatie. 'Kom binnen.'

De vrouw was ongeveer vijftig jaar en droeg een pakje van goede snit. Haar koffiekleurige huid zag er leerachtig en versleten uit. Haar gezicht stond nogal slaperig, haar ogen waren halfdicht en haar gezichtsuitdrukking was voortdurend verveeld. 'Ik ben Victoria Wilson,' zei ze.

'Myron Bolitar.'

'Ja, dat weet ik.' Haar stem klonk ook verveeld.

'Is hier verder nog iemand?'

'Alleen Linda.'

'Kan ik haar spreken?'

Victoria Wilson knikte langzaam. Myron verwachtte bijna haar een geeuw te zien onderdrukken. 'Misschien moeten wij eerst praten.'

'Bent u van de politie?' vroeg Myron.

'Het tegenovergestelde,' zei ze. 'Ik ben de advocaat van mevrouw Coldren.'

'Dat is snel.'

'Laat me er geen doekjes om winden,' zei ze monotoon. Ze klonk als een serveerster in een eetcafé die de dagschotels opdreunde in het laatste uur van een dubbele dienst. 'De politie denkt dat mevrouw

Coldren haar man heeft vermoord. Ze denken ook dat u er op de een of andere manier bij betrokken bent.'

Myron keek haar aan. 'U maakt zeker een geintje?'

Dezelfde slaperige uitdrukking. 'Zie ik er soms uit als een grapjas, meneer Bolitar?'

Een retorische vraag.

'Linda heeft geen goed alibi voor gisteravond laat,' ging ze verder, nog altijd op die effen toon. 'U wel?'

'Niet echt.'

'Nou, laat me u vertellen wat de politie al weet.' De vrouw wist blasé tot kunstvorm te verheffen. 'Ten eerste,' – een vinger opheffen leek enorme inspanning te vereisen – 'heeft ze een getuige, een terreinknecht, die Jack Coldren om ongeveer één uur 's nachts Merion heeft zien betreden. Dezelfde getuige heeft Linda Coldren ongeveer vijfendertig minuten later hetzelfde zien doen. Ook heeft hij Linda Coldren kort daarna weer zien vertrekken. Jack Coldren heeft hij nooit zien vertrekken.'

'Dat wil niet zeggen…'

'Ten tweede,' – nog een vinger omhoog, zodat er een vredesteken ontstond – 'heeft de politie gisternacht om ongeveer twee uur een melding ontvangen dat uw auto geparkeerd stond op Golf House Road, meneer Bolitar. De politie zal wel willen weten waarom u geparkeerd stond op zo'n vreemde plek op zo'n vreemd tijdstip.'

'Hoe weet u dat allemaal?' vroeg Myron.

'Ik heb goede contacten bij de politie,' zei ze. Ook nu weer verveeld. 'Mag ik verdergaan?'

'Gaat uw gang.'

'Ten derde,' – ja, nog een vinger – 'had Jack Coldren contact opgenomen met een advocaat gespecialiseerd in echtscheidingen. Sterker nog, hij was begonnen met het indienen van een verzoek tot echtscheiding.'

'Wist Linda daarvan?'

'Nee. Maar een van de beschuldigingen die meneer Coldren heeft gedaan, had te maken met het recente overspel van zijn echtgenote.'

Myron legde zijn handen op zijn borstkas. 'Kijk niet naar mij.'

'Meneer Bolitar?'

'Wat?'

'Ik noem alleen de feiten. En ik zou het op prijs stellen als u me niet steeds onderbrak. Ten vierde,' – de laatste vinger – 'hebben verschillende getuigen gezegd dat mevrouw Coldren en u zich zaterdag tijdens de U.S. Open meer dan vriendschappelijk gedroegen.'

Myron wachtte. Victoria Wilson liet haar hand zakken, zonder haar duim te hebben laten zien.

'Bent u klaar?' wilde Myron weten.

'Nee. Maar dat is alles wat we nu zullen bespreken.'

'Ik heb Linda vrijdag voor het eerst ontmoet.'

'En kunt u dat bewijzen?'

'Bucky kan erover getuigen. Hij heeft ons aan elkaar voorgesteld.'

Nog een diepe zucht. 'De vader van Linda Coldren. Een volmaakte, onbevooroordeelde getuige.'

'Ik woon in New York.'

'Als je de Amtrak-trein neemt uit Philadelphia ben je daar in minder dan twee uur. Ga door.'

'Ik heb een vriendin. Jessica Culver. Ik woon met haar samen.'

'En er is nog nooit een man geweest die zijn vriendin bedroog. Geweldig.'

Myron schudde zijn hoofd. 'Dus u wilt suggereren...'

'Niks,' onderbrak Victoria Wilson hem monotoon. 'Ik suggereer niks. Ik zeg je wat de politie denkt: dat Linda Jack heeft vermoord. De reden dat dit huis wordt omringd door zo veel agenten is dat ze er zeker van willen zijn dat wij hier niks weghalen voor ze een huiszoekingsbevel hebben. Ze hebben heel duidelijk gemaakt dat ze bij deze zaak geen Kardashian-situatie willen hebben.'

Kardashian. Van de O.J.-zaak. Die man had het juridisch woordenboek voorgoed veranderd. 'Maar...' Myron hield weer op. 'Dit is belachelijk. Waar is Linda?'

'Boven. Ik heb tegen de agenten gezegd dat ze te verdrietig is om hen op dit moment te woord te staan.'

'U begrijpt het niet. Linda hoort niet eens verdacht te worden. Zodra ze u het hele verhaal heeft verteld, weet u wat ik bedoel.'

Nog een bijna-geeuw. 'Ze heeft me het hele verhaal verteld.'

'Zelfs over…'

'De ontvoering,' maakte Victoria Wilson zijn zin af. 'Ja.'

'Nou, denkt u niet dat dat haar vrijpleit?'

'Nee.'

Myron was in de war. 'Weet de politie van de ontvoering?'

'Natuurlijk niet. Op dit moment zeggen we niks.'

Myron trok een gezicht. 'Maar wanneer ze op de hoogte zijn van de ontvoering, zullen ze zich daarop richten. Dan zullen ze weten dat Linda er niks mee te maken kan hebben.'

Victoria Wilson wendde zich van hem af. 'Kom mee naar boven.'

'Bent u het daar niet mee eens?'

Ze gaf geen antwoord. Ze liepen de trap op. Victoria zei: 'U bent advocaat.'

Het klonk niet als een vraag, maar toch zei Myron: 'Ik oefen het beroep niet uit.'

'Maar u bent toegelaten als advocaat?'

'In New York.'

'Dat is goed genoeg. Ik wil dat u mede-advocaat wordt in deze zaak. Ik kan onmiddellijk een dispensatie voor u regelen.'

'Ik doe geen strafrecht,' zei Myron.

'Dat hoeft ook niet. Ik wil alleen dat u officieel te boek staat als advocaat van mevrouw Coldren.'

Myron knikte. 'Zodat ik niet kan getuigen,' zei hij. 'Zodat alles onder het beroepsgeheim valt.'

Nog altijd verveeld. 'U bent echt heel slim.' Ze bleef staan naast een slaapkamerdeur en leunde tegen de muur. 'Ga maar naar binnen. Ik wacht hier wel.'

Myron klopte. Linda Coldren zei dat hij binnen mocht komen. Hij opende de deur. Linda stond bij het verste raam en keek naar haar achtertuin.

'Linda?'

Ze bleef met haar rug naar hem toe staan. 'Het is geen goede week voor me, Myron.' Ze lachte. Het was geen vrolijk geluid.

'Gaat het?' vroeg hij.

'Met mij? Ik heb me nooit beter gevoeld. Lief dat je het vraagt.'

Hij liep naar haar toe, maar wist niet goed wat hij moest zeggen.

'Hebben de ontvoerders nog gebeld over het losgeld?'

'Gisteravond,' zei Linda. 'Jack heeft met ze gesproken.'

'Wat hebben ze gezegd?'

'Dat weet ik niet. Na het telefoontje is hij naar buiten gestormd. Hij heeft het me nooit verteld.'

Myron probeerde het tafereel voor zich te zien. Er wordt gebeld. Jack neemt op. Hij rent de deur uit zonder iets te zeggen. Dat leek niet erg logisch.

'Heb je nog iets van ze gehoord?' probeerde hij.

'Nee, nog niet.'

Myron knikte, al stond ze niet met haar gezicht naar hem toe. 'En wat heb jij toen gedaan?'

'Gedaan?'

'Gisteravond. Nadat Jack naar buiten was gestormd.'

Linda Coldren sloeg haar armen over elkaar. 'Ik heb een paar minuten gewacht tot hij was afgekoeld,' zei ze. 'Toen hij niet terugkwam, ben ik hem gaan zoeken.'

'Je bent naar Merion gegaan,' zei Myron.

'Ja. Jack wandelt graag over de banen daar. Om na te denken en alleen te zijn.'

'Heb je hem daar nog gezien?'

'Nee. Ik heb een poosje gezocht. Toen ben ik teruggegaan naar huis. Daar ben ik jou tegen het lijf gelopen.'

'En Jack is nooit meer thuisgekomen,' zei Myron.

Linda Coldren schudde haar hoofd, nog altijd met haar rug naar hem toe. 'Waar leid je dat uit af, Myron? Het dode lichaam in de steengroeve?'

'Ik probeer je alleen te helpen.'

Ze draaide zich naar hem toe. Haar ogen waren rood. Haar gezicht stond strak. Toch was ze nog altijd adembenemend mooi. 'Ik heb gewoon iemand nodig om me op af te reageren.' Ze haalde haar schouders op en probeerde te glimlachen. 'Jij bent toevallig in de buurt.'

Myron wilde dichter bij haar gaan staan. Dat deed hij niet. 'Ben je de hele nacht op geweest?'

Ze knikte. 'Ik heb hier gestaan, wachtend tot Jack thuis zou komen. Toen de politie aanklopte, dacht ik dat het over Chad ging. Het klinkt afschuwelijk, maar toen ze me over Jack vertelden, was ik bijna opgelucht.'

De telefoon ging.

Linda draaide zich zo snel om dat ze een windtunnel had kunnen beginnen. Zij keek naar Myron. Hij keek naar haar.

'Dat is vast de pers,' zei hij.

Linda schudde haar hoofd. 'Niet op die lijn.' Ze stak haar hand uit naar de telefoon, drukte op het knopje dat oplichtte en pakte de hoorn op.

'Hallo,' zei ze.

Een stem zei iets terug. Linda snakte naar adem en onderdrukte halverwege een gil. Haar hand vloog voor haar mond. Tranen persten zich uit haar ogen. De deur ging met een zwaai open. Victoria Wilson stapte de kamer in en ze leek op een beer die was ontwaakt uit een dutje om nieuwe krachten op te doen.

Linda keek hen aan. 'Het is Chad,' zei ze. 'Hij is vrij.'

27

Victoria Wilson nam het voortouw. 'Wij zullen hem ophalen,' zei ze. 'Hou jij hem aan de lijn.'

Linda begon haar hoofd te schudden. 'Maar ik wil...'

'Vertrouw me op dit punt, liefje. Als jij gaat, zal elke agent en journalist je volgen. Myron en ik kunnen ze afschudden als het nodig is. Ik wil niet dat de politie met je zoon praat voor ik dat heb gedaan. Jij moet hier blijven. En zeg niks. Als de politie komt met een huiszoekingsbevel, laat je ze binnen. Je zegt geen woord. Wat er ook gebeurt. Heb je dat goed begrepen?'

Linda knikte.

'Nou, waar is hij?'

'In Porter Street.'

'Goed, zeg maar dat tante Victoria eraan komt. Wij zullen voor hem zorgen.'

Linda greep haar arm beet met een smekende uitdrukking op haar gezicht. 'Breng je hem hier?'

'Niet meteen, liefje.' De stem klonk nog altijd zakelijk. 'Dan ziet de politie hem. Dat kan ik niet doen. Dan worden er te veel vragen gesteld. Je ziet hem snel genoeg.'

Victoria Wilson draaide zich om. Met deze vrouw viel niet te discussiëren.

In de auto vroeg Myron: 'Waar kent u Linda van?'

'Mijn moeder en vader waren bedienden bij de Buckwells en Lockwoods,' antwoordde ze. 'Ik ben opgegroeid op hun landgoederen.'

'Maar op een gegeven moment bent u rechten gaan studeren?'
Ze fronste. 'Schrijft u mijn biografie soms?'
'Ik vraag het alleen maar.'
'Waarom? Verbaast het u dat een zwarte vrouw van middelbare leeftijd de advocaat is van rijke, elitaire blanken?'
'Ja, eigenlijk wel,' zei Myron.
'Ik kan het u niet kwalijk nemen. Maar daar is nu geen tijd voor. Hebt u ook belangrijke vragen?'
'Ja,' zei Myron. Hij reed. 'Wat verzwijgt u voor me?'
'Niks dat u hoeft te weten.'
'Ik ben officieel als advocaat aan deze zaak toegevoegd. Ik moet alles weten.'
'Later. Laten we ons eerst op de jongen concentreren.'
Weer die monotone stem die geen tegenspraak duldde.
'Weet u zeker dat we dit goed aanpakken?' ging Myron verder. 'Dat we de politie niets over de ontvoering vertellen?'
'We kunnen het altijd later vertellen,' antwoordde Victoria Wilson. 'Dat is de fout die de meeste beklaagden maken. Ze denken dat ze zich er direct uit moeten kletsen. Maar dat is gevaarlijk. Later is er altijd nog tijd om te praten.'
'Ik weet niet zeker of ik het daar wel mee eens ben.'
'Hoor eens, Myron, als we iemand nodig hebben die ervaring heeft met het sluiten van een contract over gympen, dan geef ik jou de leiding. Maar zolang dit een strafzaak is, moet je mij de leiding laten nemen. Afgesproken?'
'De politie wil me ondervragen.'
'Je zegt niks. Dat recht heb je. Je hoeft geen woord te zeggen tegen de politie.'
'Ze zullen me dagvaarden.'
'Zelfs dan niet. Jij bent de advocaat van Linda Coldren. Je zegt niks.'
Myron schudde zijn hoofd. 'Dat geldt alleen voor wat er is gezegd nadát je mij had gevraagd om mede-advocaat te worden. Ze kunnen me vragen naar alles wat er daarvoor is gebeurd.'
'Mis.' Victoria Wilson slaakte een afstandelijke zucht. 'Op het

moment dat Linda Coldren je om hulp vroeg, wist ze dat je een beëdigd advocaat was. Daarom valt alles wat ze tegen je heeft gezegd onder het beroepsgeheim.'

Myron moest wel glimlachen. 'Dat is nogal vergezocht.'

'Maar zo is het wel.' Hij voelde haar ogen op hem gericht. 'Wat je ook zou willen doen, in moreel en juridisch opzicht mag je er met niemand over praten.'

Ze was heel goed.

Myron ging wat sneller rijden. Niemand achtervolgde hen, de politie en de journalisten waren bij het huis gebleven. Het verhaal was op elke radiozender te horen. De nieuwslezer bleef de tweeregelige verklaring van Linda Coldren herhalen: 'We zijn allemaal diepbedroefd door deze tragedie. Laat u ons alstublieft in alle rust rouwen.'

'Heb jij die verklaring opgesteld?' vroeg Myron.

'Nee, dat heeft Linda gedaan voor ik er was.'

'Waarom?'

'Ze dacht dat de pers haar dan met rust zou laten. Nu weet ze wel beter.'

Ze kwamen in Porter Street en Myron speurde de stoepen af.

'Daar,' zei Victoria Wilson.

Myron zag hem. Chad Coldren zat ineengedoken op de grond. Met zijn ene hand omklemde hij nog altijd de telefoonhoorn, maar hij praatte er niet in. De andere hand zat dik ingepakt in verband. Myron voelde zich een beetje misselijk. Hij gaf meer gas en de auto schoot naar voren. Ze stopten voor de jongen. Chad staarde recht voor zich uit.

Eindelijk smolt Victoria Wilsons onverschillige uitdrukking een beetje. 'Laat mij dit maar afhandelen,' zei ze.

Ze stapte uit en liep naar de jongen toe. Ze boog zich voorover en wiegde hem heen en weer. Ze nam de hoorn uit zijn hand, praatte er even in en hing toen op. Ze hielp Chad overeind, streelde zijn haar en fluisterde troostende woordjes. Ze gingen samen op de achterbank zitten. Chad leunde met zijn hoofd tegen haar aan. Zij maakte troostende, sussende geluidjes. Ze knikte tegen Myron en Myron bracht de auto in beweging.

Chad zei niks tijdens de rit. Niemand verlangde dat van hem. Victoria vertelde Myron hoe hij bij haar kantoorgebouw in Bryn Mawr moest komen. De familiedokter van de Coldrens – een grijze, oude familievriend die Henry Lane heette – hield daar ook praktijk. Hij wikkelde het verband van Chads hand en onderzocht de jongen terwijl Myron en Victoria in het andere vertrek wachtten. Myron ijsbeerde. Victoria las in een tijdschrift.

'We moeten hem naar een ziekenhuis brengen,' zei hij.

'Dokter Lane zal bepalen of dat nodig is.' Victoria geeuwde en sloeg een bladzijde om.

Myron probeerde alles te bevatten. Met alle activiteiten omtrent de politiebeschuldigingen en Chads veilige terugkeer, was hij Jack Coldren bijna vergeten. Jack was dood. Myron kon er bijna niet bij. De ironie ontging hem niet: eindelijk had de man de kans om het verleden goed te maken en dan eindigde hij dood in dezelfde hindernis die zijn leven drieëntwintig jaar eerder voorgoed had veranderd.

Dokter Lane verscheen in de deuropening. Hij zag er precies uit zoals je je een arts voorstelde, net een dokter uit een tv-serie. 'Het gaat wat beter met Chad. Hij praat en is alert.'

'Hoe gaat het met zijn hand?' vroeg Myron.

'Die moet worden onderzocht door een specialist. Maar er is geen infectie of iets dergelijks.'

Victoria Wilson stond op. 'Ik wil graag met hem praten.'

Lane knikte. 'Ik zou graag zeggen dat je hem niet te hard moet aanpakken, Victoria, maar ik weet dat je toch nooit luistert.'

Haar mond vertrok bijna. Niet tot een glimlach. Bij lange na niet. Maar er viel een teken van leven te bespeuren. 'Jij zult hier moeten blijven, Henry. De kans bestaat dat de politie je zal vragen wat je hebt gehoord.'

De arts knikte nog een keer. 'Ik begrijp het.'

Victoria keek Myron aan. 'Ik voer het woord.'

'Goed.'

Toen Myron en Victoria de kamer binnen gingen, staarde Chad naar zijn ingezwachtelde hand alsof hij verwachtte dat de ontbrekende vinger er weer aan zou groeien.

'Chad?'

Langzaam keek hij op. Er stonden tranen in zijn ogen. Myron herinnerde zich wat Linda had gezegd over zijn liefde voor het golfen. Nog een droom die in duigen lag. De jongen wist het nog niet, maar op dit moment waren Myron en hij verwante geesten.

'Wie ben jij?' vroeg Chad aan Myron.

'Hij is een vriend,' zei Victoria Wilson. Zelfs tegen de jongen was haar stem volkomen emotieloos. 'Hij heet Myron Bolitar.'

'Ik wil mijn ouders zien, tante Vee.'

Victoria ging tegenover hem zitten. 'Er is heel wat gebeurd, Chad. Daar wil ik het nu niet allemaal over hebben. Je moet me vertrouwen, oké?'

Chad knikte.

'Ik moet weten wat jou is overkomen. Alles. Vanaf het begin.'

'Een man heeft me ontvoerd in mijn auto,' zei Chad.

'Eén man maar?'

'Ja.'

'Ga door. Vertel me wat er is gebeurd.'

'Ik stond voor een stoplicht en toen trok die kerel het portier aan de passagierskant open en stapte in. Hij had een skibril op en hield een wapen voor mijn neus. Hij zei dat ik door moest rijden.'

'Goed. Op welke dag was dat?'

'Op donderdag.'

'Waar was je op woensdagavond?'

'Bij mijn vriend Matt.'

'Matthew Squires?'

'Ja.'

'Oké. Goed.' Victoria Wilsons ogen bleven onafgebroken op het gezicht van de jongen gericht. 'En waar was je toen die man in je auto stapte?'

'Een paar straten van school.'

'Gebeurde dit voor of na de les van de zomercursus?'

'Erna. Ik was op weg naar huis.'

Myron zei niks. Hij vroeg zich af waarom de jongen loog.

'Waar heeft die man je mee naartoe genomen?'

'Hij zei dat ik de eerstvolgende straat moest inslaan. We reden een parkeerplaats op. Hij trok een jutezak of iets dergelijks over mijn hoofd. Ik moest op de achterbank gaan liggen. Toen reed hij weg. Ik weet niet waar we heen gingen. Ik kon niks zien. Voor ik het wist zat ik in een kamer. Ik moest de hele tijd de zak over mijn hoofd houden, dus ik heb niks gezien.'

'Heb je het gezicht van die man niet gezien?'

'Nee, nooit.'

'Weet je zeker dat het een man was? Kan het ook een vrouw zijn geweest?'

'Ik heb zijn stem een paar keer gehoord. Het was een man. In elk geval was een van beiden dat.'

'Was er meer dan één?'

Chad knikte. 'De dag dat hij dit heeft gedaan...' Hij hief zijn verbonden hand op. Zijn gezicht werd helemaal effen. Hij keek recht voor zich uit, met een nietsziende blik in zijn ogen. 'Die jutezak zat over mijn hoofd. Mijn handen waren geboeid achter mijn rug.' Zijn stem klonk nu even onaangedaan als die van Victoria. 'Die zak kriebelde vreselijk. Ik wreef telkens met mijn kin langs mijn schouder. Om verlichting te zoeken. Maar goed, de man kwam binnen en maakte de handboeien los. Toen greep hij mijn hand en legde hem plat op tafel. Hij zei niks. Hij waarschuwde me niet. Het duurde nog geen tien seconden. Ik heb niks gezien. Ik hoorde alleen een klap. Toen voelde ik een heel vreemd gevoel. In het begin was het niet eens pijn. Ik weet niet wat het wel was. Toen voelde ik iets warms en nats. Het bloed, denk ik. De pijn kwam een paar tellen later. Ik viel flauw. Toen ik weer bijkwam, zat mijn hand in het verband. Hij klopte vreselijk. De jutezak zat over mijn hoofd. Er kwam iemand binnen. Die gaf me wat pillen. Dat verdoofde de pijn een beetje. Toen hoorde ik stemmen. Twee. Het klonk alsof ze ruzie hadden.'

Chad Coldren zweeg alsof hij buiten adem was. Myron keek naar Victoria Wilson. Die ging niet naar hem toe om hem te troosten.

'Waren het twee mannenstemmen?'

'Eigenlijk klonk een als een vrouwenstem. Maar ik was behoorlijk groggy. Ik weet het niet zeker.'

Chad keek omlaag naar het verband. Hij bewoog zijn vingers een beetje. Om ze uit te proberen.

'Wat gebeurde er daarna, Chad?'

Hij bleef naar het verband kijken. 'Er valt niet veel te vertellen, tante Vee. Zo hebben ze me nog een paar dagen vastgehouden. Ik weet niet hoeveel. Ze hebben me voornamelijk pizza en frisdrank gegeven. Op een dag namen ze een telefoon mee. Ik moest Merion bellen en naar mijn vader vragen.'

Het losgeldtelefoontje naar Merion, dacht Myron. Het tweede telefoontje van de ontvoerder.

'Ze lieten me ook gillen.'

'Lieten ze je gillen?'

'Die kerel kwam binnen. Hij zei dat ik moest gillen en dat het eng moest klinken. Anders zou hij me echt laten gillen. Dus ik probeerde allerlei verschillende kreten, wel tien minuten lang. Tot hij tevreden was.'

De gil uit het telefoontje in het winkelcentrum, dacht Myron. Dat waarin Tito honderdduizend dollar had geëist.

'Dat was het wel zo'n beetje, tante Vee.'

'Hoe ben je ontsnapt?' vroeg Victoria.

'Dat ben ik niet. Ze hebben me laten gaan. Een tijdje geleden bracht iemand me naar een auto. Ik had die jutezak nog over mijn hoofd. We hebben een stukje gereden. Toen stopte de auto. Iemand opende het portier en trok me naar buiten. En toen was ik vrij.'

Victoria keek naar Myron. Myron keek terug. Toen knikte ze langzaam. Dat vatte Myron op als teken voor hem.

'Hij liegt.'

Chad zei: 'Wat?'

Myron richtte zich op hem. 'Je liegt, Chad. En wat erger is, de politie zal weten dat je liegt.'

'Waar heb je het over?' Zijn ogen zochten die van Victoria. 'Wie is die vent?'

'Op donderdag om 18.18 uur heb je je pinpas gebruikt in Porter Street,' zei Myron.

Chads ogen werden groot. 'Dat was ik niet. Dat was die klootzak die me heeft ontvoerd. Hij heeft mijn portemonnee…'

'Het staat op video, Chad.'

Hij opende zijn mond, maar er kwam niks uit. Toen: 'Ze dwongen me.' Zijn stem klonk zwakjes.

'Ik heb de band gezien, Chad. Je glimlachte. Je was blij. Je was niet alleen. En je hebt ook een avond doorgebracht in het ranzige motel naast de bank.'

Chad boog zijn hoofd.

'Chad?' Dat was Victoria. Ze klonk niet blij. 'Kijk me aan, jongen.'

Langzaam sloeg Chad zijn blik op.

'Waarom lieg je tegen me?'

'Het heeft niks te maken met wat er is gebeurd, tante Vee.'

Haar gezicht was onvermurwbaar. 'Vertel op, Chad. Nu meteen.'

Hij sloeg zijn blik weer neer en bestudeerde zijn ingezwachtelde hand. 'Het ging precies zoals ik zei, alleen heeft de man me niet in mijn auto gegrepen. Hij klopte op mijn deur in dat motel. Hij kwam binnen met een vuurwapen. Alles wat ik verder heb verteld, is waar.'

'Wanneer was dat?'

'Vrijdagochtend.'

'En waarom heb je tegen me gelogen?'

'Dat heb ik beloofd,' zei hij. 'Ik wilde haar erbuiten houden.'

'Wie?' vroeg ze.

Chad keek verbaasd. 'Weet je dat niet?'

'Ik heb de videoband,' zei Myron, wat een lichte bluf was. 'Die heb ik haar nog niet laten zien.'

'Tante Vée, je moet haar erbuiten laten. Dit kan heel schadelijk voor haar zijn.'

'Schatje, nou moet je eens goed naar me luisteren. Ik vind het heel lief dat je je vriendinnetje probeert te beschermen, maar daar heb ik echt geen tijd voor.'

Chad keek van Myron naar Victoria. 'Mag ik alsjeblieft mijn moeder zien?'

'Zeker, schatje. Binnenkort. Maar eerst moet je over dat meisje vertellen.'

'Ik heb beloofd dat ik haar erbuiten zou houden.'

'Als ik haar naam erbuiten kan houden, zal ik het doen.'

'Ik kan het echt niet doen, tante Vee.'

'Laat maar zitten, Victoria,' zei Myron. 'Als hij het niet wil zeggen, kunnen we met z'n allen naar de band kijken. Dan kunnen we het meisje zelf bellen. Of misschien komt de politie haar eerst op het spoor. Die zullen ook wel een kopie van de band hebben. Die zullen zich niet zo druk maken om haar gevoelens.'

'Jullie begrijpen het niet,' zei Chad, en hij keek van Victoria Wilson naar Myron en weer naar Victoria. 'Ik heb het haar beloofd. Ze kan grote problemen krijgen.'

'Als het nodig is, zullen we met haar ouders praten,' zei Victoria.

'Haar ouders?' Chad keek verward. 'Haar ouders kunnen me niet schelen. Ze is oud genoeg…' Zijn stem stierf weg.

'Met wie was je, Chad?'

'Ik heb gezworen om nooit iets te zeggen, tante Vee.'

'Best,' zei Myron. 'We moeten hier geen tijd aan verspillen, Victoria. Laat de politie haar maar opsporen.'

'Nee!' Chad keek omlaag. 'Zij had er niks mee te maken, oké? We waren bij elkaar. Zij ging even weg en toen hebben ze me gepakt. Zij kon er niks aan doen.'

Victoria verschoof op haar stoel. 'Wie, Chad?'

Zijn woorden kwamen langzaam en met tegenzin. Maar ze waren ook heel duidelijk. 'Ze heet Esme Fong. Ze werkt voor een bedrijf dat Zoom heet.'

28

Alles begon op een afschuwelijke manier op zijn plek te vallen.

Myron wachtte niet op toestemming. Hij stormde het kantoor uit en rende de gang door. Tijd om de confrontatie aan te gaan met Esme.

Een scenario nam snel vaste vorm aan in Myrons hoofd. Esme Fong ontmoet Chad Coldren terwijl ze onderhandelt over de deal van Zoom met zijn moeder. Ze verleidt hem. Waarom? Moeilijk te zeggen. Misschien voor de kick. Niet belangrijk.

Hoe dan ook, Chad brengt woensdagavond door met zijn vriend Matthew Squires. Op donderdag treft hij Esme voor een romantisch afspraakje in de Court Manor Inn. Ze pinnen wat geld bij een geldautomaat. Ze hebben hun lol. En dan wordt het interessant.

Esme Fong is er niet alleen in geslaagd Linda Coldren te laten tekenen, maar ook om wonderkind Tad Crispin binnen te halen. Tad speelt zeer goed in zijn eerste U.S. Open. Na een ronde staat hij op de tweede plaats. Verbazingwekkend. Geweldige publiciteit. Maar als Tad op de een of andere manier kan winnen, als hij de veteraan met de enorme voorsprong kan inhalen, dan krijgt Zooms intrede in de golfsport een nucleair zetje. Dat zou miljoenen waard zijn.

Miljoenen.

En Esme had de zoon van de koploper voor zich.

Dus wat doet de ambitieuze Esme Fong? Ze huurt Tito in om de jongen te grijpen. Niks ingewikkelds. Ze wil zorgen dat Jack zich absoluut niet kan concentreren. Dat hij zijn focus verliest. En hoe kan dat beter dan door zijn zoon te ontvoeren?

Het paste allemaal in elkaar.

Myron richtte zijn aandacht op een aantal zorgelijke aspecten van de zaak. Ten eerste: het lange tijd niet vragen om losgeld. Esme Fong is geen expert op dit terrein en ze wil geen betaling, dat zou de zaak alleen compliceren, dus de eerste telefoontjes zijn onbeholpen. Ten tweede herinnerde Myron zich Tito's telefoontje over de 'Chinese teef'. Hoe had hij geweten dat Esme daar was? Nogal eenvoudig. Esme had hem verteld wanneer ze er zou zijn om de Coldrens de stuipen op het lijf te jagen en ze te laten denken dat ze in de gaten werden gehouden.

Ja. Het klopte. Alles was volgens het plan van Esme Fong gegaan. Op een ding na.

Jack bleef goed spelen.

Hij behield zijn onoverkomelijke voorsprong tijdens de volgende ronde. De ontvoering mocht hem dan wat hebben verdoofd, hij was zijn niveau niet kwijtgeraakt. Zijn voorsprong was nog altijd groot. Dat vroeg om drastischer maatregelen.

Myron stapte de lift in en ging omlaag naar de lobby op de begane grond. Hij vroeg zich af hoe het was gegaan. Misschien was het Tito's idee geweest. Wellicht had Chad daarom twee stemmen ruzie horen maken. Hoe dan ook, iemand had besloten om iets te doen wat er gegarandeerd voor zou zorgen dat Jack slechter zou gaan spelen.

Chads vinger afhakken.

Leuk of niet, Tito's idee of het hare, Esme Fong deed er haar voordeel mee. Ze had Linda's autosleutels. Ze wist hoe Linda's auto eruitzag. Het zou niet moeilijk zijn geweest. Alleen een sleutel omdraaien, en snel iets op de autostoel laten vallen. Heel gemakkelijk voor haar. Dat wekte geen achterdocht. Wie zou op een aantrekkelijke, goed geklede vrouw letten die een auto openmaakte met een sleutel?

De afgehakte vinger had het gewenste resultaat. Jacks spel leek nergens meer op. Tad Crispin liep snel op hem in. Het ging precies zoals ze wilde. Maar helaas had Jack nog een truc achter de hand. Hij slaagde erin een belangrijke putt te maken op de achttiende hole, waardoor hij een tiebreak afdwong. Dat was een nachtmerrie voor

Esme. Ze kon niet het risico nemen dat Tad Crispin in een één tegen één situatie zou verliezen van Jack, de ultieme verliezer.

Een verlies zou rampzalig zijn.

Een verlies zou miljoenen kosten. Haar hele campagne kon er waardeloos door worden.

Jezus, alle stukjes pasten in elkaar.

Myron dacht er eens goed over na. Had hij Esme niet precies hetzelfde te berde horen brengen bij Norm Zuckerman? Haar vergelijking met Buffalo Bill? Had hij er niet bij gestaan toen ze dat zei? Was het zo moeilijk te geloven dat ze net dat tikje verder was gegaan nu ze in de val zat? Dat ze Jack gisteravond had gebeld? Dat ze een ontmoeting op de golfbaan had geregeld? Dat ze erop had gestaan dat hij in zijn eentje zou komen, onmiddellijk, als hij zijn zoon levend terug wilde zien?

Ka-bang.

En toen Jack eenmaal dood was, was er geen reden meer om de jongen nog vast te houden. Ze liet hem gaan.

De liftdeur gleed open. Myron stapte eruit. Goed, er zaten gaten in de theorie. Maar misschien kon hij een paar van die gaten stoppen nadat hij Esme ermee had geconfronteerd. Myron duwde de glazen deur open. Hij liep het parkeerterrein op. Bij de straat stonden taxi's te wachten. Hij was halverwege het parkeerterrein toen er een stem klonk die hem abrupt tot staan bracht.

'Myron?'

Een ijzige rilling doorboorde zijn hart. Die stem had hij slechts een keer gehoord. Tien jaar geleden. Op Merion.

29

Myron bevroor. 'Ik zie dat je Victoria al hebt ontmoet,' zei Cissy Lockwood.

Hij probeerde te knikken, maar het lukte niet.

'Ik heb haar gebeld zodra Bucky me vertelde over de moord. Ik wist dat ze zou kunnen helpen. Victoria is de beste advocaat die ik ken. Vraag Win maar naar haar.'

Hij probeerde nog een keer te knikken. Deze keer wist hij een klein beweginkje te produceren.

Wins moeder liep dichter naar hem toe. 'Ik zou je graag even onder vier ogen spreken, Myron.'

Hij hervond zijn stem. 'Dit is geen geschikt tijdstip, mevrouw Lockwood.'

'Dat kan ik me voorstellen. Maar toch, het zal niet lang duren.'

'Ik moet echt gaan.'

Ze was een heel mooie vrouw. In haar asblonde haar zaten grijze lokken en ze had dezelfde koninklijke houding als haar bloedeigen nichtje Linda. Het porseleinen gezicht had ze echter vrijwel geheel aan Win gegeven. De gelijkenis was buitengewoon.

Ze deed nog een stap naar voren, zonder haar blik van hem af te wenden. Haar kleding was een tikkeltje vreemd. Ze droeg een ruimvallend mannenoverhemd, dat niet zat ingestopt, en een stretchbroek. Annie Hall die positiekleding koopt. Dat was niet wat hij had verwacht, maar aan de andere kant had hij nu belangrijker zaken aan zijn hoofd dan mode.

'Het gaat om Win,' zei ze.

Myron schudde zijn hoofd. 'Dat zijn mijn zaken niet.'

'Dat klopt. Maar dat maakt je toch niet immuun voor verantwoordelijkheid? Win is je vriend. Ik prijs mezelf gelukkig dat mijn zoon een vriend heeft die zo veel om hem geeft als jij.'

Myron deed er het zwijgen toe.

'Ik weet behoorlijk wat over jou, Myron. Ik laat Win al jaren in de gaten houden door privédetectives. Op die manier probeerde ik bij hem in de buurt te blijven. Dat wist Win natuurlijk. Hij heeft er nooit iets over gezegd, maar zoiets kun je niet voor Win verborgen houden, is het wel?'

'Nee,' zei Myron. 'Dat gaat niet.'

'Je logeert op het Lockwood landgoed,' zei ze. 'In het gastenverblijf.'

Hij knikte.

'Daar ben je al eerder geweest.'

Nog een knikje.

'Heb je ooit de paardenstallen gezien?'

'Alleen van een afstandje,' zei Myron.

Ze glimlachte, dezelfde glimlach als Win. 'Maar je bent er nooit binnen geweest?'

'Nee.'

'Dat verbaast me niets. Win rijdt niet meer. Hij was gek op paarden. Daar hield hij nog meer van dan van golf.'

'Mevrouw Lockwood...'

'Toe, zeg maar Cissy.'

'Ik vind het echt niet prettig om dit te horen.'

Haar ogen werden een tikkeltje harder. 'En ik vind het niet prettig om je dit te vertellen. Maar het moet gebeuren.'

'Win zou niet willen dat ik het hoor,' zei Myron.

'Dat is dan jammer, maar Win kan niet altijd zijn zin krijgen. Dat had ik al lang geleden moeten beseffen. Als kind wilde hij me niet meer zien. Ik heb hem nooit gedwongen. Ik heb naar de experts geluisterd die zeiden dat mijn zoon vanzelf van gedachten zou veranderen, dat hem dwingen mij te zien het tegenovergestelde effect zou hebben. Maar zij kenden Win niet. Tegen de tijd dat ik niet langer naar hen luisterde, was het te laat. Niet dat het er iets toe deed. Ik geloof niet dat hen negeren iets aan de zaak zou hebben veranderd.'

Stilte.

Ze stond trots en in haar volle lengte opgericht, haar slanke hals hoog geheven. Maar er was iets aan de hand. Haar vingers bleven zich strekken alsof ze zich verzette tegen het verlangen haar vuisten te ballen. Myrons maag raakte in de knoop. Hij wist wat er zou komen. Alleen wist hij niet wat hij ermee aan moest.

'Het verhaal is eenvoudig,' begon ze, en haar stem klonk bijna weemoedig. Ze keek niet langer naar Myron. Haar blik was iets boven zijn schouder gericht, maar hij had geen idee wat ze precies zag. 'Win was acht. Ik was op dat moment zevenentwintig. Ik ben jong getrouwd. Ik heb niet gestudeerd. Niet dat ik een keuze had. Mijn vader vertelde me wat ik moest doen. Ik had slechts een vriendin, een iemand die ik in vertrouwen kon nemen. Dat was Victoria. Zij is nog altijd mijn grootste vertrouweling, te vergelijken met wat jij bent voor Win.'

Cissy Lockwood rilde even. Haar ogen gingen dicht.

'Mevrouw Lockwood?'

Ze schudde haar hoofd. De ogen gingen langzaam open. 'Ik dwaal af,' zei ze, naar adem snakkend. 'Het spijt me. Ik ben niet gekomen om je mijn hele levensverhaal te vertellen. Slechts een gebeurtenis ervan. Dus laat me dat onverbloemd zeggen.'

Een diepe ademteug. En nog een.

'Jack Coldren vertelde me dat hij Win zou meenemen voor een golfles. Maar dat is er nooit van gekomen. Of misschien waren ze veel eerder klaar dan verwacht. Hoe dan ook, Jack was niet bij Win. Zijn vader wel. Om de een of andere reden besloten Win en zijn vader om naar de stallen te gaan. Daar was ik ook toen ze binnenkwamen. Ik was niet alleen. Om precies te zijn was ik met Wins paardrij-instructeur.'

Ze hield op en Myron wachtte.

'Moet ik het uitleggen?'

Myron schudde zijn hoofd.

'Geen enkel kind zou mogen zien wat Win die dag zag,' zei ze. 'En

wat nog erger is: geen enkel kind zou ooit zijn vaders gezicht on
die omstandigheden mogen zien.'

Myron voelde tranen prikken in zijn ogen.

'Er valt natuurlijk meer te zeggen, maar daar zal ik nu niet op ingaan. Maar sinds dat moment heeft Win niet meer tegen me gesproken. Ook heeft hij zijn vader nooit vergeven. Ja, zijn vader. Jij denkt dat hij alleen mij haat en van Windsor de tweede houdt. Maar dat is niet zo. Hij neemt het zijn vader ook kwalijk. Hij gelooft dat zijn vader zwak is. Omdat hij het liet gebeuren. Absolute onzin, maar zo is het nou eenmaal.'

Myron schudde zijn hoofd. Hij wilde niets meer horen. Hij wilde wegrennen om Win te zoeken. Hij wilde zijn vriend omhelzen en hem door elkaar schudden en het hem op de een of andere manier laten vergeten. Hij dacht aan de verloren uitdrukking op Wins gezicht toen hij de ochtend ervoor naar de paardenstal had gekeken.

Mijn god. Win.

Toen Myron sprak, klonk zijn stem scherper dan verwacht. 'Waarom vertel je me dit?'

'Omdat ik doodga,' antwoordde ze.

Myron zakte ineen tegen een auto. Zijn hart werd opnieuw aan stukken gereten.

'Nogmaals, laat het me onverbloemd zeggen,' zei ze op veel te kalme toon. 'Het heeft mijn lever bereikt. Het is elf centimeter lang. Mijn buik zwelt op door lever- en nierfalen.' Dat verklaarde de kleren: het loshangende, veel te grote overhemd en de stretchbroek. 'We hebben het niet over maanden. We hebben het wellicht over weken. Waarschijnlijk minder.'

'Er zijn behandelingen,' probeerde Myron zwakjes. 'Procedures.'

Dat verwierp ze simpelweg door haar hoofd te schudden. 'Ik ben geen domme vrouw. Ik hoop echt niet op een ontroerende hereniging met mijn zoon. Ik ken Win. Dat zal niet gebeuren. Maar er zijn hier nog onafgedane zaken. Als ik dood ben, zal hij nooit meer de kans krijgen om zich nogmaals los te maken. Dan is het voorgoed voorbij. Ik weet niet wat hij met deze kans zal doen. Waarschijnlijk niks. Maar ik wil dat hij het weet. Zodat hij zelf een besluit kan ne-

. Het is zijn laatste kans, Myron. Ik geloof niet dat hij er gebruik
1 zal maken. Maar dat zou hij wel moeten doen.'
Daarna draaide ze zich om en liep weg. Myron keek haar na. Toen
ze uit het zicht was verdwenen, wenkte Myron een taxi. Hij ging ach-
terin zitten.
'Waar naartoe, maat?'
Hij gaf de man het adres waar Esme Fong logeerde. Toen leunde
hij achterover. Hij staarde uit het raampje zonder echt iets te zien.
De stad trok voorbij als een mistige, stille waas.

30

T oen hij dacht dat zijn stem hem niet zou verraden, belde Myron Win via zijn mobiele telefoon.

Na een snelle groet zei Win: 'Jammer van Jack.'

'Ik heb begrepen dat hij vroeger je vriend was.'

Win schraapte zijn keel. 'Myron?'

'Ja?'

'Jij weet niets. Vergeet dat niet.'

Dat was waar. 'Kunnen we vanavond samen eten?'

Win aarzelde. 'Natuurlijk.'

'In de cottage. Om half zeven.'

'Best.'

Win hing op. Myron probeerde het uit zijn gedachten te zetten. Hij had andere dingen om zich zorgen om te maken.

Esme Fong ijsbeerde op de stoep voor de ingang van Hotel Omni op de hoek van Chestnut Street en Fourth Street. Ze droeg een wit pakje met witte kousen. Adembenemende benen. Ze bleef in haar handen wringen.

Myron stapte uit de taxi. 'Waarom wacht je hier buiten?' vroeg hij.

'Je stond erop me onder vier ogen te spreken,' antwoordde Esme. 'Norm is boven.'

'Hebben jullie één kamer?'

'Nee, we hebben aangrenzende suites.'

Myron knikte. Opeens leek het anonieme motel niet zo'n gekke keuze. 'Niet veel privacy, zeker?'

'Nee, niet echt.' Ze glimlachte aarzelend naar hem. 'Maar dat geeft niet. Ik mag Norm graag.'

'Dat zal best.'

'Waar gaat dit over, Myron?'

'Heb je het gehoord van Jack Coldren?'

'Natuurlijk. Norm en ik waren geschokt. Heel erg geschokt.'

Myron knikte. 'Kom mee,' zei hij. 'Laten we een stukje lopen.'

Ze liepen Fourth Street verder in. Myron kwam in de verleiding om op Chestnut Street te blijven, maar dan zouden ze langs Independence Hall zijn geslenterd en dat was net een te groot cliché naar zijn smaak. Maar toch, Fourth Street lag ook in de koloniale wijk. Heel veel baksteen. Stoepen van baksteen, muren en hekken van baksteen, bakstenen gebouwen die een enorme historische betekenis hadden en er allemaal hetzelfde uitzagen. Op de stoepen stonden witte essen. Ze sloegen rechts af, een park in waar de Second Bank van de Verenigde Staten aan stond. Er stond een plaquette met de beeltenis van de eerste president van de bank. Een van Wins voorouders. Myron keek of hij een gelijkenis zag, maar vond die niet.

'Ik heb geprobeerd Linda te bellen,' zei Esme. 'Maar de telefoon is steeds in gesprek.'

'Heb je Chads lijn geprobeerd?'

Iets leek haar gezicht te raken, maar vluchtte weer. 'Chads lijn?'

'Hij heeft thuis zijn eigen telefoon,' zei hij. 'Dat moet je hebben geweten.'

'Waarom zou ik dat weten?'

Myron haalde zijn schouders op. 'Ik dacht dat je Chad kende.'

'Dat is ook zo,' zei ze. Haar stem klonk langzaam en behoedzaam. 'Ik bedoel, ik ben verschillende keren bij ze op bezoek geweest.'

'Hmm. En wanneer heb je Chad voor het laatst gezien?'

Ze legde haar hand op haar kin. 'Ik geloof niet dat hij thuis was toen ik er vrijdagavond was,' zei ze, nog altijd langzaam. 'Ik weet het niet precies. Een paar weken terug, denk ik.'

Myron maakte een zoemgeluid. 'Fout antwoord.'

'Pardon?'

'Ik begrijp het niet, Esme.'

'Wat niet?'

Myron liep door en Esme bleef naast hem lopen. 'Hoe oud ben je precies?' vroeg hij. 'Vierentwintig?'

'Vijfentwintig.'

'Je bent slim. Je bent succesvol. Je bent aantrekkelijk. Maar een tienerjongen... Waar slaat dat op?'

Ze bleef staan. 'Waar heb je het over?'

'Weet je dat echt niet?'

'Ik heb geen flauw idee.'

Zijn blik boorde zich in de hare. 'Jij. Chad Coldren. De Court Manor Inn. Helpt dat?'

'Nee.'

'Toe nou,' zei Myron sceptisch.

'Heeft Chad dat verteld?'

'Esme...'

'Hij liegt, Myron. Jezus, je weet toch hoe tienerjongens zijn? Hoe kun je zoiets nou geloven?'

'Foto's, Esme.'

Haar gezicht verslapte. 'Wat?'

'Jullie hebben gepind bij de geldautomaat naast het motel, weet je nog? Daar hebben ze camera's. Je gezicht staat er duidelijk op.' Het was bluf, maar wel doeltreffend. Ze stortte stukje bij beetje in. Ze keek om zich heen en liet zich toen op een bankje ploffen. Ze draaide zich om en keek naar een koloniaal gebouw dat helemaal in de steigers stond. Steigers bedierven het effect, bedacht Myron. Net okselhaar bij een knappe vrouw. Eigenlijk hoorde het er niet toe te doen, maar dat deed het wel.

'Zeg het alsjeblieft niet tegen Norm,' zei ze afwezig. 'Alsjeblieft.'

Myron zweeg.

'Ik weet dat het stom van me was. Maar het zou me niet mijn baan moeten kosten.'

Myron ging naast haar zitten. 'Vertel me wat er is gebeurd.'

Ze keek hem aan. 'Waarom? Wat gaat jou dat aan?'

'Daar zijn redenen voor.'

'Welke dan?' Haar stem klonk wat scherper. 'Hoor eens, ik ben niet trots op mezelf. Maar sinds wanneer ben jij mijn geweten?'

'Best. Dan vraag ik het Norm wel. Misschien kan hij me helpen.'

Haar mond viel open. 'Waar moet hij je mee helpen? Ik begrijp het niet. Waarom doe je me dit aan?'

'Ik moet wat antwoorden hebben. Ik heb geen tijd om het uit te leggen.'

'Wat wil je dat ik zeg? Dat het stom van me was? Dat was het ook. Ik zou kunnen zeggen dat ik eenzaam was op een leuke plaats. Dat hij een lieve, knappe knul leek en dat ik dacht dat er vanwege zijn leeftijd weinig kans was op een ziekte of dat hij me als een schoothondje achterna zou gaan lopen. Maar uiteindelijk verandert dat niet veel aan de zaak. Het was verkeerd van me en het spijt me. Oké?'

'Wanneer heb je Chad voor het laatst gezien?'

'Waarom blijf je dat vragen?' wilde Esme weten.

'Beantwoord mijn vragen nou maar, anders ga ik naar Norm. Ik meen het.'

Aandachtig keek ze hem aan. Hij trok zijn meest ondoordringbare gezicht, wat hij had geleerd van bijzonder harde agenten en tolbeambten op de New Jersey tolweg. Na een paar seconden zei ze: 'In het motel.'

'De Court Manor Inn?'

'Hoe het ook maar heet. Ik weet de naam niet meer.'

'Welke dag was dat?' vroeg Myron.

Daar dacht ze even over na. 'Vrijdagochtend. Chad sliep nog.'

'Sindsdien heb je hem niet meer gezien of gesproken?'

'Nee.'

'En je had ook geen plannen voor nog een romantisch samenzijn?'

Ze trok een ongelukkig gezicht. 'Nee, niet echt. Ik dacht dat hij alleen wat lol wilde, maar toen we daar eenmaal waren, kon ik zien dat hij verliefd op me werd. Daar had ik geen rekening mee gehouden. Eigenlijk maakte ik me zorgen.'

'Waarover precies?'

'Dat hij het tegen zijn moeder zou zeggen. Chad bezwoer me dat hij dat niet zou doen, maar wie weet wat er gebeurt als ik hem zou kwetsen? Ik was opgelucht toen ik niks meer van hem hoorde.'

Myron keek aandachtig naar haar gezicht en liep haar verhaal na om te kijken of hij haar op een leugen kon betrappen. Dat was niet het geval, maar dat wilde niet zeggen dat die er niet waren.

Esme verschoof op de bank en sloeg haar benen over elkaar. 'Ik begrijp nog steeds niet waarom je me dit allemaal vraagt.' Ze dacht er even over na en toen leek er een vonk in haar ogen op te springen. Ze rechtte haar schouders naar Myron. 'Heeft dit iets met de moord op Jack te maken?'

Myron zei niets.

'Mijn hemel.' Haar stem beefde. 'Je kunt toch niet denken dat Chad daar iets mee te maken heeft?'

Myron wachtte een tel. Alles-of-niets-tijd. 'Nee,' zei hij. 'Maar ik ben minder overtuigd van jou.'

Haar gezicht drukte een en al verwarring uit. 'Wat?'

'Ik denk dat jij Chad hebt gekidnapt.'

Ze hief haar handen op. 'Ben je gek geworden? Gekidnapt? Het gebeurde met wederzijdse instemming tussen ons. Geloof me, Chad was meer dan bereidwillig. Goed, hij is jong. Maar denk je nou echt dat ik hem onder bedreiging van een vuurwapen heb meegenomen naar die motelkamer?'

'Dat bedoel ik niet,' zei Myron.

Weer verwarring. 'Wat bedoel je dan in godsnaam?'

'Nadat je het motel vrijdagochtend hebt verlaten. Waar ben je toen naartoe gegaan?'

'Naar Merion. Daar heb ik jou die avond ontmoet, weet je nog?'

'En afgelopen nacht. Waar was je toen?'

'Hier.'

'In je suite?'

'Ja.'

'Hoe laat?'

'Vanaf acht uur.'

'Kan iemand dat bevestigen?'

'Waarom zou iemand dat moeten bevestigen?' snauwde ze. Myron zette zijn ondoordringbare gezicht weer op, daar kwamen zelfs geen gassen doorheen. Esme slaakte een zucht. 'Ik was tot middernacht bij Norm. We waren aan het werk.'

'En daarna?'

'Ben ik naar bed gegaan.'

'Kan de nachtportier van het hotel bevestigen dat jij na middernacht je suite niet meer bent uitgekomen?'

'Dat denk ik wel. Hij heet Miguel en hij is heel aardig.'

Miguel. Dat zou hij Esperanza laten natrekken. Als haar alibi klopte, bleef er niets over van zijn leuke scenariootje. 'Wie wist het nog meer van Chad Coldren en jou?'

'Niemand,' zei ze. 'Dat wil zeggen, ik heb het tegen niemand gezegd.'

'En Chad? Heeft hij het tegen iemand gezegd?'

'Zo te horen heeft hij het aan jou verteld,' zei ze veelbetekenend. 'Misschien heeft hij het ook tegen iemand anders gezegd. Ik weet het niet.'

Daar dacht Myron over na. De man in het zwart die uit Chads slaapkamerraam was gekropen. Matthew Squires. Myron wist nog hoe zijn eigen tienerjaren waren geweest. Als hij erin was geslaagd om een oudere vrouw met het uiterlijk van Esme in bed te krijgen, dan zou hij hebben gepopeld het tegen iemand te vertellen. Vooral als hij de nacht ervoor bij zijn beste vriend had geslapen.

Weer leidden alle wegen naar die Squires-knul.

Myron vroeg: 'Waar kan ik je vinden als ik je wil spreken?'

Ze haalde een kaartje uit haar zak. 'Mijn mobiele nummer staat onderaan.'

'Tot ziens, Esme.'

'Myron?'

Hij draaide zich naar haar om.

'Ga je het tegen Norm zeggen?'

Ze leek zich alleen druk te maken om haar reputatie en haar baan, niet over een aanklacht wegens moord. Of was dit niets anders dan een slimme afleidingsmanoeuvre? Er was geen enkele manier om dat met zekerheid vast te stellen.

'Nee,' zei hij. 'Dat zal ik niet doen.'

In elk geval nu nog niet.

31

Episcopal Academy. Wins oude middelbare school. Esperanza had hem opgepikt voor Esme Fongs hotel en hem hierheen gereden. Ze parkeerde aan de overkant van de straat. Ze zette de motor af en keek hem aan.

'En nu?' vroeg ze.

'Ik weet het niet. Matthew Squires is daarbinnen. We kunnen wachten op de lunchpauze. En dan proberen binnen te komen.'

'Dat klinkt als een plan,' zei Esperanza met een knikje. 'Een heel slecht plan.'

'Heb jij een beter idee?'

'We kunnen ook nu naar binnen gaan. Net doen alsof we ouders zijn die de school komen bekijken.'

Daar dacht Myron even over na. 'Denk je echt dat dat lukt?'

'Beter dan hier zitten te niksen.'

'O, voor ik het vergeet. Ik wil dat je Esme's alibi natrekt. De nachtportier van het hotel heet Miguel.'

'Miguel,' herhaalde ze. 'Omdat ik latina ben, zeker?'

'Zo'n beetje wel, ja.'

Daar had ze geen moeite mee. 'Ik heb vanochtend naar Peru gebeld.'

'En?'

'Ik heb met een soort plaatselijke sheriff gesproken. Die zegt dat Lloyd Rennart zelfmoord heeft gepleegd.'

'Hoe zit het met het lichaam?'

'Die rots wordt *El Garganta del Diablo* genoemd, oftewel: de keel van de duivel. Daar worden nooit lichamen teruggevonden. Het is een behoorlijk populaire plek om te springen.'

'Fantastisch. Denk je dat je nog wat achtergrondinformatie over Rennart kunt achterhalen?'

'Wat bijvoorbeeld?'

'Hoe heeft hij dat café in Neptune kunnen kopen? Waar heeft hij het huis in Spring Lake Heights van betaald? Dat soort dingen.'

'Waarom wil je dat weten?'

'Lloyd Rennart was caddie van een beginnende golfer. Daarvan word je niet bepaald rijk.'

'Dus?'

'Dus misschien heeft hij een meevaller gehad nadat Jack de U.S. Open had verknald.'

Esperanza begreep waar hij heen wilde. 'Denk je dat iemand Rennart heeft betaald om de Open te saboteren?'

'Nee,' zei Myron. 'Maar ik denk wel dat de kans bestaat.'

'Het zal niet meevallen om dat spoor na al die tijd te volgen.'

'Waag een poging. En Rennart was twintig jaar geleden betrokken bij een ernstig auto-ongeluk in Narberth. Dat is een klein stadje hier ergens in de buurt. Zijn eerste vrouw is erbij omgekomen. Kijk wat je daar over kunt vinden.'

Esperanza fronste haar wenkbrauwen. 'Wat bijvoorbeeld?'

'Bijvoorbeeld of hij dronken was? Is hij ergens van beschuldigd? Zijn er andere slachtoffers gevallen?'

'Waarom?'

'Misschien heeft hij iemand kwaad gemaakt. Misschien wil de familie van zijn eerste vrouw wraak nemen.'

Esperanza bleef fronsen. 'Dus hebben ze... Wat? Twintig jaar gewacht en zijn ze toen Rennart gevolgd naar Peru waar ze hem van een rots hebben geduwd en vervolgens teruggekomen om Chad Coldren te ontvoeren, Jack Coldren te vermoorden... Snap je waar ik op aanstuur?'

Myron knikte. 'Je hebt gelijk. Maar toch wil ik dat je alles opzoekt wat er te vinden is over Lloyd Rennart. Volgens mij is er ergens een verband. We moeten alleen ontdekken wat dat is.'

'Ik zie het niet,' zei Esperanza. Ze duwde een zwarte krul achter haar oor. 'Ik vind Esme Fong een veel betere verdachte.'

'Dat ben ik met je eens. Maar toch wil ik graag dat je het onderzoekt. Probeer zo veel mogelijk te vinden. Er is ook een zoon. Larry Rennart. Hij is zeventien. Kijk maar of je kunt achterhalen wat hij heeft uitgespookt.'

Ze haalde haar schouders op. 'Tijdverspilling, maar mij best.' Ze wees naar de school. 'Wil je nu naar binnen gaan?'

'Goed.'

Voor ze in beweging konden komen, tikten er vier gigantische knokkels zacht op Myrons raampje. Hij schrok van het geluid. Myron keek uit zijn raampje. De grote, zwarte man met het Nat King Cole-haar, die van de Court Manor Inn, keek hem glimlachend aan. 'Nat' maakte een draaibeweging met zijn hand om aan te geven dat Myron het raampje moest opendoen. Myron gehoorzaamde.

'Hé, ik ben blij dat ik je tref,' zei Myron. 'Je bent vergeten mij het nummer van je kapper te geven.'

De zwarte man grinnikte. Met zijn grote handen maakte hij een lijst – zijn duimen raakten elkaar en hij hield zijn handen uitgestrekt – en bewoog die van achteren naar voren zoals een filmregisseur doet. 'Jij met mijn kapsel,' zei hij hoofdschuddend. 'Daar kan ik me niks bij voorstellen.'

Hij boog zich de auto in en stak zijn hand langs Myron uit naar Esperanza. 'Ik ben Carl.'

'Esperanza.' Ze gaf hem een hand.

'Ja, dat weet ik.'

Esperanza keek hem met samengeknepen ogen aan. 'Ik ken jou.'

'Dat klopt.'

Ze knipte met haar vingers. 'Mosambo, de Kenyan Killer, de Safari Slasher.'

Carl glimlachte. 'Leuk dat Little Pocahontas het nog weet.'

Myron vroeg: 'De Safari Slasher?'

'Carl was vroeger een profworstelaar,' legde Esperanza uit. 'We hebben een keer samen in de ring gestaan. Was dat niet in Boston?'

Carl kroop op de achterbank van de auto. Hij boog zich voorover zodat zijn hoofd tussen Esperanza's rechterschouder en Myrons linker was. 'Hartford,' zei hij. 'In het Civic Center.'

'Een gemengd team,' zei Esperanza.

'Precies,' zei Carl met een ontspannen glimlach. 'Esperanza, wees eens lief en start de motor. Rij rechtdoor tot het derde stoplicht.'

Myron zei: 'Zou je ons willen vertellen wat er aan de hand is?'

'Ja hoor. Zie je die auto achter je?'

Myron keek in de buitenspiegel aan zijn kant. 'Die met de twee zware jongens erin?'

'Precies. Die horen bij mij. En het zijn slechte mannen, Myron. Jong. Veel te gewelddadig. Je weet hoe de jeugd van tegenwoordig is. Bam, bam, zonder te praten. Wij drieën moeten jullie naar een onbekende locatie loodsen. Sterker nog, ik hoor op dit moment een wapen op je gericht te hebben. Maar ach, we zijn toch zeker onder vrienden? Dus dat leek me niet nodig. Dus rij gewoon rechtdoor. De zware jongens volgen wel.'

'Voor we vertrekken,' zei Myron. 'Zou je het erg vinden als we Esperanza laten gaan?'

Carl grinnikte. 'Is dat niet een beetje seksistisch?'

'Pardon?'

'Als Esperanza een man was, bijvoorbeeld je vriend Win, zou je dan ook dit galante gebaar maken?'

'Die kans bestaat,' zei hij. Maar zelfs Esperanza schudde haar hoofd.

'Dat lijkt me niet, Myron. Geloof me: het zou de verkeerde zet zijn. De jeugdige zware jongens hierachter zouden willen weten wat er aan de hand is. Dan zien ze haar uit de auto stappen en ze hebben van die jeukende vingers en gekke ogen en ze vinden het fijn om mensen pijn te doen. Vooral vrouwen. En misschien, heel misschien, is Esperanza een soort verzekeringspolis. In je eentje zou je misschien iets doms proberen te doen, met Esperanza erbij wellicht niet.'

Esperanza wierp Myron een blik toe en Myron knikte. Ze startte de auto.

'Ga linksaf bij het derde stoplicht,' zei Carl.

'Zeg, vertel eens,' zei Myron. 'Is Reginald Squires echt zo gek als wordt beweerd?'

Nog altijd glimlachend boog Carl zich naar Esperanza toe. 'Hoor ik onder de indruk te zijn van zijn scherpe deductieve redeneringsvermogen?'

'Ja,' zei Esperanza. 'Als je dat niet bent, zal hij zwaar teleurgesteld zijn.'

'Dat dacht ik al. En om je vraag te beantwoorden, Squires is niet zo gek, zolang hij zijn medicijnen slikt.'

'Heel bemoedigend,' zei Myron.

De jeugdige zware jongens bleven de hele rit van een kwartier vlak achter hen rijden. Het verbaasde Myron niets dat Carl tegen Esperanza zei dat ze Green Acres Road moest in slaan. Toen ze bij de overladen vooringang kwamen, zwaaiden de ijzeren hekken open als in de aftiteling van *Get Smart*. Ze reden over een kronkelende oprijlaan door het dicht beboste terrein. Na pakweg achthonderd meter kwamen ze op een open plek met een gebouw. Het gebouw was groot, simpel en vierkant, als een gymzaal van een middelbare school.

De enige ingang die Myron kon zien was een garagedeur. Precies op dat moment gleed de deur open. Carl zei tegen Esperanza dat ze er naar binnen moest rijden. Toen ze ver genoeg binnen waren, zei hij dat ze moest stoppen en de motor moest afzetten. De auto met de zware jongens kwam achter hen staan en deed hetzelfde.

De garagedeur ging weer naar beneden en sneed langzaam de zon weg. Binnen brandden geen lampen, het vertrek was gedompeld in volledige duisternis.

'Dit is net het spookhuis bij Six Flags,' zei Myron.

'Geef me je wapen, Myron.'

Carl keek alsof hij het meende. Myron gaf hem het wapen.

'Stap de auto uit.'

'Maar ik ben bang in het donker,' zei Myron.

'Jij ook, Esperanza.'

Ze stapten allemaal uit. Net als de twee zware jongens achter hen. Hun bewegingen weerkaatsten tegen de cementen vloer, waardoor Myron het idee kreeg dat ze in een bijzonder groot vertrek waren. De binnenverlichting van de auto's zorgde voor enig licht, maar dat duurde niet lang. Myron kon niets onderscheiden voor de portieren werden gesloten.

Volledige duisternis.

Myron liep om de auto heen en vond Esperanza. Ze nam zijn hand in de hare. Ze bleven stil staan wachten.

Een schijnwerper, zo een als ook gebruikt werd in een vuurtoren of bij een filmpremière, ging aan en scheen in hun gezicht. Myrons ogen vlogen dicht. Hij hield zijn hand er half voor en deed ze langzaam weer open. Er ging een man voor het felle licht staan. Zijn lichaam wierp een enorme schaduw op de muur achter Myron. Het effect deed Myron denken aan het Bat Signaal.

'Niemand zal jullie schreeuwen horen,' zei de man.

'Is dat niet een citaat uit een film?' vroeg Myron. 'Maar volgens mij ging de zin zo: "Niemand zal jullie horen schreeuwen." Al kan ik me vergissen.'

'Er zijn mensen gestorven in deze kamer,' bulderde de stem. 'Ik ben Reginald Squires. Jij gaat me alles vertellen wat ik wil weten. Anders zijn jij en je vriendin de volgenden.'

Tjonge jonge. Myron keek naar Carl. Carls gezicht bleef ondoorgrondelijk. Myron keerde zich weer naar het licht. 'Jij bent toch rijk?'

'Heel erg rijk,' verbeterde Squires hem.

'Dan kun je je toch wel een betere scenarioschrijver permitteren.'

Myron wierp een blik achterom op Carl. Carl schudde langzaam zijn hoofd. Een van de twee zware jongens stapte naar voren. In het schelle licht zag Myron de psychotische, blijde glimlach van de man. Myron verstijfde en wachtte af.

De zware jongen balde een vuist en sloeg daarmee naar Myrons hoofd. Myron bukte zich en de stomp miste. Terwijl de vuist langs hem vloog, greep Myron de pols van de kerel beet. Hij drukte zijn onderarm tegen de achterkant van diens elleboog en trok hem naar achteren, een buiging waar het gewricht duidelijk niet op was gebouwd. De zware jongen had geen keuze. Hij viel op de grond. Myron oefende iets meer druk uit. De zware jongen probeerde zich los te kronkelen. Myron ramde zijn knie recht tegen de neus van de

264

zware jongen. Er versplinterde iets. Myron voelde het kraakbeen van de neus daadwerkelijk meegeven en verpulveren.

De tweede zware jongen pakte zijn wapen en richtte het op Myron.

'Stop,' schreeuwde Squires.

Myron liet de zware jongen los en die gleed op de vloer als nat zand uit een gescheurde zak.

'Daar zult u voor boeten, meneer Bolitar.' Squires hield ervan zijn stem te verheffen. 'Robert?'

De zware jongen met het wapen zei: 'Ja, meneer Squires.'

'Sla het meisje. Hard.'

'Ja, meneer Squires.'

Myron zei: 'Hé, sla mij. Ik ben degene die bijdehand deed.'

'En dit is je straf,' zei Squires kalmpjes. 'Sla het meisje, Robert. Nu.'

Zware jongen Robert liep naar Esperanza toe.

'Meneer Squires?' Dat was Carl.

'Ja, Carl.'

Carl stapte in het licht. 'Sta mij toe het te doen.'

'Ik had niet gedacht dat jij daar het type voor was, Carl.'

'Dat ben ik ook niet, meneer Squires. Maar Robert zou haar ernstig kunnen beschadigen.'

'Dat is mijn bedoeling ook.'

'Nee, ik bedoel dat hij een blauwe plek zal achterlaten of iets zal breken. U wilt dat ze pijn voelt. Daar weet ik alles van.'

'Dat weet ik, Carl. Daar betaal ik je voor.'

'Laat mij dan mijn werk doen. Ik kan haar slaan zonder sporen achter te laten of een permanente verwonding te veroorzaken. Ik weet alles van zelfbeheersing en ik ken de juiste plekken.'

Daar dacht de schimmige meneer Squires even over na. 'Zul je zorgen dat het pijn doet?' vroeg hij. 'Heel veel pijn?'

'Als u erop staat.' Carl klonk onwillig, maar vastberaden.

'Dat doe ik. Nu meteen. Ik wil dat ze heel veel pijn heeft.'

Carl liep naar Esperanza. Myron liep op hem af, maar Robert drukte het wapen tegen zijn hoofd. Hij kon niets beginnen. Hij probeerde Carl een brandende, waarschuwende blik toe te werpen.

'Niet doen,' zei Myron.

Carl negeerde hem. Hij stond voor Esperanza. Ze keek hem tartend aan. Zonder waarschuwing stompte hij haar hard in haar buik. De kracht van de stomp tilde Esperanza op. Ze maakte een oef-geluid en klapte vanuit haar middel dubbel als een oude portemonnee. Haar lichaam belandde op de grond. Ze krulde zich beschermend op tot een bal. Haar ogen waren wijd opengesperd en haar borstkas ging op en neer toen ze naar adem snakte. Zonder enige emotie keek Carl op haar neer.

'Vuile klootzak,' zei Myron.

'Het is jouw schuld,' zei Carl.

Esperanza bleef over de grond rollen in duidelijke pijn. Ze kon nog altijd geen lucht in haar longen krijgen. Myrons hele lichaam voelde heet en rood. Hij liep op haar af, maar Robert hield hem opnieuw tegen door het wapen hard tegen zijn nek te drukken.

Reginald Squires liet zijn stem weer heel hard klinken. 'Nu bent u zeker wel bereid te luisteren, meneer Bolitar?'

Myron haalde een aantal keer diep adem. Zijn spieren spanden zich. Al zijn lichaamsdelen kookten van woede. Elk deel snakte naar wraak. Zwijgend keek hij naar Esperanza die op de vloer lag te kronkelen. Na een poosje slaagde ze erin op handen en knieën te gaan zitten. Haar hoofd hing omlaag. Haar lichaam schokte. Ze maakte een geluid alsof ze kokhalsde. En nog een keer.

Dat geluid zette Myron aan het denken.

Er was iets met dat geluid... Myron groef in zijn geheugen. Iets met het hele scenario, de manier waarop ze dubbel was geklapt en over de vloer had gerold. Dat kwam hem bizar bekend voor. Alsof hij het al eerder had gezien. Maar dat was onmogelijk. Wanneer had hij nou... Opeens schoot het antwoord hem te binnen.

In de worstelring.

Mijn hemel, dacht Myron. Ze deed alsof!

Myron keek naar Carl. Er lag een vage glimlach op zijn gezicht. Jezus nog aan toe. Het was maar spel!

Reginald Squires schraapte zijn keel. 'U hebt een ongezonde belangstelling voor mijn zoon, meneer Bolitar,' ging hij door met donderende stem. 'Bent u soms pervers?'

Myron maakte bijna nog een bijdehante opmerking, maar hij hield zich in. 'Nee.'

'Vertel dan wat u van hem wilt.'

Myron tuurde met samengeknepen ogen in het licht. Nog altijd kon hij niet meer zien dan de vage contouren van Squires' lichaam. Wat kon hij zeggen? Die kerel was knettergek. Dat leed geen enkele twijfel. Dus hoe moest hij dit aanpakken?

'U weet van de moord op Jack Coldren?' vroeg Myron.

'Uiteraard.'

'Ik hou me bezig met die zaak.'

'U probeert te achterhalen wie Jack Coldren heeft vermoord?'

'Ja.'

'Maar Jack is gisteravond pas vermoord,' gaf Squires terug. 'U wilde mijn zoon zaterdag spreken.'

'Dat is een lang verhaal,' zei Myron.

De schaduw spreidde zijn handen. 'We hebben alle tijd van de wereld.'

Hoe had Myron geweten dat hij dat zou zeggen?

Aangezien hij niet veel te verliezen had, vertelde Myron Squires over de ontvoering. Althans, het meeste. Hij benadrukte een paar keer dat de daadwerkelijke ontvoering had plaatsgevonden in de Court Manor Inn. Daar was een reden voor. Het had te maken met het egocentrisme. Reginald Squires, het ego in kwestie, reageerde heel voorspelbaar.

'Beweert u,' brulde hij, 'dat Chad Coldren is ontvoerd vanuit míjn motel?'

Zijn motel. Eindelijk had Myron het uitgevogeld. Dat was de enige verklaring waarom Carl Stuart Lipwitz te hulp was geschoten.

'Dat klopt,' zei Myron.

'Carl?'

'Ja, meneer Squires?'

'Was jij op de hoogte van deze ontvoering?'

'Nee, meneer Squires.'

'Nou, er moet iets aan gebeuren,' schreeuwde Squires. 'Niemand flikt zoiets op mijn grondgebied. Heb je me goed begrepen? Helemaal niemand.'

Deze man had echt veel te veel gangsterfilms gezien.

'Degene die dit heeft gedaan, gaat eraan,' tierde hij verder. 'Hebben jullie me gehoord. Ik wil ze dood. D-O-O-D. Begrijpt u me, meneer Bolitar?'

'Dood,' zei Myron met een knikje.

De schaduw wees met een lange vinger naar Myron. 'U zoekt hem voor me. U achterhaalt wie dit heeft gedaan en dan belt u me. U laat het mij afhandelen. Hebt u dat goed begrepen, meneer Bolitar?'

'U bellen. U handelt het af.'

'Ga dan. Zoek die verachtelijke hufter.'

Myron zei: 'Zeker, meneer Squires. Zeker.' Hé, twee kunnen het Slechte Filmdialoog-spel spelen. 'Maar ziet u, daarbij heb ik hulp nodig.'

'Wat voor hulp?'

'Als u het goedvindt, wil ik graag uw zoon Matthew spreken. Vragen wat hij hiervan weet.'

'Waarom denkt u dat hij überhaupt iets weet?'

'Hij is Chads beste vriend. Misschien heeft hij iets gehoord of gezien. Ik heb geen idee, meneer Squires, maar ik wil het graag controleren.'

Er volgde een korte stilte. Toen snauwde Squires: 'Gaat uw gang. Carl zal u terugbrengen naar de school. Matthew zal vrijelijk met u spreken.'

'Dank u, meneer Squires.'

Het licht ging uit waardoor ze zich weer in dikke duisternis bevonden. Myron liep op de tast naar het autoportier. De 'herstellende' Esperanza slaagde erin hetzelfde te doen. Net als Carl. Ze stapten alle drie in.

Myron draaide zich om en keek Carl aan. Carl haalde zijn schouders op en zei: 'Blijkbaar is hij vergeten zijn medicijnen in te nemen.'

32

'Chad heeft me verteld dat hij iets had met een ouder stuk, weet je wel.'

'Heeft hij je verteld hoe ze heette?' vroeg Myron.

'Nee, man,' zei Matthew Squires. 'Alleen dat ze afhaal was.'

'Afhaal?'

'Je weet wel. Chinees.'

Jezus.

Myron zat tegenover Matthew Squires. De knul was zogenaamd op en top straatschoffie. Zijn lange, vlassige haar had een middenscheiding en hing tot over zijn schouders. De kleur en textuur deden Myron denken aan Neef Itt uit de *Addams Family*. Hij had behoorlijk last van acne. Hij was ruim een meter tachtig en woog misschien net vijfenvijftig kilo. Myron vroeg zich af hoe het voor deze jongen was om op te groeien met Meneer Spotlight als vader.

Carl zat rechts van hem. Esperanza was met een taxi weggegaan om het alibi van Esme Fong te controleren en in het verleden van Lloyd Rennart te gaan spitten.

'Heeft Chad je ook verteld waar hij haar zou ontmoeten?'

'Tuurlijk, man. Die hete tent is mijn pa's hol, weet je wel.'

'Wist Chad dat je vader de eigenaar is van de Court Manor Inn?'

'Nee. Wij hebben het nooit over mijn vaders poen, weet je wel. Dat deugt niet, snap je?'

Myron en Carl wierpen elkaar een blik toe. Die blik beweende de jeugd van tegenwoordig.

'Ben je samen met hem naar de Court Manor Inn gegaan?'

'Nee. Ik ben later gegaan, snap je? Ik dacht dat die lul wel zou willen feesten nadat hij aan zijn trekken was gekomen, snap je? Het een beetje vieren en zo.'

'Dus hoe laat ben jij naar de Court Manor gegaan?'

'Half elf, elf uur, zoiets.'

'Heb je Chad gezien?'

'Nee. Alles werd, weet je wel, meteen heel vreemd. Ik heb er nooit de kans voor gekregen.'

'Hoe bedoel je, vreemd?'

Matthew Squires aarzelde even. Carl boog zich voorover. 'Het is goed, Matthew. Je vader wil dat je het hele verhaal vertelt.'

De knul knikte. Wanneer hij zijn kin omlaag deed, gleed het sliertige haar langs zijn gezicht. Het was net een gordijn met franje dat heel snel achter elkaar open en dicht ging. 'Goed, weet je wel, het zit zo: toen ik in mijn Benz het parkeerterrein op reed, zag ik Chads pa.'

Myron voelde een misselijkmakende golf. 'Jack Coldren? Heb jij Jack Coldren gezien? Bij de Court Manor Inn?'

Squires knikte. 'Ja, hij zat daar gewoon in zijn auto, weet je wel?' zei hij. 'Naast Chads Honda. Hij keek hartstikke kwaad, man. Ik wilde er niks mee te maken hebben, snap je? Dus ik ben hem gesmeerd.'

Myron probeerde niet al te verbijsterd te kijken. Jack Coldren bij de Court Manor Inn. Zijn zoon binnen in een kamer, neukend met Esme Fong. De volgende ochtend zou Chad Coldren worden ontvoerd.

Wat was hier in godsnaam aan de hand?

'Vrijdagavond heb ik iemand uit het raam van Chads kamer zien klimmen,' ging Myron door. 'Was jij dat?'

'Ja.'

'Wat was je precies aan het doen?'

'Kijken of Chad thuis was. Zo doen we dat. Ik klim door zijn raam. Zoals Vinnie deed bij Doogie Howser. Herinner je je de serie *Doogie Howser*?'

Myron knikte. Die herinnerde hij zich inderdaad. Een beetje triest, als je er goed over nadacht.

Verder viel er niet veel uit de jonge Matthew Squires te halen.

Toen ze klaar waren, liep Carl met Myron mee naar zijn auto.

'Vreemde zaak,' zei Carl.

'Ja.'

'Bel je me als je iets te weten bent gekomen?'

'Ja.' Myron nam niet de moeite hem te vertellen dat Tito al dood was. Dat had geen zin. 'Mooie beweging, trouwens. Die nepstomp met Esperanza.'

Carl glimlachte. 'We zijn profs. Het valt me tegen dat jij het doorhad.'

'Als ik Esperanza nooit in de ring had gezien, zou het me niet zijn opgevallen. Dat was een mooi staaltje werk. Daar kun je trots op zijn.'

'Dank je.' Carl stak zijn hand uit en Myron schudde hem. Hij stapte in de auto en reed weg. Waar moest hij nu heen?

Terug naar het huis van de Coldrens, dacht hij.

Zijn hoofd tolde nog altijd van deze laatste onthulling: Jack Coldren was bij de Court Manor Inn geweest. Daar had hij de auto van zijn zoon zien staan. Hoe paste dat in vredesnaam in het plaatje? Was Jack Coldren Chad gevolgd? Misschien. Was hij daar toevallig geweest? Twijfelachtig. Welke andere mogelijkheden bleven er over? Waarom zou Jack Coldren zijn eigen zoon zijn gevolgd? En vanaf waar was hij hem gevolgd? Vanaf het huis van Matthew Squires? Was dat logisch? De man speelt in de U.S. Open, heeft een prima openingsronde en parkeert vervolgens zijn auto voor het landgoed van de Squires om te wachten tot zijn zoon naar buiten komt?

Nee.

Wacht eens even.

Stel je voor dat Jack Coldren niet zijn zoon was gevolgd. Stel dat hij Esme Fong was gevolgd.

Iets in zijn hersens zei *klik*.

Misschien had Jack Coldren ook een verhouding met Esme Fong. Zijn huwelijk wankelde. Esme Fong was vermoedelijk wel een beetje kinky. Ze had een tienerjongen verleid, waarom zou ze ook niet zijn vader hebben verleid? Maar was dat dan wel logisch? Had Jack haar gestalkt? Was hij op de een of andere manier achter het rendez-vous gekomen? Wat was de reden?

En de meer algemene vraag: heeft dit alles iets te maken met de ontvoering van Chad Coldren en de moord op Jack Coldren?

Hij kwam tot stilstand voor het huis van de Coldrens. De pers was op afstand gehouden, maar er stonden nu minstens twaalf agenten. Ze sjouwden kartonnen dozen naar buiten. Zoals Victoria Wilson al had gevreesd, had de politie een huiszoekingsbevel gekregen.

Myron parkeerde om de hoek en liep naar het huis. Jacks caddie, Diane Hoffman, zat in haar eentje op de stoep aan de andere kant van de straat. Hij wist nog waar hij haar voor het laatst bij de Coldrens had gezien: in de achtertuin, waar ze ruzie had gemaakt met Jack. Ook wist hij dat zij een van de weinige mensen was geweest die had geweten van de ontvoering. Had ze er niet bij gestaan op de oefenbaan, op de dag dat Myron er voor het eerst met Jack over had gesproken?

Zij was wel een gesprekje waard.

Diane Hoffman zat een sigaret te roken. De verschillende peuken bij haar voeten duidden erop dat ze hier al langer dan een paar minuten zat. Myron liep naar haar toe.

'Hoi,' zei hij. 'We hebben elkaar onlangs ontmoet.'

Diane Hoffman keek naar hem op en nam een diepe trek van haar sigaret, waarna ze de rook de stille lucht in blies. 'Ik herinner het me nog.' Haar schorre stem klonk als oude banden op een ruwe bestrating.

'Mijn deelneming,' zei Myron. 'Jack en jij moeten elkaar erg na hebben gestaan.'

Nog een diepe trek. 'Ja.'

'Caddie en golfer. Dat moet een hechte band zijn.'

Ze keek naar hem op, haar ogen achterdochtig samengeknepen. 'Ja.'

'Bijna als man en vrouw. Of zakenpartners.'

'Hmm. Zoiets.'

'Hadden jullie wel eens ruzie?'

Even keek ze hem kwaad aan en toen begon ze te lachen, wat eindigde in een droge hoest. Toen ze weer kon praten, vroeg ze: 'Waar-om wil je dat in godsnaam weten?'

'Omdat ik jullie ruzie heb zien maken.'

'Wat?'

'Op vrijdagavond. Jullie waren samen in de achtertuin. Je schold hem uit. Je gooide je sigaret vol afschuw neer.'

Diane Hoffman duwde haar sigaret uit. Op haar gezicht lag een heel dun glimlachje. 'Bent u soms een soort Sherlock Holmes, meneer Bolitar?'

'Nee. Ik stel je gewoon een vraag.'

'En ik mag toch zeker zeggen dat u zich godverdomme met uw eigen zaken moet bemoeien?'

'Ja zeker.'

'Goed. Doet u dat dan maar.' De glimlach werd breder. Het was een weinig aantrekkelijke glimlach. 'Maar eerst, om u wat tijd te besparen, zal ik u vertellen wie Jack heeft vermoord. En wie die jongen heeft ontvoerd, als u wilt.'

'Ik ben een en al oor.'

'Die trut daarbinnen.' Met haar duim wees ze op het huis achter zich. 'Die waar u op geilt.'

'Ik geil niet op haar.'

'Nee, nee,' sneerde Diane Hoffman.

'Waarom weet je zo zeker dat het Linda Coldren was?'

'Omdat ik die trut ken.'

'Dat is niet echt een antwoord.'

'Jammer dan, cowboy. Je vriendin heeft het gedaan. Wil je weten waar Jack en ik ruzie over maakten? Dat zal ik je vertellen. Ik zei dat hij een klootzak was omdat hij de politie niet belde over de ontvoering. Hij zei dat Linda en hij dat het beste vonden.' Ze lachte misprijzend. 'Linda en hij, mijn reet.'

Myron keek naar haar. Er klopte weer iets niet.

'Denk jij dat het Linda's idee was om de politie niet te bellen?'

'Reken maar. Zij is degene die de jongen heeft ontvoerd. Het was doorgestoken kaart.'

'Waarom zou ze dat hebben gedaan?'

'Vraag het haar zelf.' Een afschuwelijke glimlach. 'Misschien zal ze het jou vertellen.'

'Ik vraag het aan jou.'

Ze schudde haar hoofd. 'Zo gemakkelijk gaat dat niet, cowboy. Ik heb je verteld wie het heeft gedaan. Dat is wel genoeg, vind je niet?'

Tijd om het over een andere boeg te gooien. 'Hoe lang ben je Jacks caddie al?' vroeg hij.

'Een jaar.'

'Wat zijn je kwalificaties, als ik vragen mag. Waarom heeft Jack jou gekozen?'

Ze grinnikte snuivend. 'Dat maakt niet uit. Jack luistert toch niet naar caddies. Niet sinds die ouwe Lloyd Rennart.'

'Heb jij Lloyd Rennart gekend?'

'Nee.'

'Waarom heeft Jack je dan aangenomen?'

Ze gaf geen antwoord.

'Gingen jullie met elkaar naar bed?'

Diane Hoffman liet nog een hoestlach horen. Een diepe. 'Dat lijkt me niet.' Meer blaffend gelach. 'Niet waarschijnlijk met die ouwe Jack.'

Iemand riep zijn naam. Myron draaide zich om. Het was Victoria Wilson. Haar gezicht stond nog altijd slaperig, maar ze wenkte hem enigszins dringend. Naast haar stond Bucky. De oude man zag eruit alsof het minste briesje hem zou wegblazen.

'Ga er maar gauw heen, cowboy,' zei ze spottend. 'Ik denk dat je vriendin wel wat hulp kan gebruiken.'

Hij wierp haar een laatste blik toe en liep toen naar het huis. Voor hij drie stappen had kunnen zetten, was rechercheur Corbett bij hem. 'Ik moet u even spreken, meneer Bolitar.'

Myron liep langs hem heen. 'Zo meteen.'

Toen hij bij Victoria Wilson was, liet ze aan duidelijkheid niets te wensen over: 'Niet met de politie praten,' zei ze. 'Sterker nog, ga naar Wins huis en blijf daar.'

'Ik hou niet zo van bevelen opvolgen,' zei Myron.

'Het spijt me als het je mannelijke ego kwetst,' zei ze op een toon die duidelijk maakte dat het haar totaal niet speet. 'Maar ik weet wat ik doe.'

'Heeft de politie de vinger gevonden?'

Victoria Wilson sloeg haar armen over elkaar. 'Ja.'

'En?'

'En niks.'

Myron keek naar Bucky. Die wendde zijn blik af. Hij richtte zijn aandacht weer op Victoria Wilson. 'Hebben ze je er niet naar gevraagd?'

'Ze hebben vragen gesteld. Wij hebben geweigerd die te beantwoorden.'

'Maar de vinger kan haar vrijpleiten.'

Met een zucht draaide Victoria Wilson zich om. 'Ga naar huis, Myron. Ik bel je als er nieuwe ontwikkelingen zijn.'

33

Het was tijd om Win onder ogen te komen. In de auto oefende Myron verschillende benaderingen. Geen ervan voelde juist, maar dat deed er niet zo veel toe. Win was zijn vriend. Als het zover was, zou Myron de boodschap overbrengen en Win zou er al dan niet op reageren.

De lastige vraag was natuurlijk of de boodschap eigenlijk wel moest worden overgebracht. Myron wist dat het ongezond was om dingen te onderdrukken, maar wilde iemand echt Wins onderdrukte woede opwekken?

Zijn mobiele telefoon ging. Myron nam op. Het was Tad Crispin.

'Ik heb je hulp nodig,' zei Tad.

'Wat is er aan de hand?'

'De pers blijft me lastigvallen voor commentaar. Ik weet niet goed wat ik moet zeggen.'

'Niks,' zei Myron tegen hem. 'Zeg vooral niks.'

'Ja, goed, maar zo eenvoudig is het niet. Learner Shelton, de voorzitter van de USGA, heeft me twee keer gebeld. Hij wil morgen een grote prijsuitreiking houden. Mij uitroepen tot kampioen van de U.S. Open. Ik weet niet wat ik moet doen.'

Slimme knul, dacht Myron. Hij weet dat dit hem veel schade kan berokkenen als dit slecht wordt aangepakt. 'Tad?'

'Ja?'

'Neem je me in dienst?' Zaken waren tenslotte zaken. Een agent bood zijn diensten niet gratis aan.

'Ja, Myron. Je bent aangenomen.'

'Goed. Luister goed. Er zijn wat bijzonderheden die eerst moeten worden besproken. Percentages, dat soort dingen. Het meeste is vrij standaard.' Ontvoering, ledematen afhakken, moord... Niets weerhield de almachtige agent ervan om een paar centen te verdienen. 'Ondertussen moet je niks zeggen. Ik zal over een paar uur een auto sturen om je op te halen. De chauffeur zal naar jouw kamer bellen voor hij er is. Ga direct naar de auto en zeg niks. Wat de pers je ook toeschreeuwt, blijf zwijgen. Niet glimlachen of zwaaien. Kijk grimmig. Er is net een man vermoord. De chauffeur zal je naar Wins landgoed brengen. Dan zullen we onze strategie bespreken.'

'Dank je, Myron.'

'Nee, Tad. Jij bedankt.'

Profiteren van een moord. Myron had zich nog nooit zo erg een echte agent gevoeld.

De pers had zijn kamp opgeslagen voor Wins landgoed.

'Ik heb extra bewakers ingehuurd voor vanavond,' legde Win uit. Hij hield een leeg cognacglas in zijn hand. 'Ze hebben bevel om gericht te schieten als iemand het hek nadert.'

'Dat waardeer ik.'

Win gaf een kort knikje. Hij schonk wat grand marnier in het glas. Myron pakte een Yoo-Hoo uit de koelkast. De twee mannen gingen zitten.

'Jessica heeft gebeld,' zei Win.

'Hierheen?'

'Ja.'

'Waarom heeft ze me niet op mijn mobiele telefoon gebeld?'

'Ze wilde mij spreken,' zei Win.

'O.' Myron schudde zijn Yoo-Hoo, precies zoals er op de zijkant van het blikje stond: SCHUDDEN! HET IS GEWELDIG! Het leven was een en al poëzie. 'Waar ging het over?'

'Ze maakt zich zorgen over jou,' zei Win.

'Waarom?'

'Nou, ze beweerde bijvoorbeeld dat je een cryptisch bericht hebt ingesproken op haar antwoordapparaat.'

'Heeft ze ook gezegd wat ik zei?'

'Nee. Alleen dat je stem gespannen klonk.'

'Ik heb gezegd dat ik van haar hou. Dat ik altijd van haar zal houden.'

Win nam een slokje en knikte alsof dat alles verklaarde.

'Wat?'

'Niks,' zei Win.

'Nee, zeg het maar. Wat is er?'

Win zette het cognacglas neer en zette zijn vingers tegen elkaar. 'Wie wilde je overtuigen?' vroeg hij. 'Haar of jezelf?'

'Wat bedoel je daar nou weer mee?'

Nu liet hij z'n vingers tegen elkaar stuiteren in plaats van ze tegen elkaar te laten rusten. 'Niks.'

'Je weet hoeveel ik van Jessica hou.'

'Dat is waar,' zei Win.

'Je weet wat ik heb moeten doorstaan om haar terug te winnen.'

'Dat is waar.'

'Ik begrijp het nog steeds niet,' zei Myron. 'Heeft Jess je daarom gebeld? Omdat mijn stem gespannen klonk?'

'Nee, niet alleen daarom. Ze had ook gehoord over de moord op Jack Coldren. Ze was natuurlijk van streek. Ze vroeg of ik een oogje op je wilde houden.'

'En wat heb je tegen haar gezegd?'

'Nee.'

Stilte.

Win hief het cognacglas op. Hij liet de vloeistof ronddraaien en snoof de geur diep op. 'Nou, wat wilde je met me bespreken?'

'Ik heb je moeder vandaag gesproken.'

Win nam een trage slok. Hij liet de drank over zijn tong rollen en keek aandachtig naar de bodem van het glas. Nadat hij had geslikte, zei hij: 'Doe maar net alsof ik zojuist naar adem snakte van verbazing.'

'Ik moest je een boodschap van haar geven.'

Er verscheen een glimlachje om Wins lippen. 'Mijn lieve mama heeft je zeker verteld wat er is gebeurd?'

'Ja.'

278

De glimlach werd groter. 'Dus nu weet je alles, hè Myron?'

'Nee.'

'Ach toe nou, maak het niet zo gemakkelijk. Geef me wat van die amateurpsychologie die je altijd zo graag vertolkt. Een jochie van acht dat zijn hijgende moeder op handen en knieën ziet met een andere man, dat moet me toch emotioneel hebben beschadigd? Kunnen we alles wat ik ben geworden niet terugvoeren op dat ene laaghartige moment? Is deze ene gebeurtenis niet de reden waarom ik vrouwen behandel zoals ik doe, waarom ik een emotioneel fort rond mezelf heb opgetrokken, waarom ik mijn vuisten laat spreken waar anderen voor woorden kiezen? Toe nou, Myron. Dat moet je toch allemaal hebben overwogen? Vertel me alles. Ik ben ervan overtuigd dat het bijzonder verhelderend zal zijn.'

Myron wachtte een tel. 'Ik ben hier niet om je psychologisch te ontleden, Win.'

'Nee?'

'Nee.'

Wins ogen werden harder. 'Haal dat medelijden dan van je gezicht.'

'Dat is geen medelijden, maar bezorgdheid,' zei Myron.

'Doe me een lol, zeg.'

'Het mag dan vijfentwintig jaar geleden zijn gebeurd, het moet pijn hebben gedaan. Misschien heeft het je niet gevormd. Misschien zou je anders ook precies dezelfde persoon zijn geworden als je nu bent. Maar dat wil niet zeggen dat het geen pijn deed.'

Win ontspande zijn kaak. Hij pakte het glas op. Dat was leeg. Hij schonk zichzelf nog wat in. 'Ik wil het hier niet langer over hebben,' zei hij. 'Nu weet je waarom ik niks te maken wil hebben met Jack Coldren of mijn moeder. Laten we het over iets anders hebben.'

'We hebben het nog niet over haar boodschap gehad.'

'O ja, de boodschap,' zei Win. 'Je weet toch dat mijn lieve mama me nog altijd cadeautjes stuurt voor mijn verjaardag en verschillende feestdagen?'

Myron knikte. Daar hadden ze het nooit over gehad. Maar hij wist het.

'Die stuur ik altijd ongeopend retour,' zei Win. Hij nam nog een slok. 'Ik denk dat ik met deze boodschap hetzelfde doe.'

'Ze is stervende, Win. Kanker. Ze heeft misschien nog een paar weken.'

'Dat weet ik.'

Myron leunde achterover. Zijn keel voelde droog aan.

'Is dat alles?'

'Ze wilde je laten weten dat het je laatste kans is om met haar te praten,' zei Myron.

'Ja, dat is natuurlijk zo. Het zal heel lastig zijn om na haar dood nog een gesprek met haar te voeren.'

Myron klampte zich nu vast aan strohalmen. 'Ze verwacht geen grootse hereniging. Maar als er nog zaken zijn die je wilt uitspreken...' Myron hield op met praten. Wat hij zei was overbodig en voor de hand liggend. Daar had Win een hekel aan.

'Is dat het?' vroeg Win. 'Is dat je belangrijke boodschap?'

Myron knikte.

'Goed dan. Ik ga Chinees bestellen. Ik hoop dat je daar trek in hebt.'

Win stond op en slenterde naar de keuken.

'Je beweert dat het je niet heeft veranderd,' zei Myron. 'Maar hield je van haar? Vóór die tijd?'

Wins gezicht leek uit steen gehouwen. 'Wie zegt dat ik nu niet van haar hou?'

34

De chauffeur bracht Tad Crispin binnen via de achteringang.

Win en Myron zaten televisie te kijken. Er begon een reclame voor Scope. Een getrouwd stel in bed werd wakker en keek vol walging van elkaar weg. Ochtendadem, zei de voice-over. Je hebt Scope nodig. Scope geneest ochtendadem.

Myron zei: 'Wat ook wel eens wil helpen is je tanden poetsen.'

Win knikte.

Myron deed de deur open en ging Tad voor naar de woonkamer. Tad ging op een bank tegenover Myron en Win zitten. Hij keek om zich heen, zijn ogen zoekend naar een plek waar hij naar kon blijven kijken, maar hij had geen geluk. Hij glimlachte flauwtjes.

'Wil je iets drinken?' vroeg Win. 'Of kan ik je een croissant of een Pop Tart aanbieden?' De gastheer die alles in huis had.

'Nee, dank je.' Alweer een flauwe glimlach.

Myron boog zich voorover. 'Tad, vertel eens over het telefoontje van Learner Shelton.'

De knul stak meteen van wal. 'Hij zei dat hij me wilde feliciteren met mijn overwinning. Dat de USGA me officieel had uitgeroepen tot winnaar van de U.S. Open.' Tad hield even op met praten. Zijn ogen werden glazig toen de woorden hem opnieuw raakten. Tad Crispin, winnaar van de U.S. Open. Iets waar mensen van droomden.

'Wat heeft hij nog meer gezegd?'

Crispins ogen werden langzaam weer helder. 'Hij geeft morgenmiddag een persconferentie. Op Merion. Dan geven ze me de bokaal en een cheque ter waarde van 360.000 dollar.'

Myron draaide er niet omheen. 'Als eerste zeggen we tegen de pers dat jij je niet als de winnaar van de U.S. Open beschouwt. Als zij je zo willen noemen, best. Als de USGA je zo wil noemen, best. Maar jij vindt dat het toernooi in een gelijkspel is geëindigd. De dood hoort Jack Coldren niet te beroven van zijn grootse prestaties of van zijn aanspraak op de titel. Het is geëindigd in gelijkspel, dus is het ook een gelijkspel. Wat jou betreft zijn jullie co-winnaars. Snap je?'

Tad aarzelde een beetje. 'Ik denk het wel.'

'Goed, dan over die cheque.' Myron trommelde met zijn vingers op een bijzettafeltje. 'Als ze erop staan om je het volledige bedrag voor de winnaar te geven, dan moet je Jacks deel aan een liefdadig doel schenken.'

'De rechten van het slachtoffer,' zei Win.

Myron knikte. 'Dat klinkt goed. Iets tegen geweld...'

'Wacht eens even,' viel Tad hem in de rede. Hij wreef met zijn handpalmen over zijn dijen. 'Wil je dat ik 180.000 dollar weggeef?'

'Dat kun je aftrekken van de belasting,' zei Win. 'Dan blijft nog maar de helft van de waarde over.'

'En het is een habbekrats vergeleken bij de positieve berichten die je ervoor zult krijgen,' voegde Myron eraan toe.

'Maar ik kwam in rap tempo terug,' hield Tad vol. 'Ik had het goede ritme te pakken. Ik zou hebben gewonnen.'

Myron boog zich iets dichter naar hem toe. 'Je bent een sportman, Tad. Je bent strijdlustig en vol zelfvertrouwen. Dat is mooi, sterker nog, dat is geweldig. Dit moordverhaal is groot nieuws. Dat stijgt boven sport uit. Voor de meeste mensen op aarde zal dit hun eerste kennismaking met Tad Crispin zijn. We willen dat ze iemand zien die sympathiek is. Iemand die fatsoenlijk, betrouwbaar en bescheiden is. Als we nu gaan opscheppen wat een geweldige golfer je bent, als we te veel de nadruk leggen op het feit dat je je achterstand hebt ingelopen in plaats van op deze tragedie, dan zullen de mensen je beschouwen als kil, als het zoveelste voorbeeld van wat er mis is met de sporters van tegenwoordig. Snap je wat ik bedoel?'

Tad knikte. 'Ik denk het wel.'

'We moeten je in een bepaald licht neerzetten. We moeten het verhaal zo veel mogelijk in eigen hand houden.'

'Doen we dan interviews?' vroeg Tad.

'Heel weinig.'

'Maar als we publiciteit willen…'

'We willen zorgvuldig geregisseerde publiciteit,' verbeterde Myron hem. 'Dit verhaal is zo groot dat extra aandacht trekken wel het laatste is wat we moeten doen. Ik wil dat je je op de achtergrond houdt, Tad. Je moet bedachtzaam zijn. Kijk, we moeten het juiste evenwicht in stand houden. Als we de loftrompet over onszelf steken, lijken we net dikdoeners. Als we veel interviews geven, is het alsof we misbruik maken van een man die is vermoord.'

'Rampzalig,' zei Win.

'Precies. Wat we moeten doen is de informatiestroom beheersen. De pers kleine hapjes toespelen. Niet meer dan dat.'

'Misschien één interview,' zei Win. 'Eentje waarin jij op je schuldbewust bent.'

'Eventueel met Bob Costas.'

'Of anders met Barbara Walters.'

'En we kondigen je royale donatie niet aan.'

'Precies, géén persconferentie. Jij bent veel te onbaatzuchtig om daarmee te koop te lopen.'

Dat snapte Tad niet. 'Hoe moeten we positieve verhalen krijgen als we het niet vertellen?'

'We laten het uitlekken,' zei Myron. 'We zorgen er bijvoorbeeld voor dat iemand bij de liefdadigheidsorganisatie het tegen een nieuwsgierige journalist zegt. Zoiets. Waar het om gaat is dat Tad Crispin veel te bescheiden is om ruchtbaarheid te geven aan zijn eigen goede daden. Begrijp je wat we willen bereiken?'

Nu knikte Tad een stuk enthousiaster. Hij begon er warm voor te lopen. Myron voelde zich een rotzak. Spindoctor spelen was gewoon een andere taak van een moderne sportimpressario. Het was niet altijd prettig om een agent te zijn. Soms moest je je handen vuil maken. Dat vond Myron niet per se leuk, maar hij was er wel toe bereid. De media deden op een bepaalde manier verslag van gebeurtenissen en hij stelde die in een ander daglicht. Toch voelde hij zich net een grijnzende politiek strateeg na een debat, en veel dieper kun je niet zinken.

Ze namen de details nog een paar minuten door. Tad begon weer de andere kant op te kijken. Ook wreef hij weer met de befaamde handpalmen over zijn broek. Toen Win de kamer even verliet, fluisterde Tad: 'Ik zag op het nieuws dat jij de advocaat van Linda Coldren bent.'

'Een ervan.'

'Ben jij ook haar agent?'

'Die kans bestaat,' zei Myron. 'Hoezo?'

'Dus je bent ook een echte advocaat? Je hebt rechten gestudeerd en zo?'

Myron wist niet of het hem beviel welke kant dit gesprek opging. 'Ja.'

'Dan kan ik je toch ook in dienst nemen als advocaat? Niet alleen als agent?'

Dit beviel Myron echt voor geen meter. 'Waarom heb je een advocaat nodig, Tad?'

'Ik zeg niet dat ik die nodig heb. Maar stel dat...'

'Alles wat je me vertelt, is vertrouwelijk,' zei Myron.

Tad Crispin stond op. Hij strekte zijn armen recht voor zich uit en pakte een denkbeeldige golfclub vast. Hij maakte een swing. Luchtgolf. Dat speelde Win voortdurend. Dat deden alle golfers. Basketbalspelers deden dat niet. Het was niet alsof Myron voor elke winkelruit bleef staan om de weerspiegeling van zijn shot in de spiegel te bekijken.

Golfers.

'Het verbaast me dat je dit nog niet weet,' zei Tad langzaam.

Maar het griezelige gevoel in Myrons maag vertelde hem dat hij het misschien wel wist. 'Dat ik wat niet weet, Tad?'

Tad maakte nog een swing. Hij stopte de beweging om zijn backswing te controleren. Toen verscheen er een uitdrukking van paniek op zijn gezicht. Hij liet zijn denkbeeldige club op de grond vallen. 'Het is maar een paar keer gebeurd,' zei hij, en de woorden stroomden naar buiten als zilveren kralen. 'Het stelde eigenlijk niet veel voor. Ik bedoel, we hebben elkaar leren kennen toen we die reclamespotjes voor Zoom opnamen.' Hij keek Myron aan met een smekende blik. 'Je hebt haar zelf gezien, Myron. Ik bedoel, ik weet dat ze twintig jaar ouder is dan ik, maar ze is heel erg knap en ze zei dat haar huwelijk voorbij was...'

Myron hoorde de rest van zijn woorden niet meer; de oceaan denderde zijn oren binnen. Tad Crispin en Linda Coldren. Hij kon het niet geloven, maar eigenlijk was het heel logisch. Een jonge kerel die duidelijk gecharmeerd is van een adembenemende oudere vrouw. De volwassen schoonheid die gevangenzit in een liefdeloos huwelijk en ontsnapping zoekt in jonge, knappe armen. Goed beschouwd is daar niks mis mee.

Toch voelde Myron zijn wangen vuurrood worden. Iets in zijn binnenste begon te koken.

Tad was nog steeds aan het kletsen. Myron onderbrak hem.

'Is Jack erachter gekomen?'

Tad hield op met praten. 'Ik weet het niet,' zei hij. 'Maar dat zou best kunnen.'

'Waarom denk je dat?'

'Door de manier waarop hij zich gedroeg. We hebben twee ronden tegen elkaar gespeeld. Ik weet dat we tegenstanders waren en dat hij me probeerde te intimideren. Maar ik kreeg gewoon de indruk dat hij het wist.'

Myron liet zijn gezicht in zijn handen zakken. Hij voelde zich kotsmisselijk.

Tad vroeg: 'Denk je dat dat bekend zal worden?'

Myron onderdrukte zijn gegrinnik. Dit zou een van de belangrijkste nieuwsberichten van het jaar worden. De media zouden aanvallen als een oude vrouw bij een uitverkoop van Loehmann. 'Ik zou het niet weten, Tad.'

'Wat moeten we doen?'

'Hopen dat het niet bekend wordt.'

Tad was bang. 'En als dat wel gebeurt?'

Myron keek hem recht aan. Tad Crispin zag er zo verdomd jong uit, nee, hij was ook jong. De meeste jongens van zijn leeftijd haalden streken uit bij hun studentenvereniging. En wat had Tad goed en wel beschouwd nou eigenlijk voor ergs gedaan? Hij was naar bed geweest met een oudere vrouw die om de een of andere reden vast bleef zitten in een dood huwelijk. Dat was nauwelijks onnatuurlijk te noemen. Myron probeerde zichzelf voor te stellen op Tads leeftijd. Als een beeldschone oudere vrouw als Linda Coldren hem zou hebben versierd, zou hij dan een kans hebben gemaakt?

Echt niet. Waarschijnlijk zou hij nu nog geen kans maken.

Maar hoe zat het met Linda Coldren? Waarom maakte ze geen einde aan dat dode huwelijk? Om religieuze redenen? Twijfelachtig. Omwille van haar zoon? Die jongen was zestien. Hij zou het misschien moeilijk vinden, maar hij zou het wel overleven.

'Myron, wat gebeurt er als de pers erachter komt?'

Maar Myron dacht opeens niet meer aan de pers. Hij dacht aan de politie. Hij dacht aan Victoria Wilson en wettig en overtuigend bewijs. Waarschijnlijk had Linda Coldren haar advocaat verteld over haar verhouding met Tad Crispin. Victoria zou het ook hebben gezien.

Wie wordt er uitgeroepen tot winnaar van de U.S. Open nu Jack Coldren dood is?

Wie heeft precies dezelfde motieven die Myron eerder aan Esme Fong had toegeschreven om Jack Coldren om te brengen?

Wiens brandschone imago zou bezoedeld kunnen worden als de Coldrens gingen scheiden, vooral als Jack Coldren zou zeggen met wie zijn vrouw indiscreet was geweest?

Wie had er een verhouding met de vrouw van de overledene?

Het antwoord op al die vragen zat voor hem.

35

Niet lang daarna vertrok Tad Crispin. Myron en Win nestelden zich op de bank. Ze zetten *Broadway Danny Rose* van Woody Allen op, een van Woody's meest miskende meesterwerken. Wat een film. Die moet je eens huren.

Tijdens de scène waarin Mia Woody meesleept naar de waarzegger, kwam Esperanza binnen.

Ze kuchte in haar vuist. 'Ik, ahem, wil op geen enkele manier belerend of gemaakt klinken,' begon ze, een geweldige Woody-imitatie weggevend. Ze had zijn timing, zijn spraak-uitsteltactieken. Ze had zijn handgebaartjes. Ze had het New Yorkse accent. Het was haar beste optreden ooit. 'Maar ik heb misschien belangrijke informatie.'

Myron keek op. Win hield zijn blik op de tv gericht.

'Ik heb de man opgespoord van wie Lloyd Rennart het café twintig jaar geleden heeft gekocht,' zei Esperanza weer met haar eigen stem. 'Rennart heeft hem contant betaald. Zevenduizend dollar. Ik heb ook het huis in Spring Lake Heights nagekeken. Dat is in dezelfde tijd gekocht voor 21.000 dollar. Geen hypotheek.'

'Hoge uitgaven,' zei Myron, 'voor een caddie die financieel aan de grond zit.'

'Sí, señor. En om de zaak nog interessanter te maken, heb ik geen enkel bewijs gevonden dat hij heeft gewerkt of belasting heeft betaald vanaf het moment dat hij is ontslagen door Jack Coldren tot hij het café de Rusty Nail heeft gekocht.'

'Het kan een erfenis zijn geweest.'

'Dat waag ik te betwijfelen,' zei Esperanza. 'Ik ben erin geslaagd om terug te gaan tot 1971 en ik heb nergens bewijs gevonden dat hij successierechten heeft betaald.'

Myron keek naar Win. 'Wat vind jij ervan?'

Wins blik was nog altijd op de tv gericht. 'Ik luister niet.'

'O, ja. Dat was ik vergeten.' Hij keek weer naar Esperanza. 'Is er nog meer?'

'Het alibi van Esme Fong klopt. Ik heb met Miguel gesproken. Ze heeft het hotel niet verlaten.'

'Is hij betrouwbaar?'

'Ja, volgens mij wel.'

Slag één. 'Verder nog iets?'

'Nee, nog niet. Maar ik heb het kantoor van de plaatselijke krant in Narberth gevonden. Die hebben oude edities in hun opslagruimte. Die ga ik morgen doorbladeren om te kijken wat ik te weten kan komen over dat auto-ongeluk.'

Esperanza haalde een afhaalbak en een stel eetstokjes uit de keuken en plofte op de bank. Een huurmoordenaar van de maffia noemde Woody een druiloor. Woody verkondigde dat hij geen idee had wat dat betekende, maar dat hij ervan uitging dat het niets goeds was. Ach, die Woody toch.

Tien minuten na het begin van *Love and Death*, niet lang nadat Woody zich afvroeg hoe de oude Nahampkin jonger kon zijn dan de jonge Nahampkin, werd Myron overvallen door uitputting. Hij viel op de bank in slaap. Een diepe slaap. Geen dromen. Geen bewegingen. Niets anders dan de lange val in de diepe put.

Om half negen werd hij wakker. De televisie was uit. Een klok tikte en sloeg toen. Iemand had een dekbed over Myron gelegd terwijl hij had liggen slapen. Waarschijnlijk Win. Hij keek in de andere slaapkamers. Win en Esperanza waren allebei weg.

Hij douchte, kleedde zich aan en zette koffie. De telefoon ging. Myron nam op en zei: 'Hallo.'

Het was Victoria Wilson. Ze klonk nog altijd verveeld. 'Ze hebben Linda gearresteerd.'

Myron trof Victoria Wilson aan in een wachtkamer voor advocaten.

'Hoe gaat het met haar?'

'Prima,' antwoordde Victoria. 'Ik heb Chad gisteravond thuis gebracht. Daar was ze blij om.'

'En waar is Linda nu?'

'In een wachtkamer tot ze wordt voorgeleid. We kunnen haar over een paar minuten spreken.'

'Wat hebben ze?'

'Redelijk wat, eigenlijk,' zei Victoria. Ze klonk bijna geïmponeerd. 'Ten eerste hebben ze de bewaker die haar een verder lege golfbaan heeft zien betreden en weer zien verlaten rond de tijd van de moord. Met uitzondering van Jack heeft hij verder de hele nacht niemand zien komen of gaan.'

'Dat wil niet zeggen dat niemand dat heeft gedaan. Het is een vreselijk groot terrein.'

'Dat is waar. Maar zoals zij het zien, geeft het Linda de mogelijkheid om de moord te hebben gepleegd. Ten tweede hebben ze haren en vezels op Jacks lichaam en op de plaats delict gevonden en een voorlopig onderzoek koppelen die aan Linda. Het moet natuurlijk geen probleem zijn om dat in twijfel te trekken. Jack is haar man, dus het is logisch dat hij haren en vezels van haar op zijn lichaam heeft. Hij kan degene zijn die ze heeft verspreid op de plaats delict.'

'Bovendien heeft ze tegen ons gezegd dat ze naar de golfbaan is gegaan om Jack te zoeken,' voegde Myron eraan toe.

'Maar dat vertellen we niet aan hen.'

'Waarom niet?'

'Omdat we op dit moment helemaal niks zeggen of toegeven.'

Myron haalde zijn schouders op. Onbelangrijk. 'En verder?'

'Jack had een .22 millimeter handvuurwapen. Dat heeft de politie gisteravond gevonden in een stuk bos tussen het huis van de Coldrens en Merion.'

'Lag het daar gewoon?'

'Nee. Het was begraven in verse modder. Ze hebben het gevonden met behulp van een metaaldetector.'

'Weten ze zeker dat het Jacks wapen is?'

Ze knikte. 'Het serienummer klopt. De politie heeft direct een ballistische test laten uitvoeren. Het is het moordwapen.'

Myron voelde ijs in zijn aderen. 'Vingerafdrukken?' vroeg hij.

Victoria Wilson schudde haar hoofd. 'Schoongeveegd.'

'Doen ze een kruittest bij haar?' De politie voert die test uit om te kijken of er verbrand kruit op de handen zit.

'Dat kost een paar dagen,' zei Victoria. 'En de uitslag is waarschijnlijk negatief.'

'Heb je haar haar handen laten schoonboenen?'

'En ze laten bewerken. Ja.'

'Jij denkt dus dat ze het heeft gedaan?'

Haar toon bleef bedaard. 'Zeg dat alsjeblieft niet.'

Ze had gelijk. Maar het begon er slecht uit te zien. 'Is er nog meer?' vroeg hij.

'De politie heeft jouw bandrecorder gevonden die nog steeds op de telefoon was aangesloten. De agenten waren natuurlijk nieuwsgierig waarom de Coldrens het nodig vonden om alle binnenkomende gesprekken op te nemen.'

'Hebben ze bandjes gevonden waar de gesprekken met de ontvoerder op staan?'

'Alleen dat waarin de ontvoerder naar Esme Fong verwijst als een "Chinese teef" en honderdduizend dollar eist. En om je volgende twee vragen te beantwoorden: nee, we hebben verder niets gezegd over de ontvoering, en: ja, ze zijn laaiend.'

Daar dacht Myron even over na. Er klopte iets niet. 'Was dat het enige bandje dat ze hebben gevonden?'

'Ja, alleen dat.'

Hij fronste. 'Maar als de bandrecorder nog aangesloten was, had het ook het laatste telefoontje van de ontvoerder aan Jack moeten opnemen. Het telefoontje naar aanleiding waarvan hij het huis uit is gestormd en naar Merion is gegaan.'

Victoria Wilson keek hem kalm aan. 'De politie heeft geen andere bandjes gevonden. Niet in het huis. Niet op Jacks lichaam. Nergens.'

Weer dat ijs in zijn aderen. De implicatie was duidelijk. De aannemelijkste verklaring voor het feit dat er geen bandje was, was dat er geen telefoontje was geweest. Linda Coldren had het verzonnen. Het ontbreken van een bandje zou worden beschouwd als een grote discrepantie áls ze tenminste iets tegen de politie had gezegd. Linda Coldren bofte dat Victoria Wilson haar nooit haar verhaal had laten doen.

Die vrouw was echt heel goed.

'Kun je me een kopie bezorgen van het bandje dat de politie heeft gevonden?' vroeg hij.

Victoria Wilson knikte. 'Er is nog meer,' zei ze.

Myron was bijna bang om het te moeten horen.

'Laten we het even over de afgehakte vinger hebben,' ging ze door alsof ze een voorgerecht bestelde. 'Die heb je toch in Linda's auto gevonden, in een gele envelop?'

Myron knikte.

'De envelop is van een type dat alleen bij Staples wordt verkocht, hun huismerk, maat nummer tien. Er was op geschreven met een rode Flair-pen die een medium punt had. Drie weken terug heeft Linda Coldren een bezoek gebracht aan Staples. Volgens de kassabon die gisteren bij haar thuis is gevonden heeft ze verschillende kantoorbenodigdheden gekocht, waaronder een doos gele Staples-enveloppen, maat nummer tien en een rode Flair-pen met medium punt.'

Myron kon zijn oren niet geloven.

'Wat wel gunstig was, was dat hun handschriftdeskundige niet kon zeggen of het handschrift op de envelop van Linda was.'

Maar Myron besefte opeens nog iets anders. Linda had op hem gewacht op Merion. Ze waren samen naar de auto gelopen. Ze hadden de vinger samen gevonden. De openbare aanklager zou zich op dat verhaal storten. Waarom had ze op Myron gewacht? Het antwoord, zo zou de openbare aanklager beweren, lag nogal voor de hand: ze had een getuige nodig. Ze had de vinger zelf in haar auto gelegd, dat kon ze gemakkelijk doen zonder argwaan te wekken, en ze had een onnozele hals nodig gehad wanneer ze hem vond.

Daar kwam Myron Bolitar, onnozele hals *du jour*, om de hoek kijken.

Maar Victoria Wilson had er natuurlijk handig voor gezorgd dat de openbare aanklager dat verhaal nooit te horen zou krijgen. Myron was Linda's advocaat. Hij mocht het niet vertellen. Niemand zou het ooit te weten komen.

Ja, de vrouw was goed, op één ding na.

'De afgehakte vinger,' zei Myron. 'Dat moet toch het toppunt zijn, Victoria. Wie gelooft er nou dat een moeder de vinger van haar zoon zou afsnijden?'

Victoria keek op haar horloge. 'Laten we met Linda gaan praten.'

'Nee, wacht even. Dat is de tweede keer dat je dit wegwuift. Wat verzwijg je voor me?'

Ze hing haar tas over haar schouder. 'Kom mee.'

'Zeg, ik krijg er een beetje genoeg van om gepiepeld te worden.'

Victoria Wilson knikte langzaam, maar ze zei niks en liep gewoon door. Myron volgde haar de wachtkamer in. Daar zat Linda Coldren al te wachten. Ze droeg een fel-oranje gevangenisoverall. Haar handen waren geboeid. Ze keek Myron aan met holle ogen. Er volgden geen begroetingen, omhelzingen of zelfs maar beleefdheden.

Zonder inleiding zei Victoria: 'Myron wil weten waarom ik niet geloof dat de afgehakte vinger ons helpt.'

Linda keek hem aan. Op haar gezicht lag een droevige glimlach. 'Dat is natuurlijk heel begrijpelijk.'

'Wat is hier in vredesnaam aan de hand?' vroeg Myron. 'Ik weet dat je niet de vinger van je eigen zoon hebt afgehakt.'

De droevige glimlach bleef onveranderd. 'Dat heb ik niet gedaan,' zei Linda. 'Dat gedeelte is waar.'

'Wat bedoel je met "dat gedeelte"?'

'Je zei dat ik niet de vinger van mijn eigen zoon heb afgehakt,' ging ze verder. 'Alleen is Chad mijn zoon niet.'

36

Er klikte weer iets in Myrons hoofd.

'Ik ben onvruchtbaar,' legde Linda uit. Ze sprak de woorden heel gemakkelijk uit, maar de pijn in haar ogen was zo rauw en naakt dat Myron bijna ineenkromp. 'Ik heb een aandoening waarbij mijn eierstokken geen eitjes kunnen produceren. Maar Jack wilde desondanks een biologisch kind.'

Myron zei zacht: 'Hebben jullie een draagmoeder ingehuurd?'

Linda keek naar Victoria. 'Ja,' zei ze. 'Al was het niet zo eerlijk.'

'Het is allemaal naar de letter van de wet gebeurd,' merkte Victoria op.

'Heb jij het voor ze geregeld?' vroeg Myron.

'Ik heb het papierwerk afgehandeld, ja. De adoptie was volkomen wettig.'

'We wilden het geheimhouden,' zei Linda. 'Daarom ben ik zo vroeg opgehouden met toernooien spelen. Ik heb me teruggetrokken. De biologische moeder hoorde nooit te weten te komen wie we waren.'

Er ging hem nog een lichtje op. 'Maar ze heeft het toch ontdekt?'

'Ja.'

Nog een lichtje. 'Het is Diane Hoffman, hè?'

Linda was te uitgeput om vermoeid te kijken. 'Hoe weet je dat?'

'Gewoon een goede gok.' Waarom zou Jack Diane Hoffman anders in dienst nemen als zijn caddie? Waarom zou ze anders zo van streek zijn geraakt door de manier waarop jullie de ontvoering aanpakten? 'Hoe is ze erachter gekomen?'

Die vraag werd door Victoria beantwoord. 'Zoals ik al zei, is alles

wettig geregeld. Met alle nieuwe wetten was het niet zo moeilijk.'
Nog een lichtje. 'Daarom kon je niet van Jack scheiden. Hij was de
biologische ouder. In een voogdijzaak zou hij de beste papieren hebben.'

Linda's schouders zakten omlaag en ze knikte.

'Weet Chad dit allemaal?'

'Nee,' zei Linda.

'Voor zover je weet tenminste,' zei Myron.

'Wat?'

'Je weet het niet zeker. Misschien is hij erachter gekomen. Misschien heeft Jack het hem verteld. Of Diane. Zo kan het hele gedoe
zijn begonnen.'

Victoria sloeg haar armen over elkaar. 'Ik geloof er niks van,
Myron. Stel je voor dat Chad het heeft ontdekt. Hoe heeft dat dan
tot zijn eigen ontvoering en de moord op zijn vader geleid?'

Myron schudde zijn hoofd. Dat was een goede vraag. 'Dat weet ik
nog niet. Ik heb tijd nodig om hierover na te denken. Weet de politie
het?'

'Van de adoptie? Ja.'

Het begon hem te dagen. 'Dat geeft de openbare aanklager zijn
motief. Ze zullen zeggen dat Linda bang was omdat Jack wilde scheiden. Dat ze hem heeft vermoord om haar zoon te houden.'

Victoria Wilson knikte. 'En met het feit dat Linda niet de biologische moeder is, kunnen ze twee kanten op: of ze hield zo veel van
haar zoon dat ze Jack heeft vermoord om hem te behouden, of ze was
in staat om Chads vinger af te hakken omdat hij niet haar eigen vlees
en bloed is.'

'Hoe dan ook, de vondst van de vinger helpt ons niets verder.'

Victoria knikte. Ze zei niet: 'Dat zei ik toch,' maar dat had ze net
zo goed wel kunnen doen.

'Mag ik iets zeggen?' Het was Linda. Ze draaiden zich om en keken haar aan.

'Ik hield niet meer van Jack. Dat heb ik meteen tegen je gezegd,
Myron. Ik betwijfel of ik dat zou hebben opgebiecht als ik van plan
was geweest hem te vermoorden.'

Myron knikte. Dat klonk logisch.

'Maar ik hou wel van mijn zoon, míjn zoon. Meer dan van het leven zelf. Het feit dat het geloofwaardiger is dat ik hem zou verminken omdat ik zijn adoptiemoeder en niet zijn echte moeder ben is ziek en grotesk. Ik hou zo veel van Chad als een moeder maar van een kind kan houden.'

Ze zweeg en haar borstkas ging op en neer. 'Dat moeten jullie allebei goed beseffen.'

'Dat weten we,' zei Victoria. En daarna: 'Laten we allemaal even gaan zitten.'

Toen ze alle drie hadden plaatsgenomen op de stoelen, bleef Victoria de leiding over het gesprek houden. 'Ik weet dat het vroeg dag is, maar ik wil na gaan denken over gerede twijfel. Er zullen hiaten in hun zaak zitten. Ik wil er zeker van zijn dat we daar gebruik van kunnen maken. Maar ik wil ook graag wat alternatieve theorieën horen over wat er is gebeurd.'

'Met andere woorden,' zei Myron, 'andere verdachten.'

Victoria hoorde iets in zijn stem. 'Dat is precies wat ik bedoel.'

'Nou, je hebt al een troef achter de hand, is het niet?'

Victoria knikte koeltjes. 'Inderdaad.'

'Tad Crispin, toch?'

Deze keer keek Linda inderdaad verbaasd. Victoria bleef onaangedaan. 'Ja, hij is een verdachte.'

'Die knul heeft me gisteravond in dienst genomen,' zei Myron. 'Als ik nu over hem praat, is er sprake van belangenverstrengeling.'

'Dan praten we niet over hem.'

'Ik weet niet zeker of ik daar genoegen mee kan nemen.'

'Dan moet je hem laten vallen als cliënt,' zei Victoria. 'Linda heeft je eerder aangenomen. Je verplichtingen horen bij haar te liggen. Als je het gevoel hebt dat er belangenverstrengeling is, zul je meneer Crispin moeten bellen om hem te vertellen dat je hem niet kunt vertegenwoordigen.'

In de val. En ze wist het.

'Laten we het over andere verdachten hebben,' zei Myron.

Victoria knikte. De slag was gewonnen. 'Ga je gang.'

'Als eerste Esme Fong.' Myron somde de redenen op waarom ze een geschikte verdachte zou zijn. Victoria keek weer slaperig, maar Linda keek bijna moordlustig.

'Heeft ze mijn zoon verleid?' gilde Linda. 'Is die teef bij mij binnen geweest en heeft ze mijn zoon verleid?'

'Blijkbaar.'

'Ongelooflijk. Dus daarom was Chad in dat vunzige motel?'

'Ja...'

'Goed,' viel Victoria hem in de rede. 'Dat bevalt me wel. Die Esme Fong heeft een motief. Ze heeft de gelegenheid. Zij was een van de weinige mensen die wist waar Chad was.'

'Ze heeft een alibi voor de moord,' voegde Myron eraan toe.

'Maar dat is niet erg sterk. Er moeten andere manieren zijn om dat hotel in en uit te gaan. Ze kan zich hebben vermomd. Ze kan naar buiten zijn geglipt toen Miguel even naar het toilet ging. Zij bevalt me wel. Wie nog meer?'

'Lloyd Rennart.'

'Wie?'

'Jacks vroegere caddie,' legde Myron uit. 'Degene die ervoor heeft gezorgd dat hij de Open verloor.'

Victoria fronste haar wenkbrauwen. 'Waarom hij?'

'Kijk naar de timing. Jack keert terug op de baan waar zijn grootste mislukking heeft plaatsgevonden en opeens gebeurt dit allemaal. Dat kan geen toeval zijn. Dat ontslag heeft Rennarts leven geruïneerd. Hij heeft zijn eigen vrouw vermoord bij een auto-ongeluk.'

'Wat?' Dat zei Linda.

'Niet lang na de Open heeft Lloyd zijn auto total loss gereden toen hij dronken achter het stuur zat. Daar is zijn vrouw bij omgekomen.'

Victoria vroeg: 'Kende je haar?'

Linda schudde haar hoofd. 'We hebben zijn familie nooit ontmoet. Sterker nog, ik geloof niet dat ik Lloyd ooit ergens anders heb gezien dan bij ons thuis of op de golfbaan.'

Victoria sloeg haar armen over elkaar en leunde achterover. 'Ik begrijp nog steeds niet waarom hij een geschikte verdachte zou zijn.'

'Rennart wilde wraak nemen. Daar heeft hij drieëntwintig jaar op gewacht.'

Victoria fronste opnieuw.

'Ik geef toe dat het wat vergezocht is.'

'Vergezocht? Het is belachelijk. Weet je ook waar Lloyd Rennart nu is?'

'Dat ligt wat gecompliceerd.'

'O?'

'Het kan zijn dat hij zelfmoord heeft gepleegd.'

Victoria keek van Linda naar Myron. 'Wil je dat alsjeblieft nader verklaren?'

'Zijn lichaam is nooit gevonden,' zei Myron. 'Maar iedereen denkt dat hij van een rots in Peru is gesprongen.'

Linda kreunde. 'O, nee…'

'Wat is er?' vroeg Victoria.

'We hebben een kaart uit Peru gehad.'

'Wie precies?'

'Hij was geadresseerd aan Jack, maar er stond geen afzender op. Die is vorig jaar herfst of winter gekomen.'

Myrons hart klopte snel. Vorig jaar herfst of winter. Rond de tijd dat Lloyd naar verluidt was gesprongen. 'Wat stond erop?'

'Twee woorden maar,' zei Linda. 'Vergeef me.'

Stilte.

Die werd verbroken door Victoria. 'Dat klinkt niet als iets wat gezegd wordt door een man die op wraak uit is.'

'Nee,' beaamde Myron. Hij dacht aan wat Esperanza had ontdekt over het geld dat Rennart had gebruikt om zijn huis en zijn café te kopen. Deze kaart bevestigde wat hij al had vermoed: Jack was tegengewerkt. 'Maar het wil ook zeggen dat de gebeurtenissen van drieëntwintig jaar geleden geen ongeluk waren.'

'Wat hebben wij daaraan?' vroeg Victoria.

'Iemand heeft Rennart betaald om de U.S. Open te saboteren. Die persoon moet daar een motief voor hebben gehad.'

'Misschien om Rennart om te brengen,' wierp Victoria tegen. 'Maar niet om Jack te vermoorden.'

Daar had ze gelijk in. Of niet? Iemand had Jack drieëntwintig jaar geleden voldoende gehaat om zijn kans op het winnen van de U.S. Open te verpesten. Misschien was die haat niet gedoofd. Of was Jack de waarheid te weten gekomen en moest hem daarom het zwijgen worden opgelegd. Het was het hoe dan ook waard om nader te onderzoeken.

'Ik wil niet gaan graven in het verleden,' zei Victoria. 'Dat kan alles heel erg rommelig maken.'

'Je hield toch van rommelig? Rommelig is vruchtbare grond voor gerede twijfel.'

'Gerede twijfel, daar hou ik wel van,' zei ze. 'Maar niet van onbekende grootheden. Onderwerp Esme Fong aan een nader onderzoek. En de familie Squires. Onderzoek wat je wilt, maar blijf uit de buurt van het verleden, Myron. Je weet nooit wat je daar zult aantreffen.'

37

An de autotelefoon: 'Mevrouw Rennart? U spreekt met Myron Bolitar.'

'Ja, meneer Bolitar?'

'Ik heb beloofd u regelmatig te bellen. Om u op de hoogte te houden.'

'Hebt u iets nieuws ontdekt?'

Hoe moest hij verdergaan? 'Niet over uw echtgenoot. Tot nu toe is er geen enkel bewijs dat erop duidt dat Lloyds dood iets anders was dan zelfmoord.'

'Ik snap het.'

Stilte.

'Waarom belt u me dan, meneer Bolitar?'

'Hebt u gehoord over de moord op Jack Coldren?'

'Natuurlijk,' zei Francine Rennart. 'Dat is op elke zender.' Toen: 'U denkt toch niet dat Lloyd...'

'Nee,' zei Myron snel. 'Maar volgens Jacks vrouw heeft Lloyd Jack een kaart gestuurd vanuit Peru. Vlak voor zijn dood.'

'Ik snap het,' zei ze nogmaals. 'Wat stond erop?'

'Er stonden slechts twee woorden op: Vergeef me. Hij heeft zijn naam er niet op gezet.'

Er volgde een korte stilte en toen zei ze: 'Lloyd is dood, meneer Bolitar. Net als Jack Coldren. Laat het rusten.'

'Ik ben er niet op uit om de reputatie van uw man te beschadigen. Maar het wordt steeds duidelijker dat iemand Lloyd heeft gedwongen of betaald om Jack te hinderen.'

'En nu wilt u dat ik u help om dat te bewijzen?'

'De persoon die erachter zat, kan Jack hebben vermoord en zijn zoon hebben verminkt. Uw man heeft Jack een kaart gestuurd waarop hij om vergiffenis vroeg. Mevrouw Rennart, met alle respect, maar denkt u niet dat Lloyd zou willen dat u hielp?'

Weer een stilte.

'Wat wilt u precies van mij, meneer Bolitar? Ik weet niets over wat er is gebeurd.'

'Dat weet ik. Maar hebt u ook oude papieren van Lloyd? Hield hij een agenda of een dagboek bij? Iets wat ons een aanwijzing zou kunnen geven?'

'Hij had geen agenda of dagboek.'

'Maar misschien is er wel iets anders.' Rustig aan, beste Myron. Dan breekt het lijntje niet. 'Als Lloyd compensatie heeft ontvangen,' – een mooie benaming voor omkoopsom – 'dan zijn er wellicht bankafschriften of brieven of iets dergelijks.'

'In de kelder staan dozen,' zei ze. 'Oude foto's, en misschien ook wat papieren. Ik geloof niet dat er bankafschriften zijn.' Francine Rennart zweeg even. Myron hield de hoorn tegen zijn oor gedrukt. 'Lloyd had altijd veel contant geld,' zei ze zacht. 'Ik heb nooit echt gevraagd waar dat vandaan kwam.'

Myron likte zijn lippen af. 'Mag ik de inhoud van die dozen bekijken, mevrouw Rennart?'

'U kunt vanavond langskomen.'

Esperanza was nog niet terug in de cottage. Maar Myron was nog maar net gaan zitten of de intercom zoemde.

'Ja?'

De bewaker bij het hek aan de voorkant zei met keurige dictie: 'Meneer, er zijn een heer en een jonge dame die u willen spreken. Ze beweren dat ze niet van de pers zijn.'

'Hebben ze ook een naam genoemd?'

'De heer zegt dat hij Carl heet.'

'Laat ze binnen.'

Myron liep naar buiten en zag een kanariegele Audi de oprit op komen. Carl stopte en stapte uit. Zijn platte haar leek vers geperst, alsof hij het net had laten 'martiniseren', wat dat dan ook mocht zijn. Een jonge zwarte vrouw die niet ouder kon zijn dan twintig stapte aan de passagierskant uit. Ze keek rond met ogen die de grootte hadden van satellietschotels.

Carl draaide zich om naar de stallen en hield zijn grote hand boven zijn ogen. Een vrouwelijke rijdster in vol ornaat leidde een paard over een soort hindernisbaan.

'Is dat wat ze de steeplechase noemen?' vroeg Carl.

'Daar vraag je me wat,' zei Myron.

Carl bleef kijken. De rijdster stapte van het paard. Ze maakte het riempje van haar zwarte helm los en aaide het paard. Carl zei: 'Je ziet niet veel zwarte broeders die zich zo kleden.'

'En van die zwarte jockeybeeldjes voor op het gazon dan?'

Carl lachte. 'Niet slecht,' zei hij. 'Niet geweldig, maar niet slecht.'

Daar viel niks tegenin te brengen. 'Ben je hier voor paardrijlessen?'

'Dat lijkt me niet,' zei Carl. 'Dit is Kiana. Volgens mij kan zij ons helpen.'

'Ons?'

'Wij samen, *bro*.' Carl glimlachte. 'Ik mag je aardige zwarte partner spelen.'

Myron schudde zijn hoofd. 'Nee.'

'Pardon?'

'De aardige zwarte partner gaat altijd dood. Meestal al vroeg in het verhaal.'

Daar was Carl even stil van. 'Verdomme, dat was ik vergeten.'

Myron haalde zijn schouders op in een wat-doe-je-eraan-gebaar. 'Nou, wie is ze?'

'Kiana werkt als kamermeisje in de Court Manor Inn.'

Myron keek haar aan. Ze was nog altijd buiten gehoorsafstand. 'Hoe oud is ze?'

'Hoezo?'

Myron haalde zijn schouders op. 'Ik vraag het maar. Ze lijkt zo jong.'

'Ze is zestien. En zal ik je eens wat zeggen, Myron? Ze is geen ongetrouwde moeder, ze heeft geen uitkering en ze is geen junkie.'

'Ik heb nooit gezegd dat ze dat wel was.'

'Ja, ja. Dus er sijpelt nooit racistische ongein jouw kleurenblinde gedachten binnen?'

'Hé, Carl, doe me een lol. Bewaar de rassengevoeligheid voor een minder drukke dag. Wat weet ze?'

Carl wenkte haar naar voren met een strak knikje. Kiana kwam naar hen toe en leek uitsluitend uit lange ledematen en grote ogen te bestaan. 'Ik heb haar de foto laten zien.' Hij gaf Myron een kiekje van Jack Coldren. 'En ze wist zich te herinneren dat ze hem in de Court Manor heeft gezien.'

Myron wierp een blik op de foto en toen op Kiana. 'Heb jij deze man in het motel gezien?'

'Ja.' Haar stem klonk kordaat en sterk en logenstrafte haar leeftijd. Zestien. Ze was even oud als Chad. Dat was moeilijk voor te stellen.

'Weet je nog wanneer?'

'Vorige week. Ik heb hem er twee keer gezien.'

'Twee keer?'

'Ja.'

'Was dat toevallig op donderdag of vrijdag?'

'Nee.' Kiana behield haar onverstoorbaarheid. Geen samengeklemde handen, schuifelende voeten of heen en weer schietende ogen. 'Het was maandag of dinsdag. Op zijn laatst woensdag.'

Myron probeerde dat nieuwtje te verwerken. Jack was al twee keer vóór zijn zoon in de Court Manor geweest. Waarom? De reden lag nogal voor de hand: als hun huwelijk wat Linda betreft voorbij was geweest, gold dat waarschijnlijk ook voor Jack. Ook hij zou buitenechtelijke verhoudingen hebben gehad. Misschien was Matthew Squires daar getuige van geweest. Jack was gekomen voor zijn eigen verhouding en had de auto van zijn zoon zien staan. Daar zat wel iets in...

Maar het was ook wel heel toevallig. Vader en zoon die op hetzelfde moment in hetzelfde scharrelmotel komen? Er waren wel gekkere dingen gebeurd, maar hoe groot was die kans nou helemaal?

Myron wees op Jacks foto. 'Was hij alleen?'

Kiana glimlachte. 'De Court Manor Inn verhuurt niet veel eenpersoonskamers.'

'Heb je gezien wie er bij hem was?'

'Heel kort. De man op de foto was degene die incheckte. Zijn partner bleef in de auto.'

'Maar je hebt haar wel gezien? Heel even dan?'

Kiana keek naar Carl en toen weer naar Myron. 'Het was geen haar.'

'Pardon?'

'De man op de foto,' zei ze. 'Hij was daar niet met een vrouw.'

Er viel een grote kei uit de lucht recht op Myrons hoofd. Nu was het zijn beurt om een blik op Carl te werpen. Carl knikte. Nog een lichtje. Een groot licht. Het liefdeloze huwelijk. Hij had geweten waarom Linda Coldren getrouwd bleef. Zij was bang de voogdij over haar zoon kwijt te raken. Maar hoe zat het met Jack? Waarom was hij niet weggegaan? Het antwoord was opeens heel duidelijk: een huwelijk met een beeldschone vrouw die voortdurend op reis was, was de volmaakte dekmantel. Hij dacht aan de reactie van Diane Hoffman toen hij had gevraagd of ze met Jack naar bed ging, de manier waarop ze had gelachen en had gezegd: 'Niet waarschijnlijk met die ouwe Jack.'

Omdat die ouwe Jack homo was.

Myron richtte zijn aandacht weer op Kiana. 'Kun je de man die bij hem was beschrijven?'

'Ouder, misschien vijftig of zestig. Blank. Hij had lang, donker haar en een woeste baard. Dat is alles wat ik je kan vertellen.'

Myron had niet meer nodig.

Alle stukjes begonnen op hun plaats te vallen. Het plaatje was nog niet compleet. Nog niet. Maar opeens had hij wel een spectaculaire doorbraak.

38

Net toen Carl wegreed, reed Esperanza naar binnen. 'Heb je iets ontdekt?' vroeg Myron aan haar. Esperanza overhandigde hem een fotokopie van een oud krantenartikel. 'Lees dit.'

De kop luidde: DODE BIJ ONGELUK.

Heel beknopt. Hij las verder:

Dhr. Lloyd Rennart, wonende te Darby Place 27, is met zijn auto tegen een geparkeerde auto in South Dean Street gereden, vlak bij de kruising met Coddington Terrace. Dhr. Rennart is gearresteerd op verdenking van rijden onder invloed. De gewonden zijn met spoed naar het St. Elizabeth Ziekenhuis gebracht, waar Lucille Rennart, de vrouw van dhr. Rennart, dood werd verklaard. De uitvaart zal nader worden aangekondigd.

Myron las de alinea twee keer. 'De gewonden zijn met spoed,' las hij voor. 'Dus meer dan één.'

Esperanza knikte.

'Wie is er dan nog meer gewond geraakt?'

'Dat weet ik niet. Er is nooit een vervolgartikel verschenen.'

'Niks over de arrestatie, de voorgeleiding of de rechtszaak?'

'Nee. In elk geval niks wat ik heb kunnen vinden. De Rennarts werden verder nergens genoemd. Ik heb ook geprobeerd navraag te doen bij het St. Elizabeth ziekenhuis, maar daar wilden ze me niet helpen. Geheimhoudingsplicht van het ziekenhuis, beweerden ze. Al betwijfel ik of hun computers teruggaan tot de jaren zeventig.'

Myron schudde zijn hoofd. 'Dit is echt heel bizar,' zei hij.

'Ik zag Carl wegrijden,' zei Esperanza. 'Wat wilde hij?'

'Hij is langsgekomen met een kamermeisje van de Court Manor Inn. Raad eens met wie Jack Coldren een afspraakje had voor een heerlijk middagje?'

'Tonya Harding?'

'Je bent warm. Norm Zuckerman.'

Esperanza bewoog haar hoofd van boven naar beneden, alsof ze een abstract kunstwerk in het Metropolitan Museum of Art bekeek. 'Het verbaast me niks. Wat Norm betreft, bedoel ik. Ga maar na. Nooit getrouwd. Geen familie. In het openbaar omringt hij zich altijd met jonge, knappe vrouwen.'

'Voor de show,' zei Myron.

'Ja, precies. Als afleidingsmanoeuvre. Camouflage. Norm is de leider van een groot sportbedrijf. Als het uitkomt dat hij homo is, kan dat zijn ondergang worden.'

'Dus,' zei Myron, 'als bekend wordt dat hij homo is...'

'Zou dat heel erg schadelijk zijn,' zei Esperanza.

'Is dat een motief voor moord?'

'Tuurlijk,' zei ze. 'Het gaat om miljoenen dollars en de reputatie van een man. Er worden wel moorden om minder gepleegd.'

Myron dacht erover na. 'Maar hoe is het gebeurd? Laten we aannemen dat Chad en Jack elkaar toevallig tegen het lijf lopen bij de Court Manor. Stel je voor dat Chad doorheeft wat pappie en Norm daar komen doen. Misschien zegt hij het tegen Esme die voor Norm werkt. Misschien hebben Norm en zij...'

'Wat?' vroeg Esperanza. 'De jongen ontvoerd, zijn vinger afgehakt en hem vervolgens weer laten gaan?'

'Ja, dat slaat nergens op,' stemde Myron in. 'Nu tenminste nog niet. Maar we komen in de buurt.'

'Nou, zeg dat wel. We zijn de mogelijkheden echt aan het beperken. Eens kijken. Het kan Esme Fong zijn. Het kan Norm Zuckerman zijn. Het kan Tad Crispin zijn. Het kan een nog altijd levende Lloyd Rennart zijn. Het kan zijn vrouw of zijn zoon zijn. Het kan Matthew Squires zijn of diens vader of allebei. Of het kan een combinatie zijn van elk van de eerdergenoemden, wellicht de familie Rennart of Norm en Esme. En het kan Linda Coldren zijn. Hoe verklaart zij dat het wapen uit haar huis het moordwapen is? Of de enveloppen en de pen die ze heeft gekocht?'

'Dat weet ik niet,' zei Myron langzaam. 'Maar je zou wel eens op het goede spoor kunnen zitten.'

'Wat?'

'Toegang. Degene die Jack heeft vermoord en Chads vinger heeft afgehakt, had toegang tot het huis van de Coldrens. Wie hadden, afgezien van een inbraak, de mogelijkheid om het wapen en de kantoorbenodigdheden te pakken?'

Esperanza aarzelde maar heel kort. 'Linda Coldren. Jack Coldren, misschien die jongen van Squires, aangezien hij graag door het raam naar binnen kruipt.' Ze zweeg even. 'Verder niemand, volgens mij.'

'Goed. Laten we een stap verder gaan. Wie wist dat Chad Coldren in de Court Manor Inn was? Ik bedoel, degene die hem heeft gekidnapt moest toch zeker weten waar hij was?'

'Ja. Oké. Jack weer, Esme Fong en Norm Zuckerman. En ook nu weer Matthew Squires. Tjonge, Myron, hier komen we echt verder mee.'

'Dus welke namen staan op beide lijsten?'

'Jack en Matthew Squires. En ik denk dat we Jacks naam wel kunnen vergeten. Aangezien hij het slachtoffer is.'

Maar Myron zweeg even. Hij dacht aan zijn gesprek met Win. Over het onverbloemde verlangen om te winnen. Hoe ver zou Jack gaan om zich van zijn overwinning te verzekeren? Win had gezegd dat hij nergens voor terug zou deinzen. Had hij daar gelijk in?

Esperanza knipte met haar vingers voor zijn gezicht. 'Yo, Myron?'

'Wat?'

'Ik zei dat we Jack Coldren wel kunnen uitsluiten. Dode mensen begraven zelden moordwapens in een nabijgelegen bos.'

Dat klonk logisch. 'Dan houden we Matthew Squires over,' zei Myron. 'En volgens mij is hij niet degene die we zoeken.'

'Dat denk ik ook niet,' zei Esperanza. 'Maar we vergeten iemand.

Iemand die wist waar Chad Coldren was en vrije toegang had tot het wapen en de kantoorbenodigdheden.'

'Wie dan?'

'Chad Coldren.'

'Denk je dat hij zijn eigen vinger heeft afgehakt?'

Esperanza haalde haar schouders op. 'Hoe zit het met jouw oude theorie? Die waarin de ontvoering doorgestoken kaart is en helemaal uit de hand is gelopen? Ga maar na. Misschien hebben Tito en hij ruzie gekregen. Misschien heeft Chad Tito vermoord.'

Myron overwoog de mogelijkheid. Hij dacht aan Jack. En aan Esme. Hij dacht aan Lloyd Rennart. Toen schudde hij zijn hoofd. 'Op deze manier komen we nergens. Sherlock Holmes waarschuwde al dat je nooit moet speculeren zonder alle feiten te kennen omdat je anders de feiten verdraait om aan de theorie te voldoen, in plaats van andersom.'

'Dat heeft ons er nog nooit van weerhouden,' zei Esperanza.

'Daar zeg je iets.' Myron keek op zijn horloge. 'Ik moet naar Francine Rennart toe.'

'De vrouw van de caddie.'

'Ja.'

Esperanza snoof twee keer.

'Wat nou?' vroeg Myron.

Ze snoof nog een keer diep. 'Ik ruik een waanzinnige tijdverspilling,' zei ze.

Dat rook ze verkeerd.

39

Victoria Wilson belde hem op de autotelefoon. Wat hadden mensen gedaan voor er autotelefoons waren, vroeg Myron zich af. Voor er mobiele telefoons waren? Voor er piepers waren?

Waarschijnlijk hadden ze veel meer lol gehad.

'De politie heeft het lichaam van je neonazivriend gevonden,' zei ze. 'Zijn achternaam is Marshall.'

'Tito Marshall?' Myron fronste. 'Zeg alsjeblieft dat je een geintje maakt.'

'Ik maak nooit geintjes, Myron.'

Daar twijfelde hij eigenlijk niet aan. 'Heeft de politie enig idee dat hij hierbij betrokken is?' vroeg Myron.

'Absoluut niet.'

'En ik neem aan dat hij is overleden aan een kogelwond.'

'Dat is wel de voorlopige conclusie. Meneer Marshall is twee keer van dichtbij met een .38 in zijn hoofd geschoten.'

'Een .38? En Jack is vermoord met een tweeëntwintig.'

'Ja, Myron. Dat weet ik.'

'Dus Jack Coldren en Tito Marshall zijn met verschillende wapens omgebracht.'

Victoria wendde weer verveeldheid voor. 'Het is moeilijk te geloven dat jij geen professioneel ballistisch expert bent.'

Iedereen kon bijdehand zijn. Maar deze nieuwe ontwikkeling maakte een einde aan een heleboel scenario's. Als Jack Coldren en Tito Marshall door twee verschillende wapens waren gedood, betekende dat dan dat er twee verschillende moordenaars waren? Of was de moordenaar slim genoeg om andere wapens te gebruiken? Of had de moordenaar zich na de moord op Tito van de .38 ontdaan en was hij daardoor gedwongen geweest om Jack met de .22 te vermoorden? En wat voor zieke geesten noemden hun kind nou Tito Marshall? Het was al erg genoeg om door het leven te gaan met een naam als Myron. Maar Tito Marshall? Geen wonder dat de jongen een neonazi was geworden. Waarschijnlijk was hij begonnen als venijnige anticommunist.

Victoria onderbrak zijn mijmeringen. 'Ik belde je om een andere reden, Myron.'

'O?'

'Heb jij de boodschap doorgegeven aan Win?'

'Dat heb jij allemaal geregeld, is het niet? Jij hebt tegen haar gezegd dat ik daar zou zijn.'

'Beantwoord alsjeblieft mijn vraag.'

'Ja, ik heb de boodschap doorgegeven.'

'Wat zei Win?'

'Ik heb de boodschap doorgegeven,' zei Myron. 'Maar dat wil niet zeggen dat ik doorvertel wat de reactie van mijn vriend was.'

'Ze gaat achteruit, Myron.'

'Dat spijt me.'

Stilte.

'Waar ben je nu?' vroeg ze.

'Ik ben net de tolweg van New Jersey op gereden. Ik ben op weg naar de woning van Lloyd Rennart.'

'Ik dacht dat ik had gezegd dat je dat spoor met rust moest laten.'

'Dat heb je ook gezegd.'

Weer een stilte.

'Tot ziens, Myron.'

Ze hing op. Myron slaakte een zucht. Opeens verlangde hij naar de tijd van vóór de autotelefoon, de mobiele telefoon en de pieper. Altijd en overal bereikbaar zijn was verdomd vervelend.

Een uur later zette Myron zijn auto weer voor het bescheiden huis van de Rennarts. Hij klopte op de deur. Mevrouw Rennart deed onmiddellijk open. Ze bestudeerde zijn gezicht een paar lange tellen.

Ze zeiden geen van beiden iets. Zelfs geen begroeting.

'Je ziet er moe uit,' zei ze uiteindelijk.

'Dat ben ik ook.'

'Heeft Lloyd die ansichtkaart echt gestuurd?'

'Ja.'

Hij had automatisch geantwoord. Maar nu vroeg hij het zich af. Had Lloyd Rennart die kaart gestuurd? Voor hetzelfde geld had Linda hem op het oog voor de hoofdrol van: *Grote Sukkel, de Musical.* Neem bijvoorbeeld het opgenomen telefoongesprek dat verdwenen was. Als de ontvoerder Jack inderdaad voor zijn dood had gebeld, waar was het bandje van dat gesprek dan? Misschien had het telefoontje nooit plaatsgevonden. Misschien had Linda erover gelogen. Misschien loog ze ook over de kaart. Misschien werd Myron gewoon half verleid, zoals de door hormonen gedreven mannen in zo'n afgezaagde, slechte *Body Heat*-imitatie die direct werd uitgebracht op video en waarin vrouwen meespeelden met namen als Shannon en Tawny.

Geen aangename gedachten.

Francine Rennart ging hem zwijgend voor naar een donkere kelder. Toen ze beneden waren, stak ze haar hand omhoog en deed zo'n slingerende gloeilamp aan die zo uit *Psycho* leek te komen. De kamer was een en al cement. Er stonden een boiler, een cv-ketel, een wasmachine en een wasdroger en opbergdozen van verschillend formaat, vorm en materiaal. Op de vloer voor hem lagen vier dozen.

'Dat zijn z'n oude spullen,' zei Francine Rennart zonder omlaag te kijken.

'Dank je.'

Ze deed haar best, maar ze kon zich er niet toe zetten naar de dozen te kijken. 'Ik ben boven,' zei ze. Myron keek haar voeten na die uit het zicht verdwenen. Toen keek hij naar de dozen en hurkte neer. De dozen zaten dichtgeplakt. Hij pakte het zakmesje dat aan zijn sleutelbos hing en sneed door het plakband heen.

In de eerste doos zaten golfmemorabilia. Er waren certificaten, trofeeën en oude tees. Een golfbal was op een houten standaard bevestigd met een roestige plaquette waarop stond:

Myron vroeg zich af hoe Lloyds leven eruit had gezien op die heldere, frisse golfmiddag. Hoe vaak had Lloyd het shot in gedachten opnieuw gespeeld, hoe vaak had hij alleen in die BarcaLounger gezeten en had hij geprobeerd om die zuivere, koude roes terug te krijgen? Had hij nog geweten hoe het handvat van de club had gevoeld, hoe strak zijn schouders hadden gestaan toen hij aan de backswing begon, de keurige, stevige slag naar de bal, de zwevende uitzwaai?

In de tweede doos trof Myron Lloyds diploma van de middelbare school aan. Hij vond een jaarboek van de universiteit Penn State. Er was een foto van het golfteam. Lloyd Rennart was de aanvoerder geweest. Myrons vinger streek over een grote, vilten P. De letter op het sportjack van Lloyd. Er was een aanbevelingsbrief van zijn golfcoach op Penn State. De woorden *gouden toekomst* sprongen eruit. Gouden toekomst. De coach was ongetwijfeld een goede motivator geweest, maar van de toekomst voorspellen had hij geen verstand gehad.

In de derde doos vond hij als eerste een foto van Lloyd in Korea. Het was een ontspannen groepsfoto van ongeveer tien jongens/mannen in werktenue dat niet was dichtgeknoopt, hun armen losjes om de hals van degenen naast hen geslagen. Veel glimlachen, zo te zien gelukkige glimlachen. Lloyd was toen magerder, maar Myron zag niks sombers of tobberigs in Lloyds ogen.

Myron legde de foto neer. Op de achtergrond zong Betty Buckley niet 'Memory', maar misschien had ze dat wel moeten doen. Deze dozen bevatten een heel leven, een leven dat ondanks deze ervaringen, dromen, verlangens en hoop ervoor had gekozen er een einde aan te maken.

Van de bodem van de doos pakte Myron een trouwalbum. Op de vervaagde goudkleurige voorpagina stond: LLOYD EN LUCILLE. 17 NOVEMBER, 1968. VOOR NU EN ALTIJD. Nog meer ironie. De namaak leren omslag zat onder de vochtkringen die gemaakt leken te zijn door glazen. Lloyds eerste huwelijk, keurig ingepakt en weggestopt onder in een doos.

Myron wilde het album net aan de kant leggen toen zijn nieuws-gierigheid de overhand kreeg. Hij ging er voor zitten, zijn benen ge-spreid als een kind met een nieuw pak honkbalkaartjes. Hij legde het fotoalbum op de cementen vloer en sloeg het open. De boekband maakte een krakend geluid door de jaren van onbruik.

Bij het zien van de eerste foto slaakte Myron bijna een kreet.

40

De voet waarmee Myron het gas indrukte, ontspande zich niet.

In Chestnut Street, bij Fourth Street, geldt een parkeerverbod, maar daar stond Myron geen seconde bij stil. Nog voor de auto helemaal tot stilstand was gekomen, was hij er al uit, waarbij hij het koor van toeterende claxons negeerde. Hij haastte zich door de lobby van het Omni Hotel en schoot een open lift in. Toen hij op de bovenste verdieping uitstapte, zocht hij het juiste kamernummer en klopte aan.

Norm Zuckerman deed de deur open. 'Bubbe,' zei hij met een brede glimlach. 'Wat een aangename verrassing.'

'Mag ik binnenkomen?'

'Jij? Maar natuurlijk, liefje, wanneer je maar wilt.'

Maar Myron was al langs hem heen gesneld. De voorste kamer van de suite was, om het met de woorden van het hotel te zeggen, ruim en elegant ingericht. Esme Fong zat op een bank. Ze keek naar hem op met het bezorgde konijngezicht. Allerlei posters en blauwdrukken en advertenties en dergelijke parafernalia lagen op de grond en vielen als een waterval van de salontafel. Myron zag uitvergrote afbeeldingen van Tad Crispin en Linda Coldren. Overal waren Zoom-logo's te zien, onontkoombaar, als wraakzuchtige spoken of telemarketeers.

'We zaten net een beetje een strategie uit te stippelen,' zei Norm. 'Maar goed, we kunnen altijd even pauze nemen, niet waar, Esme?'

Esme knikte.

Norm ging achter een bar staan. 'Wil je iets, Myron? Ik geloof niet dat ze hier Yoo-Hoo's hebben, maar ik weet zeker dat...'

'Nee, niks,' zei Myron.

Norm maakte het zogenaamde overgavegebaar met zijn handen. 'Jeetje, Myron, maak je niet druk,' zei hij. 'Wat heb je op je lever?'

'Ik wil je waarschuwen, Norm.'

'Waarvoor dan?'

'Ik wil dit niet doen. Wat mij betreft is je liefdesleven een privézaak. Maar zo simpel ligt het niet. Niet meer. Het zal uitkomen, Norm. Het spijt me.'

Norm Zuckerman bewoog zich niet. Hij opende zijn mond alsof hij zich opmaakte om te protesteren. Toen hield hij op. 'Hoe ben je erachter gekomen?'

'Je was bij Jack. In de Court Manor Inn. Een kamermeisje heeft je gezien.'

Norm keek naar Esme, die haar hoofd hoog hield. Hij wendde zich weer tot Myron. 'Weet je wat er gebeurt als bekend raakt dat ik *faygeleh* ben?'

'Ik kan er niks aan doen, Norm.'

'Ik bén het bedrijf, Myron. Zoom draait om mode, imago en sport, wat toevallig de meest homofobe entiteit ter wereld is. In deze bedrijfstak staat en valt alles met indruk. Als ze erachter komen dat ik een ouwe nicht ben, weet je wat er dan gebeurt? Dan valt Zoom met een plof in de septic tank.'

'Daar ben ik het niet helemaal mee eens,' zei Myron. 'Maar er is hoe dan ook niks aan te doen.'

'Weet de politie het?' vroeg Norm.

'Nee, nog niet.'

Norm gooide zijn handen omhoog. 'Waarom moet het dan bekend worden? Het was maar een affaire. Goed, ik heb een ontmoeting met Jack gehad. Goed, we voelden ons tot elkaar aangetrokken. En we hadden allebei heel wat te verliezen als een van ons erover uit de school zou klappen. Dat stelt toch niks voor. Het heeft niks met zijn moord te maken.'

Myron wierp een zijdelingse blik op Esme. Ze keek terug met ogen die hem smeekten om niks te zeggen. 'Ik vrees van wel,' zei Myron.

'Je vreest? Je gaat me vernietigen op basis van een "ik vrees"?'
'Het spijt me.'
'Ik kan je niet overhalen het niet te doen?'
'Ik ben bang van niet.'
Norm liep bij de bar vandaan en zakte half neer op een stoel. Hij drukte zijn gezicht in zijn handen en zijn vingers gleden naar de achterkant waar ze in zijn haar bij elkaar kwamen en zich verstrengelden. 'Ik heb mijn hele leven met leugens geleefd, Myron,' begon hij. 'Tijdens mijn jeugd in Polen heb ik gedaan alsof ik niet joods was. Het is toch niet te geloven? Ik, Norm Zuckerman, deed net alsof ik een goj met een weke kaak was. Maar ik heb het overleefd. Ik ben hierheen gegaan. En toen heb ik mijn hele volwassen leven gedaan alsof ik een echte man was, een Casanova, een kerel die altijd een mooie vrouw aan zijn zijde heeft. Je raakt gewend aan leugens, Myron. Het wordt gemakkelijker, begrijp je? De leugens worden een soort tweede realiteit.'
'Het spijt me, Norm.'
Norm haalde diep adem en dwong een vermoeid glimlachje op zijn gezicht. 'Misschien is het het beste,' zei hij. 'Neem Dennis Rodman. Dat is nota bene een travestiet. Maar dat heeft hem geen kwaad gedaan, is het wel?'
'Nee. Zeker niet.'
Norm Zuckerman sloeg zijn blik op naar Myron. 'Hé, toen ik eenmaal in dit land was, werd ik de meest opzichtige jood die je ooit heb gezien. Ja, toch? Zeg eens eerlijk. Ben ik niet de meest opzichtige jood die je ooit hebt ontmoet?'
'Opzichtig,' zei Myron.
'Nou, reken maar. En toen ik net begon, zei iedereen dat ik moest dimmen. Doe niet zo joods, zeiden ze. Zo etnisch. Dan word je nooit geaccepteerd.' Op zijn gezicht stond nu echte hoop te lezen. 'Misschien kan ik hetzelfde doen voor alle *fagelehs* die in de kast zitten, Myron. Weer opzichtig zijn voor het oog van de hele wereld, begrijp je?'
'Ja zeker,' zei Myron zacht. Toen vroeg hij: 'Wie wist er nog meer van Jack en jou?'

'Wist?'

'Heb jij het tegen iemand gezegd?'

'Nee, natuurlijk niet.'

Myron wees op Esme. 'Hoe zit het met die mooie vriendinnen aan je arm? Hoe zit het met iemand die praktisch met je samenwoonde? Zou het voor haar niet heel eenvoudig zijn om erachter te komen?'

Norm haalde zijn schouders op. 'Ik denk het wel. Als je zo'n hechte band met mensen krijgt, vertrouw je ze ook. Je bent niet meer op je hoede. Dus misschien wist ze het. Nou, en?'

Myron keek naar Esme. 'Wil jij het hem vertellen?'

Esme's stem klonk koel. 'Ik weet niet waar je het over hebt.'

'Wat moet ze me vertellen?'

Myron bleef haar recht in de ogen kijken. 'Ik heb me afgevraagd waarom je een knul van zestien hebt verleid. Begrijp me niet verkeerd. Je optreden getuigde van lef. Al dat gepraat over hoe eenzaam je was en dat Chad lief was en geen ziektes had. Je was bijzonder welbespraakt. En toch klonk het onoprecht.'

Norm zei: 'Waar heb je het in godsnaam over, Myron?'

Myron negeerde hem. 'En dan waren er nog de bizarre toevalligheden. Dat Chad en jij op hetzelfde moment bij hetzelfde motel opdoken als Norm en Jack. Dat was al te vreemd. Dat kon ik echt niet geloven. Maar we weten dan ook allebei dat het geen toeval was. Jij hebt het op die manier gepland, Esme.'

'Wat heeft ze gepland?' viel Norm hem in de rede. 'Myron, vertel nou eens even wat hier verdomme aan de hand is.'

'Norm, jij zei dat Esme heeft gewerkt voor de basketbalreclamecampagne van Nike. Dat ze daar ontslag heeft genomen om voor jou te komen werken.'

'Nou en?'

'Ging ze erop achteruit in salaris?'

'Een beetje.' Norm haalde zijn schouders op. 'Niet veel.'

'Wanneer ben je precies met haar in contact gekomen?'

'Dat weet ik niet.'

'Ergens in de afgelopen acht maanden?'

Daar dacht Norm even over na. 'Ja, en?'

'Esme heeft Chad Coldren verleid. Ze heeft een ontmoeting met hem geregeld in de Court Manor Inn. Maar ze nam hem er niet mee naartoe voor seks of omdat ze eenzaam was. Het was namelijk doorgestoken kaart.'

'Hoezo?'

'Ze wilde dat Chad zijn vader zou zien met een andere man.'

'Hè?'

'Ze wilde Jack vernietigen. Het was geen toeval. Esme kende jouw agenda. Ze ontdekte je verhouding met Jack. Daarom probeerde ze het zo te regelen dat Chad zou zien hoe zijn vader echt was.'

Esme bleef zwijgen.

'Vertel eens, Norm. Hadden Jack en jij afgesproken voor donderdagavond?'

'Ja,' zei Norm.

'Wat gebeurde er toen?'

'Jack zegde het af. Hij reed het parkeerterrein op en schrok. Hij zei dat hij een bekende auto zag.'

'Niet zomaar een bekende auto,' zei Myron. 'Die van zijn zoon. Daar heeft Esme het verknald. Jack zag de auto. Hij vertrok voor Chad de kans kreeg hem te zien.'

Myron stond op en liep naar Esme. Ze bleef doodstil zitten. 'Ik had het van het begin af aan bijna goed,' zei hij. 'Jack nam de leiding in de Open. Zijn zoon was er, binnen handbereik van jou. Dus je hebt Chad ontvoerd om ervoor te zorgen dat Jack slecht zou gaan spelen. Precies zoals ik dacht. Alleen had ik je echte motief niet door. Waarom zou je Chad ontvoeren? Waarom verlangde je ernaar om wraak te nemen op Jack Coldren? Ja, geld maakte deel uit van het motief. Ja, je wilde dat de nieuwe reclamecampagne van Zoom een succes zou worden. Ja, je wist dat jij zou worden binnengehaald als hét nieuwe marketinggenie wanneer Tad Crispin de Open zou winnen. Dat speelt allemaal een rol. Maar dat verklaart natuurlijk niet waarom je Chad in de eerste plaats hebt meegenomen naar de Court Manor Inn, nog vóór Jack aan de leiding ging.'

Norm slaakte een zucht. 'Nou, vertel het maar, Myron. Welke reden kan ze hebben gehad om Jack kwaad te willen doen?'

Myron stak zijn hand in zijn zak en haalde er een korrelige foto uit. De eerste pagina van het trouwalbum. Lloyd en Lucille Rennart. Glimlachend. Gelukkig. Ze staan naast elkaar. Lloyd in een smoking. Lucille met een boeket bloemen. Lucille zag er adembenemend uit in een lange witte bruidsjurk. Maar dat was niet wat Myron tot in het diepst van zijn ziel had geschokt. Wat hem had geschokt had niets te maken met wat Lucille droeg of vasthield, maar juist met wat ze was.

Lucille Rennart was Aziatisch.

'Lloyd Rennart was jouw vader,' zei Myron. 'Op de dag dat hij tegen een boom reed, zat jij in de auto. Je moeder is omgekomen. Jij bent met spoed naar het ziekenhuis gebracht.'

Esme's rug was kaarsrecht, maar haar ademhaling ging met kleine stootjes.

'Ik weet niet precies wat er daarna is gebeurd,' ging hij verder. 'Ik gok dat je vader op zijn dieptepunt was aanbeland. Hij was een zuiplap. Hij had zijn eigen vrouw vermoord. Hij voelde zich verslagen, nutteloos. Dus misschien besefte hij dat hij jou niet kon grootbrengen. Of dat hij het niet verdiende om jou groot te brengen. Of misschien sloot hij een overeenkomst met de familie van je moeder. Als ze geen aanklacht tegen hem indienden, zou hij Lucilles familie de voogdij over jou geven. Ik weet niet hoe het is gegaan. Maar jij bent opgegroeid bij je moeders familie. Tegen de tijd dat Lloyd zijn leven weer op de rails had, had hij waarschijnlijk het gevoel dat het verkeerd was om je los te scheuren van je wortels. Of misschien was hij bang dat zijn dochter de vader die verantwoordelijk was voor de dood van haar moeder niet zou willen. Hoe het ook zit, Lloyd heeft erover gezwegen. Hij heeft zelfs zijn tweede vrouw nooit over je verteld.'

De tranen stroomden over Esme's wangen. Myron had ook zin om een potje te huilen.

'Hoe dicht ben ik in de buurt, Esme?'

'Ik heb echt geen flauw idee waar je het over hebt.'

'Er zullen documenten zijn,' zei Myron. 'In elk geval geboortebewijzen. Waarschijnlijk adoptiepapieren. Het zal de politie niet veel tijd kosten om dat na te trekken.' Hij stak de foto omhoog en zijn stem klonk zacht.

'De gelijkenis tussen je moeder en jou is al bijna voldoende.'

De tranen bleven stromen, maar ze huilde niet. Geen gesnik. Geen gesnak naar adem. Geen trillende gezichtsspieren. Alleen tranen. 'Misschien was Lloyd Rennart mijn vader,' zei Esme. 'Maar dan heb je nog altijd niks. De rest is niet meer dan speculatie.'

'Nee, Esme. Zodra de politie je afkomst heeft geverifieerd, zal de rest gemakkelijk zijn. Chad zal ze vertellen dat het jouw idee was om naar de Court Manor Inn te gaan. Ze zullen de dood van Tito nader onderzoeken. Daar zal een verband zijn. Vezels. Haren. Alles zal in elkaar passen. Maar ik heb een vraag voor je.'

Ze bleef zwijgen.

'Waarom heb je Chads vinger afgehakt?'

Zonder waarschuwing zette Esme het op een lopen. Myron werd erdoor verrast. Hij sprong over de bank om haar weg te blokkeren. Maar hij had haar verkeerd ingeschat. Ze was niet op weg naar een uitgang, maar ze ging een slaapkamer in. Haar slaapkamer. Myron sprong terug over de bank. Hij kwam bij haar kamer, maar was net te laat.

Esme Fong had een vuurwapen. Dat richtte ze op Myrons borstkas. In haar ogen zag hij dat er geen bekentenis zou volgen, geen uitleg, geen gesprek. Ze was klaar om te schieten.

'Doe geen moeite,' zei Myron.

'Wat?'

Hij haalde zijn mobieltje tevoorschijn en gaf het aan haar. 'Dit is voor jou.'

Esme bewoog even niet. Toen, met haar hand nog om het wapen, pakte ze de telefoon. Ze drukte hem tegen haar oor, maar Myron kon het prima horen.

Een stem zei: 'Dit is rechercheur Alan Corbett van het politiekorps Philadelphia. We staan voor de deur en hebben elk woord gehoord. Laat het wapen zakken.'

Esme keek weer naar Myron. Ze hield het wapen nog altijd op zijn borst gericht. Myron voelde een zweetdruppel langs zijn rug rollen.

In de loop van een vuurwapen kijken, was net alsof je in de grot der dood staarde. Je ogen zagen de loop, alleen de loop, alsof die onmogelijk groter werd en zich opmaakte om jou helemaal te verslinden.

'Dat zou stom zijn,' zei hij.

Ze knikte en liet het wapen zakken. 'En nutteloos.'

Het wapen viel op de grond. Deuren vlogen open. Agenten stormden naar binnen.

Myron keek omlaag naar het wapen. 'Een achtendertig,' zei hij tegen Esme. 'Het wapen waarmee je Tito hebt vermoord?'

Haar uitdrukking gaf hem het antwoord. De ballistische tests zouden zekerheid geven. De openbare aanklager zou geen spaan heel laten van haar.

'Tito was gek,' zei Esme. 'Hij heeft de vinger van de jongen afgehakt. Hij begon geldeisen te stellen. Dat moet je geloven.'

Myron knikte nietszeggend. Ze probeerde haar verdediging uit, maar het kwam op hem wel aardig geloofwaardig over.

Met een klik deed Corbett haar handboeien om.

Haar woorden tuimelden nu snel naar buiten. 'Jack Coldren heeft mijn hele familie vermoord. Hij heeft mijn vader geruïneerd en mijn moeder vermoord. En waarvoor? Mijn vader had niks verkeerds gedaan.'

'Ja,' zei Myron. 'Dat had hij wel.'

'Hij heeft de verkeerde club uit een golftas gehaald, als je Jack Coldren moet geloven. Hij heeft een vergissing begaan. Het was een ongeluk. Heeft dat hem echt zo veel moeten kosten?'

Myron zei niks. Het was geen vergissing of ongeluk geweest. En Myron had geen idee hoeveel het had moeten kosten.

41

De politie handelde alles af. Corbett had vragen, maar Myron was er niet voor in de stemming. Hij vertrok zodra de rechercheur even afgeleid was. Hij racete naar het politiebureau waar Linda Coldren op het punt stond te worden vrijgelaten. Hij nam de betonnen treden met drie of vier tegelijk en leek net een spastische olympische atleet die de timing van de hink-stap-sprong probeerde uit te kienen.

Victoria Wilson glimlachte bijna – en het sleutelwoord was bijna – naar hem. 'Linda komt over een paar minuten naar buiten.'

'Heb je dat bandje waar ik je om had gevraagd?'

'Het telefoongesprek tussen Jack en de ontvoerder?'

'Ja.'

'Dat heb ik,' zei ze. 'Maar waarom…'

'Geef het alsjeblieft aan mij,' zei Myron.

Ze hoorde iets in zijn stem. Zonder tegensputteren pakte ze het uit haar handtas. Myron nam het aan. 'Vind je het goed dat ik Linda naar huis rijd?' vroeg hij.

Victoria Wilson keek hem aan. 'Dat lijkt me een prima idee.'

Er kwam een politieagent naar buiten. 'Ze is klaar om te vertrekken,' zei hij.

Victoria wilde zich net omdraaien, toen Myron zei: 'Kennelijk had je het mis wat het graven in het verleden betrof. Het verleden heeft je cliënte gered.'

Victoria bleef hem in de ogen kijken. 'Het is zoals ik al eerder heb gezegd,' zei ze. 'Je weet nooit wat je zult vinden.'

Ze wachtten allebei tot de ander het oogcontact zou verbreken.

Dat deden ze geen van beiden tot de deur achter hen openging.

Linda droeg weer burgerkleding. Ze stapte aarzelend naar buiten, alsof ze in een donkere kamer had gezeten en niet zeker wist of haar ogen tegen het plotselinge licht konden. Op haar gezicht verscheen een brede glimlach toen ze Victoria zag. Ze omhelsden elkaar. Linda drukte haar gezicht tegen Victoria's schouder en wiegde in haar armen heen en weer. Toen ze elkaar loslieten, draaide Linda zich om en omhelsde Myron. Myron sloot zijn ogen en voelde dat zijn spieren zich ontspanden. Hij rook haar haren en voelde de wonderbaarlijke huid van haar wang tegen zijn hals. Ze omhelsden elkaar een hele poos, bijna als een schuifeldans, want ze wilden elkaar niet loslaten, misschien omdat ze allebei een beetje bang waren.

Victoria kuchte in haar vuist en nam afscheid. Doordat de politie voor hen uit liep, bereikten Myron en Linda met een minimum aan gedoe van de pers de auto. Zwijgend deden ze hun gordels om.

'Dank je,' zei ze.

Myron zei niks. Hij startte de motor. Een poosje zeiden ze allebei niks. Myron deed de airco aan.

'We hebben echt iets, hè?'

'Dat weet ik niet,' zei Myron. 'Jij maakte je ongerust om je zoon. Misschien was dat alles.'

Haar gezicht zei dat ze hem niet geloofde. 'En jij dan?' vroeg Linda. 'Voelde jij ook iets?'

'Ik geloof het, maar dat kan ook voor een deel angst zijn geweest.'

'Angst waarvoor?'

'Voor Jessica.'

Ze grijnsde vermoeid. 'Zeg nou niet dat jij zo'n man met bindingsangst bent.'

'Precies het tegenovergestelde. Ik ben bang dat ik te veel van haar hou. Ik ben bang voor mijn bindingsdrang.'

'Wat is het probleem dan?'

'Jessica is al eens bij me weggegaan. Dat wil ik niet nog eens meemaken.'

Linda knikte. 'Dus jij denkt dat het dat was? Angst om verlaten te worden?'

'Ik weet het niet.'

'Ik voelde iets,' zei ze. 'Voor het eerst in heel lange tijd. Begrijp me niet verkeerd, ik heb verhoudingen gehad. Zoals met Tad. Maar dat is niet hetzelfde.' Ze keek hem aan. 'Dit voelde fijn.'

Myron zei niks.

'Je maakt het niet gemakkelijk,' zei Linda.

'We hebben andere dingen om over te praten.'

'Zoals?'

'Heeft Victoria je verteld over Esme Fong?'

'Ja.'

'Zoals je weet, had ze een stevig alibi voor de moord op Jack.'

'Een nachtportier in een groot hotel als het Omni? Daar blijft bij nadere beschouwing vast niks van over.'

'Daar zou ik niet zo zeker van zijn,' zei Myron.

'Waarom zeg je dat?'

Myron gaf geen antwoord. Hij sloeg af naar rechts en zei: 'Weet je wat me dwars zat, Linda?'

'Nee, wat dan?'

'De telefoontjes voor losgeld.'

'Wat is daar dan mee?' vroeg ze.

'De eerste was op de ochtend van de ontvoering. Jij nam op. De ontvoerders zeiden dat ze je zoon hadden. Maar ze stelden geen eisen. Dat heb ik altijd gek gevonden. Jij niet?'

Daar dacht ze over na. 'Nou je het zegt.'

'Nu begrijp ik waarom ze dat deden. Maar toentertijd wisten we niet wat het echte motief voor de ontvoering was.'

'Ik kan je niet volgen.'

'Esme Fong heeft Chad ontvoerd omdat ze wraak wilde nemen op Jack. Ze wilde dat hij het toernooi zou verliezen. Hoe? Nou, ik dacht dat ze Chad had gekidnapt om Jack van zijn à propos te brengen. Maar dat was te abstract. Ze wilde er zeker van zijn dat Jack zou verliezen. Dat was steeds haar plan. Maar het telefoontje met de losgeldeisen kwam een beetje te laat. Jack was al op de baan. Jij nam op.'

Linda knikte. 'Ik geloof dat ik begrijp wat je wilt zeggen. Ze moest Jack rechtstreeks bereiken.'

'Tito of zij, maar je hebt gelijk. Daarom heeft ze Jack op Merion gebeld. Herinner je je het tweede telefoontje, dat Jack kreeg nadat hij klaar was met zijn ronde?'

'Natuurlijk.'

'Toen werd er losgeld geëist,' zei Myron. 'De ontvoerder draaide er niet omheen tegen Jack: begin te verliezen of je zoon gaat eraan.'

'Wacht eventjes,' zei Linda. 'Jack zei dat ze geen eisen hadden gesteld. Ze zeiden dat hij geld moest regelen en dat ze terug zouden bellen.'

'Jack heeft gelogen.'

'Maar...' Ze zweeg en zei toen: 'Wat?'

'Hij wilde niet dat wij, of liever gezegd, dat jij, de waarheid zou weten.'

Linda schudde haar hoofd. 'Ik begrijp er niks van.'

Myron pakte het bandje dat Victoria hem had gegeven. 'Misschien helpt dit om het uit te leggen.' Hij duwde het bandje in de cassettespeler. Er volgde een stilte van een paar seconden en toen hoorde hij Jacks stem als iets vanuit het graf: 'Hallo?'

'Wie is die Chinese teef?'

'Ik weet niet wat...'

'Probeer je me soms te verneuken, stomme klootzak? Ik zal je dat rotjoch in kleine stukjes terugsturen.'

'Alsjeblieft...'

'Wat is hier de bedoeling van, Myron?' Linda klonk een tikkeltje geïrriteerd.

'Wacht nog heel even. Het deel waar het mij om gaat, komt nu.'

'Ze heet Esme Fong. Ze werkt voor een kledingbedrijf. Ze is hier alleen om een reclamedeal te regelen met mijn vrouw.'

'Onzin.'

'Het is de waarheid, ik zweer het.'

'Ik weet het niet, Jack...'

'Ik zou echt niet tegen je liegen.'

'Nou, dat zullen we nog wel eens zien, Jack. Dit gaat je geld kosten.'

'Hoe bedoel je?'

324

'Honderdduizend. Noem het maar een boete.'

'Waarvoor?'

Myron drukt op STOP. 'Hoorde je dat?'

'Wat?'

'Noem het maar een boete.' Zo duidelijk als maar kan.

'Nou en?'

'Het was geen eis voor losgeld. Het was een boete.'

'Dit is een ontvoerder, Myron. Hij is waarschijnlijk niet echt bezig met semantiek.'

'"Honderdduizend",' herhaalde Myron. '"Noem het maar een boete." Alsof er al een eis is gesteld. Alsof de honderdduizend iets was wat hij net had besloten om eraan toe te voegen. En hoe zit het met Jacks reactie? De ontvoerder vraagt om honderdduizend. Je zou toch denken dat hij zou zeggen dat dat best was. Maar in plaats daarvan zegt hij: "Waarvoor?" Ook nu omdat het bovenop iets komt wat hem al eerder is gezegd. Luister nu eens hier naar.' Myron drukte op PLAY.

'Dat hoef jij niet te weten. Wil je dat joch levend terug? Dan moet je nu honderdduizend ophoesten. Dat komt boven op...'

'Wacht eens eventjes.'

Myron drukte weer op stop. '"Dan moet je nú honderdduizend ophoesten,"' herhaalde Myron. 'Nú. Dat is het sleutelwoord. Nú. Weer alsof het iets nieuws is. Alsof er voor dit telefoontje een andere eis was gesteld. En dan onderbreekt Jack hem. De ontvoerder zegt: "Dat komt boven op..." wanneer Jack iets zegt. Hoezo? Omdat Jack niet wil dat hij die zin afmaakt. Hij weet dat wij meeluisteren. "Dat komt boven op..." Ik durf te wedden dat hij wilde zeggen: "Dat komt boven op onze eerst eis." Of: "Dat komt boven op het verliezen van het toernooi."'

Linda keek hem aan. 'Maar ik snap het nog steeds niet. Waarom zou Jack niet gewoon tegen ons zeggen wat ze willen?'

'Omdat Jack niet van plan was op hun eis in te gaan.'

Daar schrok ze van. 'Wat?'

'Hij wilde te graag winnen. Nee, meer dan dat, hij moest winnen. Hij moest het gewoon. Maar als jij achter de waarheid zou komen, jij die zo vaak en zo gemakkelijk had gewonnen, dan zou je het nooit begrijpen. Dit was zijn kans op verlossing, Linda. Zijn kans om drieëntwintig jaar terug te gaan in de tijd en zijn bestaan de moeite van het leven waard te maken. Hoe graag wilde hij winnen, Linda? Zeg jij het maar. Wat zou hij ervoor hebben opgeofferd?'

'Niet zijn eigen zoon,' gaf Linda terug. 'Ja, Jack moest winnen. Maar niet zo hopeloos nodig dat hij het leven van zijn zoon ervoor zou verspelen.'

'Zo zag Jack het niet. Hij keek door zijn eigen roze gekleurde prisma van verlangen. Een man ziet wat hij wil zien, Linda. Wat hij moet zien. Toen ik Jack en jou die videoband van de bank liet zien, zagen jullie allebei iets anders. Jij kon niet geloven dat je zoon zoiets gemeens kon doen. Daarom zocht je naar verklaringen die dat bewijs teniet zouden doen. Jack deed precies het tegenovergestelde. Hij wilde geloven dat zijn zoon erachter zat. Dat het een grote bedriegerij was. Op die manier kon hij doorgaan met uit alle macht proberen te winnen. En als hij het toevallig bij het verkeerde eind had, als Chad wel was ontvoerd, nou, dan zouden de ontvoerders vast bluffen. Ze zouden het nooit echt doen. Met andere woorden: Jack deed wat hij moest doen. Hij rationaliseerde het gevaar weg.'

'Denk je echt dat zijn verlangen om te winnen zijn denkvermogen dusdanig heeft aangetast?'

'In hoeverre moest het worden aangetast? We hadden allemaal onze twijfels na het zien van die videoband van de bank. Zelfs jij. Dus hoe moeilijk zal het voor hem zijn geweest om een stap verder te gaan?'

Linda leunde naar achteren. 'Goed,' zei ze. 'Misschien geloof ik dat. Maar ik snap nog altijd niet wat dit met de rest te maken heeft.'

'Probeer me nog even te volgen, oké? Laten we teruggaan naar de keer dat ik jullie de video van de bank liet zien. We zijn bij jullie thuis. Ik speel de band af. Jack stormt naar buiten. Hij is natuurlijk van streek, maar desondanks speelt hij goed genoeg om zijn grote voorsprong te behouden. Dat maakt Esme kwaad. Hij negeert haar dreigement. Ze beseft dat ze de inzet moet verhogen.'

'Door Chads vinger af te hakken?'

'Vermoedelijk heeft Tito dat gedaan, maar dat doet er op dit moment niet toe. Waar het om gaat is dat de vinger wordt afgehakt en dat Esme Jack wil laten zien dat het haar menens is.'

'Dus ze legt hem in mijn auto en wij vinden hem.'

'Nee,' zei Myron.

'Wat?'

'Jack vindt hem eerst.'

'In mijn auto?'

Myron schudde zijn hoofd. 'Vergeet niet dat zowel Jacks autosleutels als de jouwe aan Chads sleutelbos zitten. Esme wil Jack waarschuwen, niet jou. Hij vindt hem. Hij is vanzelfsprekend geschrokken, maar hij zit al te diep in de leugen. Als de waarheid op dat moment aan het licht zou komen, zou jij hem nooit vergeven. Chad zou hem nooit vergeven. En het toernooi zou definitief voor hem voorbij zijn. Hij moet die vinger kwijt zien te raken. Dus stopt hij hem in een envelop en schrijft dat briefje. Weet je nog? "Ik heb je gewaarschuwd geen hulp te zoeken." Snap je het niet? Het is de volmaakte afleidingsmanoeuvre. Het leidt de aandacht niet alleen af van hem maar hij is meteen van mij af.'

Linda beet op haar onderlip. 'Dat verklaart de envelop en de pen,' zegt ze. 'Ik kocht alle schrijfbenodigdheden. Jack zal er een paar van in zijn aktetas hebben gehad.'

'Precies. Maar dan wordt het pas echt interessant.'

Ze trok haar wenkbrauwen op. 'Is het dat nu nog niet?'

'Wacht maar even. Het is zondagochtend. Jack staat op het punt om aan de laatste ronde te beginnen en zijn voorsprong is zo groot dat hij niet meer kan worden ingehaald. Die is groter dan zijn voorsprong van drieëntwintig jaar geleden. Als hij nu verliest, zal het de grootste instorting in de golfsport aller tijden zijn. Zijn naam zal dan voor eeuwig synoniem zijn met verliezen, waar Jack een grotere hekel aan had dan aan wat dan ook. Maar aan de andere kant is Jack geen volslagen bruut. Hij hield van zijn zoon. Tegen die tijd wist hij dat de ontvoering niet nep was. Hij werd waarschijnlijk verscheurd, en wist niet wat hij moest doen. Maar uiteindelijk nam hij een besluit. Hij zou het toernooi verliezen.'

Linda deed er het zwijgen toe.

'Slag voor slag zagen we hem sterven. Win begrijpt de vernietigende kant van het verlangen om te winnen veel beter dan ik. Hij zag ook dat Jack het vuur terug had, dat oude verlangen om te winnen. Maar ondanks dat alles, probeerde Jack te verliezen. Hij stortte niet compleet in. Dat zou te verdacht zijn geweest. Maar hij begon slagen te verliezen. Hij zorgde dat het nipt werd. En toen deed hij met opzet heel onhandig in de steengroeve en raakte hij zijn voorsprong kwijt.

Maar stel je voor wat er in zijn hoofd omging. Jack vocht tegen alles wat hij was. Ze zeggen dat een man zichzelf niet kan verdrinken. Zelfs al betekent het dat hij het leven van zijn kind redt, kan een man zichzelf niet onder water houden tot zijn longen barsten. Ik geloof niet dat dit zo anders was dan wat Jack probeerde te doen. Hij was zichzelf letterlijk aan het ombrengen. Zijn geestelijke gezondheid werd vermoedelijk weggeslagen als graszoden op de baan. Op de achttiende green nam zijn overlevingsinstinct het over. Misschien begon hij weer te rationaliseren, maar het is waarschijnlijker dat hij er gewoon niks aan kon doen. We hebben de transformatie allebei gezien, Linda. Op de achttiende zagen we zijn gezicht plotseling weer vaste vorm aannemen. Jack sloeg die putt erin en bracht de score terug tot een gelijkspel.'

Linda's stem was nauwelijks hoorbaar. 'Ja,' zei ze. 'Ik zag hem veranderen.' Ze ging rechtop zitten en slaakte een diepe zucht. 'Tegen die tijd moet Esme Fong in paniek zijn geraakt.'

'Ja.'

'Jack liet haar geen andere keuze meer. Ze moest hem vermoorden.'

Myron schudde zijn hoofd. 'Nee.'

Ze keek weer verward. 'Maar het klopt allemaal. Esme was wanhopig. Dat heb je zelf gezegd. Ze wilde wraak nemen voor haar vader en daarnaast was ze ongerust wat er ging gebeuren als Tad Crispin zou verliezen. Ze moest hem ombrengen.'

'Er is een probleem,' zei Myron.

'Wat dan?'

'Ze heeft die avond naar jouw huis gebeld.'

'O, ja,' zei Linda. 'Om de ontmoeting op de golfbaan af te spreken. Ze heeft vast tegen Jack gezegd dat hij alleen moest komen. Om niks tegen mij te zeggen.'

'Nee,' zei Myron. 'Zo is het niet gegaan.'

'Wat?'

'Als het zo zou zijn gegaan,' ging Myron verder, 'zouden we het telefoontje op band hebben.'

Linda schudde haar hoofd. 'Waar heb je het over?'

'Esme Fong heeft inderdaad naar jullie huis gebeld. Dat klopt. Ik durf te wedden dat ze Jack alleen nog wat meer heeft bedreigd. Hem heeft laten weten dat ze het echt meende. Jack heeft vermoedelijk om vergeving gesmeekt. Dat zal ik wel nooit weten. Maar ik durf te wedden dat hij dat telefoontje is geëindigd met de belofte om de dag erna te verliezen.'

'Nou en?' vroeg Linda. 'Wat heeft dat ermee te maken dat het telefoontje werd opgenomen?'

'Jack ging door een hel,' vervolgde Myron. 'De druk werd te groot. Hij was waarschijnlijk een instorting nabij. Dus hij rende het huis uit, precies zoals jij zei, en eindigde op zijn lievelingsplek. Merion. De golfbaan. Is hij daar alleen heen gegaan om na te denken? Dat weet ik niet. Heeft hij het wapen meegenomen, overwoog hij zelfmoord te plegen? Dat weet ik ook niet. Maar ik weet wel dat de cassetterecorder nog altijd op jouw telefoon was aangesloten. Dat heeft de politie bevestigd. Dus waar is het bandje van dat laatste gesprek gebleven?'

Linda's stem klonk opeens meer afgemeten. 'Dat weet ik niet.'

'Ja, dat weet je wel, Linda.'

Ze wierp hem een blik toe.

'Jack was misschien vergeten dat het telefoontje werd opgenomen,' ging Myron door. 'Maar jij niet. Toen hij het huis uit rende, ging jij naar de kelder. Je hebt het bandje afgespeeld. En je hebt alles gehoord. Wat ik je hier in de auto vertel, is niet nieuw voor je. Jij wist waarom de ontvoerders jouw kind hadden meegenomen. Jij wist wat Jack had gedaan. Jij wist waar hij het liefst heen ging als hij ging wandelen. En je wist dat je hem moest tegenhouden.'

Myron wachtte. Hij miste de afslag en nam de volgende, waarna hij een bocht van honderdtachtig graden maakte om de snelweg weer op te gaan. Hij kwam bij de juiste afslag en zette zijn richtingaanwijzer aan.

'Jack had het wapen meegenomen,' zei Linda, al te kalm. 'Ik wist niet eens waar hij het bewaarde.'

Myron knikte lichtjes en probeerde haar zwijgend aan te moedigen.

'Je hebt gelijk,' ging ze verder. 'Toen ik het bandje afluisterde, besefte ik dat Jack niet te vertrouwen was. Dat wist hij ook. Ondanks het dreigement dat zijn eigen zoon zou worden gedood, had hij die putt op de achttiende gemaakt. Ik ben hem gevolgd naar de baan. Ik heb hem ermee geconfronteerd. Hij begon te huilen. Hij zei dat hij zou proberen te verliezen. Maar...' Ze aarzelde en woog haar woorden. 'Dat voorbeeld van die verdrinkende man dat jij gaf. Dat was Jack.'

Myron probeerde te slikken, maar zijn keel was te droog.

'Jack wilde zichzelf ombrengen. En ik wist dat hij dat moest doen. Ik had naar het bandje geluisterd. Ik had de dreigementen gehoord. En ik had geen enkele twijfel: als Jack won, was Chad dood. En ik wist nog iets anders.'

Ze zweeg en keek Myron aan.

'Wat dan?' vroeg hij.

'Ik wist dat Jack zou winnen. Win had gelijk. Het vuur was terug in Jacks ogen. Maar ondertussen was het een felle vlammenzee geworden die hij niet langer in de hand had.'

'En daarom heb jij hem neergeschoten,' zei Myron.

'We worstelden omdat ik hem het wapen wilde ontfutselen. Ik wilde hem verwonden. Ernstig verwonden. Ik was bang dat de ontvoerder Chad voor onbepaalde tijd zou vasthouden als er een mogelijkheid bestond dat hij weer zou kunnen spelen. Zo wanhopig klonk de stem aan de telefoon. Maar Jack wilde het wapen niet afgeven en hij wilde het ook niet van mij wegtrekken. Het was vreemd. Hij hield het gewoon vast en keek me aan. Bijna alsof hij wachtte. Dus ik krulde mijn vinger om de trekker en haalde hem over.' Haar stem klonk nu heel helder. 'Het is niet per ongeluk afgegaan. Ik hoopte hem ernstig te verwonden, niet te doden. Maar ik schoot. Ik schoot om mijn zoon te redden. En Jack was dood.'

Meer stilte.

'Toen ging je terug naar huis,' zei Myron. 'Je hebt het wapen begraven. Je zag mij tussen de struiken. Toen je binnenkwam, heb je het bandje gewist.'

'Ja.'

'Daarom heb je die persverklaring zo vroeg uitgegeven. De politie wilde het stilhouden, maar jij wilde juist dat het verhaal openbaar zou worden. Jij wilde de ontvoerders laten weten dat Jack dood was, zodat ze Chad zouden laten gaan.'

'Het was mijn zoon of mijn man,' zei Linda. Ze draaide haar lichaam zodat ze hem aankeek. 'Wat zou jij hebben gedaan?'

'Dat weet ik niet. Maar ik geloof niet dat ik hem zou hebben neergeschoten.'

'Je "gelooft niet"?' herhaalde ze lachend. 'Je hebt het erover dat Jack onder druk stond, maar wat denk je van mij? Ik had niet geslapen. Ik was gestrest, verward en banger dan ik ooit in mijn leven ben geweest. En ja, ik was ook woedend dat Jack de kansen van onze zoon had verspeeld om het spel te spelen waar we allemaal zo veel van hielden. Ik had niet de luxe van een ik "geloof niet", Myron. Het leven van mijn zoon stond op het spel. Ik had alleen tijd om te reageren.'

Ze draaiden Ardmore Avenue op en reden zwijgend voorbij de Merion golfclub. Ze keken allebei uit het raam naar de zacht rollende zee van groen van de club die alleen werd onderbroken door heldere, witte stukken zand. Myron moest toegeven dat het een indrukwekkende aanblik was.

'Ga jij het vertellen?' vroeg ze.

Ze kende het antwoord al. 'Ik ben je advocaat,' zei Myron. 'Ik kan het niet vertellen.'

'En als je mijn advocaat niet was?'

'Dat doet er niet toe. Victoria zou alsnog genoeg gerede twijfel kunnen aandragen om de zaak te winnen.'

'Dat bedoelde ik niet.'

'Dat weet ik,' zei Myron, en daar liet hij het bij. Ze wachtte, maar er volgde geen antwoord.

'Ik weet dat het je niet kan schelen,' ging Linda door, 'maar ik meende wat ik eerder heb gezegd. Mijn gevoelens voor jou waren echt.'

Ze zeiden geen van beiden nog iets. Myron reed de oprit op. De politie hield de pers tegen. Chad stond buiten te wachten. Hij glimlachte naar zijn moeder en rende op haar af. Linda opende het autoportier en stapte uit. Misschien omhelsden ze elkaar, maar Myron zag het niet. Hij reed alweer achteruit de oprit af.

42

Victoria deed de deur open.

'In de slaapkamer. Volg mij maar.'

'Hoe gaat het met haar?' vroeg Myron.

'Ze slaapt veel. Maar ik geloof niet dat de pijn al heel erg is. We hebben een verpleegster en een morfine-infuus klaarstaan voor als ze dat nodig heeft.'

De inrichting was veel eenvoudiger en minder weelderig dan Myron had verwacht. Bont gekleurde meubels en kussens. Onopgesmukte witte muren. Vurenhouten boekenkasten met voorwerpen die waren verzameld tijdens vakanties in Azië en Afrika. Victoria had hem verteld dat Cissy Lockwood dol was op reizen.

Ze bleven staan voor een deuropening. Myron keek naar binnen. Wins moeder lag in bed. Ze straalde een en al uitputting uit. Haar hoofd lag op het kussen alsof het te zwaar was om op te tillen. In haar arm zat een infuus. Ze keek naar Myron en wist een zachte glimlach te produceren. Myron glimlachte terug. Vanuit zijn ooghoek zag hij Victoria een teken geven aan de verpleegster. De verpleegster stond op en liep langs hem heen. Myron stapte naar binnen. De deur ging achter hem dicht.

Myron ging dichter bij het bed staan. Haar ademhaling was moeizaam en benauwd, alsof ze langzaam van binnenuit werd gewurgd. Myron wist niet wat hij moest zeggen. Hij had eerder mensen zien sterven, maar dat waren snelle, gewelddadige sterfgevallen geweest waarbij de levenskracht met een krachtige stoot werd gedoofd. Dit was anders. Hij keek hier naar een mens die aan het sterven was, haar vitaliteit drupte uit haar als de vloeistof in haar infuuszak en het licht in haar ogen dimde bijna onmerkbaar. Het knarsende gezoem van weefsel, pezen en organen erodeerde onder de aanval van welk manisch beest haar ook maar voor zich had opgeëist.

Ze hief een hand op en legde die op de zijne. Haar grip was verbazingwekkend sterk. Ze was niet knokig of bleek. Haar spieren hadden nog kracht en haar bruine kleur van de zomer was nog maar iets vervaagd.

'Je weet het,' zei ze.

Myron knikte.

Ze glimlachte. 'Hoe?'

'Een hoop kleine dingetjes,' zei hij. 'Victoria die niet wilde dat ik in het verleden ging graven. Jacks ondeugende verleden. Jouw al te nonchalante opmerking dat Win die dag zou golfen met Jack. Maar het kwam vooral door Win. Toen ik hem over ons gesprek vertelde, zei hij dat ik nu wist waarom hij niks met jou en Jack te maken wilde hebben. Met jou kon ik begrijpen. Maar waarom niet met Jack?'

Haar borstkas ging een beetje op en neer. Ze sloot haar ogen even. 'Jack heeft mijn leven verwoest,' zei ze. 'Ik weet dat hij slechts een tiener was die een geintje uithaalde. Hij heeft zich uitgebreid verontschuldigd. Hij zei dat hij zich niet realiseerde dat mijn echtgenoot thuis was. Hij zei dat hij ervan overtuigd was dat ik Win zou horen aankomen en me zou verstoppen. Het was maar een grap, zei hij. Anders niets. Maar niets van dat alles maakte hem minder aansprakelijk. Door wat hij heeft gedaan, heb ik mijn zoon voor altijd verloren. Hij moest de gevolgen onder ogen zien.'

Myron knikte. 'En daarom heb je Lloyd Rennart betaald om Jack op de Open te saboteren.'

'Ja. Het was een ontoereikende straf voor wat hij mijn familie heeft aangedaan, maar het was het beste wat ik kon doen.'

De deur van de slaapkamer ging open en Win stapte naar binnen. Myron voelde dat haar hand de zijne losliet. Cissy Lockwood liet een snik horen. Myron aarzelde niet en zei ook geen gedag. Hij draaide zich om en liep de deur uit.

Ze overleed drie dagen later. Win was geen moment van haar zijde geweken. Toen er voor de laatste, meelijwekkende keer was ademgehaald, toen de borstkas genadig ophield met op en neer gaan en haar gezicht bevroor in een laatste, bloedeloze dodenmasker, verscheen Win in de gang.

Myron stond op en wachtte. Win keek hem aan. Zijn gezicht was sereen en ongestoord.

'Ik wilde niet dat ze alleen zou sterven,' zei hij.

Myron knikte. Hij probeerde op te houden met trillen.

'Ik ga een wandeling maken.'

'Kan ik iets doen?' vroeg Myron.

Win bleef even staan. 'Ja,' zei hij. 'Eigenlijk wel.'

'Zeg het maar.'

Die dag speelden ze zesendertig holes op Merion. En de dag erna nog eens zesendertig. En tegen de derde dag begon Myron het eindelijk te begrijpen.

Dankwoord

Als een auteur schrijft over een bezigheid (golf) die hij ongeveer even leuk vindt als zijn tong in een ventilator steken, dan heeft hij heel veel hulp nodig. Met dat in zijn achterhoofd wil de schrijver de volgende mensen bedanken: James Bradbeer, Jr., Peter Roisman, Maggie Griffin, Craig Coben, Larry Coben, Jacob Hoye, Lisa Erbach Vance, Frank Snyder, het bestuur van rec.sports.golf, Knitwit, Sparkle Hayter, Anita Meyer, de vele golfers die me hebben vermaakt met hun sprankelende verhalen (gaap), en natuurlijk Dave Bolt. Hoewel de U.S. Open een echt golftoernooi is en Merion een echte golfclub, is dit boek een fictief verhaal. Ik heb mezelf een aantal vrijheden veroorloofd, zoals het combineren van plaatsen en toernooien. Zoals altijd zijn eventuele vergissingen – feitelijk of anderszins – volledig de schuld van deze mensen. Daar heeft de schrijver part noch deel aan.

Myron en ik hebben onze best gedaan. Maar we weten nog steeds niet zeker of we het echt begrijpen.